СУДНЫЕ ДНИ

Андрей
ВОЛОС

НЕУДАЧНАЯ ОХОТА

МОСКВА

2017

УДК 821.161.1-31
ББК 84(2Рос=Рус)6-44
 В68

Оформление серии *Сергея Курбатова*

В оформлении обложки использован фрагмент картины
Паоло Уччелло «Охота в лесу» (1460)

Волос, Андрей.

В68   Неудачная охота : сборник / Андрей Волос. —
Москва : Издательство «Э», 2017. — 416 с. — (Судные
дни. Проза Андрея Волоса).

ISBN 978-5-699-99072-6

Южная ночь, вокруг никого, пейзаж словно штриховая иллюстрация — и посреди этой картинки на смирной лошади едет мальчик и представляет себя героем приключенческого романа... Повесть «Неудачная охота» и другие произведения, входящие в этот сборник, рассказывают о разных временах и событиях, но в них неизменно одно: Андрей Волос мастерски воссоздает внутренний мир всякого живого существа — того, кто умеет точно чувствовать, и того, кто вдобавок может облечь свои чувства в слова, — и мир вокруг нас.

УДК 821.161.1-31
ББК 84(2Рос=Рус)6-44

НЕУДАЧНАЯ ОХОТА

─────────

1

—Вот и Гулинор, — услышал Митька. — Приехали.

Что-то зашуршало, брякнуло — и стихло.

Он завозился, сел, ощупкой пробрался к заднему борту. Завалился животом, перелез и кое-как спрыгнул, почувствовав слабость в затекших ногах.

Маленько пошатывало. Из-за машины доносились громкие голоса, небо было звездным, только по краям черное: то ли облака, то ли вершины гор.

— Я думал, вчера прикатите, — весело и громко звучал незнакомый голос. — А Мерген-то: нет, говорит, Володя, сегодня не жди, завтра будут... Ну, заходите, заходите!

Митька сделал два неуверенных шага и увидел чахлый свет, падавший из узкого окна. Ночь звенела вокруг, словно муха-цыцыга в спичечной коробке. Дверь кибитки раскрылась, бросив на землю желтый помаргивающий прямоугольник.

— Здрасьте, — машинально сказал он, переступая порог и озираясь.

Внутри пахло кожей, по углам громоздились ящики, дощатые щиты, спальные мешки в чехлах и — седла. На крючьях мотки веревок, брезентовых ремней. Посередке стол. Горели две керосиновые лампы — это их свет он видел снаружи.

Мызин черпнул из ведра и протянул кружку Клавдии Петровне. Она пила, запрокинув голову. По стенам и потолку кибитки гуляли крыластые тени.

Дверь то и дело хлопала. Вот вошел Коваль с двумя буханками хлеба, за ним Мерген занес коробку с огурцами и помидорами. Заглянул Васильич, взял кастрюлю с водой. Мызин бросил ему, чтоб не больно размывался: есть пора. Васильич буркнул что-то, пропал, скоро вновь появился с охапкой мытой зелени. Володя уже гремел мисками, раскладывая оглушительно пахнущую еду. Рыжий Васильичев пес по кличке Зарез тоже весело беспокоился и шмыгал из кибитки и обратно, пока ему не попало по заду хлопнувшей дверью.

Когда наконец расселись, Коваль, будто что-то вспомнив, вышел, а вернулся с двумя бутылками водки.

— Вот она, родимая, — сказал Васильич, следя за тем, как он водружает их на стол.

Коваль неуверенно взглянул на Мызина и сел на прежнее место, разминая ладони.

— Руки отмотал, — сказал он как бы между прочим. — Эх, жизня!..

— Ну-ну, — сказал Мызин. — Прямо-таки отмотал. Тогда уж и стаканы давай, что ли.

Набив пузо макаронами с тушенкой, сытый, зачарованный порханием теней, Митька осоловело моргал, неотрывно следя за огнем, живущим в стекле лампы, и все, что случилось за день, скользило перед глазами чем-то вроде легкого сна или быстрой череды картин, слоящихся друг на друга.

НЕУДАЧНАЯ ОХОТА

Брякали ложки, булькала водка, гулкие голоса и смех долетали, казалось, откуда-то издалека.

Раскрасневшийся Коваль безостановочно нес какую-то чушь, адресованную Клавдии Петровне. Она то и дело ахала и говорила «Неужели?».

— А когда Пушкин шел по этой дороге назад... как это — откуда? Из Персии шел, откуда ж еще. И его, значит, схватили басмачи... Что? Почему это не было? Нет, басмачи всегда были. Поймали и говорят... Что на каком? На русском говорят, нашелся у них один... э, Клавдия Петровна, честное слово, какая вы все-таки недоверчивая. И, значит, говорят: выкуп гони. А он отвечает стихами...

Когда Митька третий раз ткнулся Мызину в плечо, тот сказал:

— Спишь? Иди-ка в машину. Пойдем, посвечу. Они тут долго еще литературоведением заниматься будут.

Под его присмотром Митька забрался в кузов, разложил спальник и кое-как в него засунулся. Кажется, еще пытался понять, попал во вкладыш или нет.

Но не успел.

* * *

Солнце еще гуляло где-то за хребтом, с неба струился серый и чуть розовый утренний свет. Дорога кончалась там, где стояла машина, а дальше было просто вытоптанное овцами пыльное поле, переходившее в каменистый желтый склон. Чуть поодаль и выше зеленел, лепясь по склону этажеркой глиняных крыш, кишлак. Тут и там поднимались утренние дымки. Заорал осел; откуда-то с другого конца деревни долетел певучий женский голос — кого-то отчитывал или на чем-то настаивал; в ближнем дворе, как заведенный, хрипло мекал баран.

Склон рос выше и выше, становился кручей, становился скалой — воздымались горы, как ряд застывших в порядке старшинства негладких волн. Испещренные крапинами, чертами и штриховкой зелени, мелких ущельиц, глыб и камней, они, казалось, смотрят и все не могут разглядеть — это что же там такое копошится?..

Но вдруг на самой вершине самой высокой горы что-то вспыхнуло — словно там в один миг расплавился камень, а в следующее мгновение солнечная граница побежала ниже и ниже, оттеняя темный борт, — неудержимо потекла, и сразу стало теплее.

— Проснулся? — сказал Мызин. — Сбегай-ка за водой. По тропе вниз — там увидишь.

Подхватив ведро, Митька пошел, куда сказали, и вдруг увидел лошадей. Они стояли, совсем настоящие, в квадратном загоне. Их было пять — две серые, две темно-коричневые и одна — желтая.

Он подошел к ограде и встал, держась за проволоку. Лошади качали хвостами. Вот у желтой задергалась короткая шерсть на ляжке. Один из чалых потянулся к его ладони и разочарованно фыркнул, когда Митька, испугавшись, отдернул руку.

Вилась зыбкими столбиками мелкая мошкара. Лошади моргали. Чалый снова посмотрел — большим серым глазом с тонкой сетью розовых прожилок. Митька не знал, что делать. Он выпустил из рук ведро и бросился назад.

И наткнулся на мирно бредущего куда-то Коваля.

— Лошади! — завопил Митька. — Там! Лошади! Лошади!

НЕУДАЧНАЯ ОХОТА

Он схватил Коваля за карман штанов и потащил к загону.

— Ты чего? — удивился было Коваль. — Не волки же!

— Да вот же, вот! — крикнул Митька. — Вот они!

Коваль подошел к плетню и оперся. Потом отстранился, нашаривая папиросы.

— Да, — протянул он. — Ну, точно, лошади. Мерины. Ах, подлец, где ж ты хвост потерял? Глазищи-то, а!.. И ведь ездиют на них, ну что ты скажешь. Тоже вот — техника...

— Настоящие!

— Ты лошадей, что ли, не видел? — спросил Коваль, посмотрев на Митьку. — Лошади, да. Это тебе не бараны... Копыта-то, а! Как даст по башке — и п-п-п... — Он с усилием остановился, не договорив. Неудовлетворенно помолчав, вздохнул: — Вот уж не знаю, как их татары хавают. Одно слово — махан.

* * *

Коваль напился на дорожку чаю. Володя налил ему с собой большую банку ледяной воды, бухнул кружку крепкой заварки — вода вспенилась, чаинки закружили в ней, опускаясь на дно.

Коваль одобрительно кивал. Потом пожал всем руки. Митьку потрепал по плечу.

— Значит, — говорил Мызин, — через три недели ждем с продуктами. Деньги у Расула получишь. Понял? Не перепутай, двадцать третьего. Список-то не потерял еще? А то мы по твоей милости с голоду подохнем.

— Не подохнете, — отвечал Коваль. — Вы сейчас медведя завалите, пару кабанчиков — у-у-у-у-у, житуха!.. Ну все, ну все, — он поднял руки жестом сдающегося в плен. — Лады, лады... Двадцать третьего, Геннадий Николаевич, как в аптеке. Клавдия Петровна, Дангару буду проезжать, вам сухого коньяку купить? Ну какой-какой, обыкновенный сухой коньяк, заливаешь водой горсть, через неделю бочка... ну все, ну все.

Помахал из кабины рукой. Завелся мотор, пофырчал; после яростной перегазовки машина тронулась и покатилась вниз по дороге, подпрыгивая на выпирающих камнях и перекашиваясь кузовом то вправо, то влево.

Они сводили лошадей на водопой (у Митьки тоже получилось, зря он боялся), а когда поднялись, Мызин увещевал Клавдию Петровну:

— Нет, поедете на самом смирном, да еще и в поводу, — говорил он, то и дело тыча пальцем в переносицу, чтобы поправить очки. — То есть ваш повод привяжем к седлу кому-нибудь... Мергену или Володе, — и поедете. Что? Можно и к моему, пожалуйста... Клавдия Петровна, вы когда еще знали, что придется ехать верхом... Нет, машина туда не идет. Машина по горам не ходит. Это ведь не козел. Машина уехала, вы сами видите... Что значит — почему? Не знаю почему. Нет дороги, только тропа. Не сделали дорогу... Что значит — когда? Клавдия Петровна, мы этой дороги ждать не будем... Ну куда же он вас увезет, если его повод держит?.. Нет, не сбесится. Лошади от жары не бесятся... Что за случайность? Не бывает таких случайностей... Нет, и в пропасть не кинется. Зачем ей в пропасть?.. Что значит — кто ее знает?

НЕУДАЧНАЯ ОХОТА

Ну, вы по себе посудите — вы станете ни с того ни с того в пропасть кидаться?.. Да, я понимаю, что вы не лошадь... Ну что вы, что вы! Бросьте, бросьте... Ни в коем случае. Клавдия Петровна, пешком вы не дойдете, нет... Клавдия Петровна, господь с вами, ну на какой же старости лет! Вам больше сорока не дашь.

Клавдия Петровна с ужасом смотрела, как Володя выносит из кибитки потники и седла. Мерген выволок охапку каких-то ремней с железками, стал разбирать и вешать на изгородь.

— Кого под вьюки-то ставить? — почему-то недовольно спросил он.

— Своего ставь, — сказал Мызин. — Володиного ставь. И Орлика. На нем Митька поедет. Поедешь на Орлике?

— А это кто? — оторопело спросил Митька.

— Какая тебе разница, — сказал Мызин. — Вот Орлик. Которого ты поить водил.

Митька заволновался. Его лошадь!..

Мерген взвалил Орлику на спину вьючное седло. Орлик вздохнул и опустил голову. Как ни крути, думал Митька, присматриваясь к нему, а все же он самый красивый. Одно имя чего стоит — Орлик! Правда, чуть недостает хвоста — то ли выдрали, то ли сам вылез; во всяком случае, вместо тех роскошных, посвистывающих на лету хвостов, что были у других лошадей, сзади висела жидкая и короткая прядь. Ну да ведь дело не в хвосте!.. Митька ревниво обошел кругом, следя, как Мерген затягивает подпруги: затянул одну, ткнул Орлика кулаком в брюхо, затянул вторую, еще раз ткнул и дотянул обе. Ему стало неприятно, что его лошадь тычут кулаками. Он встал у Мергена за спиной.

— А вот ты не ходи сзади, — сказал Мерген и опять ткнул Орлика в пузо. — Как даст копытом, понял, башку снесет, и не живой будешь, а мертвый.

— Не даст, — хмуро сказал Митька. — Что вы его все тычете? Если вас так тыкать, вы тоже лягаться начнете.

— Ух ты! — сказал Мерген, поворачиваясь. — Умный какой. А мозги не жмут? А вьюк сползет, кто переседлывать будет? Ты, что ли, будешь переседлывать?

На Митькино счастье, вышел из кибитки Мызин. Мерген отвернулся, принялся что-то поправлять в ремнях.

— Митя, — позвал Мызин. — Слышишь? Возьми кусок лепешки, дай ему, чтобы он тебя знал. Сейчас дай, пока не взнуздали.

Митька метнулся в кибитку, вернулся с хлебом. Протянул Орлику.

Орлик повел головой, помаргивая, потянулся к ладони, а потом так ощерился и показал такие зубы, что Митька сробел и отдернул руку.

— На ладони давай, — сказал Володя. — С ладони он губами возьмет.

Митька растопырил ладонь, выгнув изо всех сил. Орлик моргнул, двинул ноздрями на запах и вдруг, обдав кожу теплым влажным дыханием, взял хлеб.

Митька еще стоял с ладонью дощечкой, но тут сердитый Мерген взял уздечку и начал залаживать удила, тыча железякой Орлику прямо в рот. Орлик щерился и крепко стискивал зубы. В конце концов поддался — и долго после этого огорченно жевал, лязгая зубами по железу. Мерген бросил повод Митьке и принялся за другую лошадь.

НЕУДАЧНАЯ ОХОТА

Подошел Сафед. Он должен был сторожить кибитку-склад, пока их не будет. Все по очереди пожали ему руки. Сафед улыбался и цокал языком. Тюбетейка криво сидела на лысой голове. Васильич мигом увлек его в быстролетный разговор. «Чучка много этот год, — кивал Сафед. — Все порыл, такой свинья!» Митька навострил уши. Чучка — это он знал, так по-узбекски таджики называли кабана. Васильич об охоте с Сафедом толкует. Много ли, дескать, в этом году кабана. Васильич — охотник заядлый и удачливый. Отец не раз говорил. Даже вроде как с завистью. Мол, мимо Васильича ни птица не пролетит, ни зверь не прошмыгнет. Трах! — и готово.

— Ну вот, — сказал Мызин. — Давайте, Клавдия Петровна, грузитесь.

Клавдия Петровна заохала. На седло ей приспособили подушечку. Сумку с торчащим из нее горлышком бутылки Володя привязал сбоку.

— Боже мой, — сказала Клавдия Петровна, задирая ногу. — Держите же его, Володя, держите!..

Она припрыгнула, встала в стремени и замерла, повиснув на седле животом.

— Тц, тц, тц! — сказал Сафед, горестно качая головой. — Бедный женщин!

— Вот так, — говорил Мызин, помогая ей усесться. — Вот сюда… Поедем шагом, так что учиться вам ничему не надо, но все равно упирайтесь в стремена — будет легче.

Мерген неожиданно залился смехом. Мызин цыкнул на него и повернулся к Митьке.

— Давай!

У Митькиного седла стремян не было вовсе. Да и седлом-то, как с огорчением понял он сейчас, назвать его можно было только с большой натяжкой: Володя бросил поверх яхтанов сложенный втрое спальный мешок и перехватил веревкой, завязав узел у Орлика на брюхе, — вот тебе и все седло.

Митька занервничал, подпрыгнул было — и сполз.

На него смотрел и Володя, державший Орлика под уздцы, и Васильич, и Мерген, который, похоже, снова был готов засмеяться. Даже Клавдия Петровна, кое-как усевшись, на некоторое время перестала охать и взирала на его потуги с молчаливым ожиданием во взгляде.

Заспешив, Митька снова прыгнул. То же самое. Еще и рубашка задралась.

— Тц, тц, тц! — засмеялся Сафед. — Смело, кавалрыст!

И махнул рукой так, словно Митька должен был тут же вознестись на небо.

Злясь, Митька выхватил у Володи повод и потянул Орлика к валявшемуся в трех шагах деревянному ящику. Ящик оказался калечным — стоило ступить, как он захрустел под ногой, доламываясь, но Митька уж оттолкнулся — и сам не понял, как оказался наверху. Распрямляясь, отпустил гриву и победно оглянулся.

Вдруг все кругом ужасно зашаталось, он снова вцепился, — а это просто Орлик шагнул, наклоняя голову к какой-то былке.

— Ну что, буденовцы, — сказал Мызин. — По коням!

Лошади неторопливо ступали друг за другом, а тропа заметно забирала вверх — туда, где лежали вдали альпийские луга.

2

Не могу точно сказать, сколько раз я принимался дописывать эту историю. Я брался за нее и очень давно, и просто давно, и сравнительно недавно (сравнительно с длительностью жизни), и полгода назад, и вот сейчас, в настоящий момент. В общем, что касается количества подходов, их было множество. В конце концов все они слились в нечто стремительное, длинное и размытое, какой при достаточной выдержке затвора получается фотография летящей птицы. В моем случае нужно добавить, что птица летела издалека и за время полета вусмерть умоталась.

И все это время я был уверен, что самое главное здесь — это как можно более точно показать вещные составляющие мира, предъявить его материальную подоплеку — ведь именно она до поры до времени кажется сущностью. Требовалось найти такие слова, что смогли бы передать самую плоть, самую физику того, на что когда-то упал мой взгляд. Им надлежало как можно более зримо описывать предметы, передавая не только их вид, но и вес, объем, текстуру, запах и прочие атрибуты вещественности. По моему замыслу, предметы должны были выглядеть столь достоверно, будто их лишь мгновение назад вырвали из пространства жизни, и оно, пространство, еще не успело толком затянуться.

Короче говоря, я хотел с помощью слов заставить другого пережить то, что когда-то испытал сам: чтобы на сетчатке его глаз, на кончиках пальцев и на вкусовых пупырышках языка благодаря моим словам возникли такие ощущения, будто он и в самом деле на что-то смотрел, что-то осязал, что-то облизывал. И чтобы эти ощущения, в свою очередь, порождали в недрах его сознания образы — именно такие, что когда-то являлись мне самому. Только в моем случае это происходило при соприкосновении с реальностью, а в его должно было явиться результатом воздействия букв. И чтобы в итоге его уверенность в том, что все им прочитанное случилось с ним на самом деле, оказалась бы настолько безоговорочна и тверда, что он, ничуть в себе не усомнившись, был готов засвидетельствовать истинность своего опыта хотя бы даже и на Страшном суде.

Что это в принципе возможно, я знал по себе: не раз и не два я, читая чужие слова, оказывался в причудливых измерениях неведомого прежде существования.

* * *

Поэтому я подробно и тщательно писал обо всем подряд. Например, про то, как ранним утром начала июня во дворе геологического Управления они грузили машину: закидывали в кузов вьючные ящики, ворочали там, расставляя, поверх укладывали спальные мешки, палатки, неопределимые тюки и свертки — все тертое, засаленное; все приходилось по десять раз перекладывать, чтобы утыркалось.

В одиннадцатом часу переехали к базару.

Грузовик встал в пахучем тенечке, образуемом двумя старыми чинарами и сладостным чадом местных обжорок. Сначала двинулись в магазины, чтобы заполнить полотняные мешки крупой, макаронами, рисом, потом по рядам: валили в картонные коробки огурцы, помидоры, перец и баклажаны. Митька вступил в честную схватку с кулем лука, но победить не успел — указав на малолетство, Володя сам взял его на плечо.

НЕУДАЧНАЯ ОХОТА

Ближе к полудню, выехав наконец из города и с ветерком проскочив километров двадцать до развилки, двинулись на перевал.

Мотор надрывно выл, белое солнце томило асфальт до нефтяной испарины.

Митька устал таращиться по сторонам (ведь все кругом все одно и то же — дорога, выгоревшая трава на обочине, пыль; справа — марево за кромкой обрыва, в котором дальние склоны теряют свои природные цвета и кажутся одинаково бурыми, слева — отвесная каменная стена, вся в желваках, заусенцах, в следах экскаваторных ковшей; вот серпантин завершил петлю и тут же — раз! — стороны поменялись местами; а впереди все та же масляная, неумолчно бренчащая цепью задница какого-то бензовоза) и смотрел на блестящую лысину шофера Коваля, высунувшегося из кабины с безразличным видом человека, не имеющего к машине никакого отношения. Когда двигатель, не выдерживая натуги, почти глох, слышался скрежет неохотно переключающейся на низшую передачи, машина дергалась, и тогда Коваль снова свешивал локоть в проем окна.

* * *

В конце концов я пришел к выводу, что подробность изображения и достоверность деталей — это всего лишь что-то вроде прутьев клетки. Если бы я был птицеловом, тогда, конечно, мне пришлось бы позаботиться, чтобы они располагались близко друг к другу и были достаточно крепкими. Однако моя добыча — не журавль, не синица, а всего лишь давнее переживание. А переживание тем и отличается от синицы и журавля, что какие петли достоверности на него ни накидывай, сколь ни тесни прутья узилища, все равно: подобно тому, как струится туман между стеблями рогоза, эфемерность прошлого просочится сквозь любую решетку.

Поэтому хватит мелочей, пора обратиться к сути.

Суть же состояла в том, что время летело быстро, и близился день, когда в кишлак Гулинор снова должен был прибыть Коваль. Кому-то предстояло выдвинуться ему навстречу, чтобы забрать доставленные продукты. С другой стороны, Мызину нужно было как начальнику партии оказаться в Управлении на квартальном отчете, а Мерген третий день мучился зубной болью.

* * *

Трапезы проходили на древнегреческий манер — вкушали полулежа на большом брезенте вокруг стоящих в центре пачки соли и мешка с сахаром. Что же касается «большой» палатки (она и была большой, армейской), где стоял складной алюминиевый стол, какие в столовых, и несколько складных же брезентовых стульев, то там есть никто и не пытался: там Мызин с Васильичем занимались камеральными работами, то есть раскладывали на столе карты и, тыча в них тупыми концами карандашей, кричали друг на друга то по очереди, а то и хором.

Пока, правда, выдался только один настоящий камеральный день, когда они занимались этим с самого утра и до вечера. А так заседали по вечерам, пару раз в неделю, после маршрута и ужина, когда невыносимо слипаются глаза и хочется только повалиться и уснуть. Но они ничего, не засыпали: у них горели две керосиновые лампы, на которые летели все новые мотыльки, шуршала бумага, голоса то вовсе смолкали, то повышались, и несло табачищем.

Насколько Митька мог понять из их перепалок, работы было много. На взгляд Мызина, чтобы успеть до конца сезона, следовало выкладываться по полной. Адресуясь к Васильичу, он всегда говорил в тоне неопределенного упрека. А Васильич бубнил ответно в тоне справедливого негодования. Однако мало-помалу он утишался и, часто пожимая плечами, повторял что-нибудь вроде «Да я разве спорю!» и «Ну конечно, сделаем».

Но бывало и так, что Васильич успешно отражал укоры. Тогда Мызин начинал говорить ровно и даже подчас с таким выражением, будто и сам понимает, что требует от себя и других слишком многого, в то время как имеет дело не с какими-нибудь там механизмами, а с живыми людьми, которым нужен отдых и удовлетворение кое-каких иных, кроме интереса к работе, потребностей. Уловив перемену, Васильич тут же сворачивал на то, что, во-первых, пора устроить полноценный выходной с горячей помывкой и, во-вторых, отпустить его за свиньей, чтобы обеспечить персоналу полноценное питание, а то макароны уже застревают в глотке. На эти заявления Мызин реагировал двояко: мог повздыхать насчет того, что хорошо бы в рай, да грехи не пускают, но чаще высказывался в том духе, что они сюда вообще-то не жрать приехали.

Вот именно когда Васильич начинал толковать о свинье, с Митьки моментально слетал сон. Его совершенно не тревожило, полноценное ли тут у них питание, но сам разговор его несказанно волновал.

Прежде этого ему никак не удавалось попасть на настоящую охоту. В прошлый сезон отец на пару с Мишей Корниловым ходил на кабана. Митька, как ни просился, его не взяли, отец еще и прикрикнул, что, если будет ныть, отправит домой. Митька решил не спать до их возвращения и в самом деле долго разглядывал звезды, чудесно мерцающие в вышине, а потом под отцом заскрипела соседняя раскладушка. «Поймали свинью?» — спросонья ватно выговорил Митька. «Не поймали, — ответил отец. Он при этом усмехнулся, но все же голос прозвучал разочарованно — кому приятно признаваться, что поединок со свиньей окончился поражением. Стащил второй сапог и добавил хмуро: — Спи».

Если разбираться, вся Митькина охота сводилась пока к одному-единственному случаю — и тот следовало бы называть не охотой, а тупым и бессмысленным убийством. Год назад ехали куда-то под вечер на грузовике. Отец сидел в кабине с шофером, Митька в кузове — с ружьем, двустволкой шестнадцатого калибра. Машина с натугой вобралась на взгорок и остановилась на самом верху. «Митя! — позвал отец. — Видишь?» И показал, высунув руку, вправо, где на голой ветке сидела большая сизоворонка. На фоне слоившихся в ущелье сумерек она выглядела ярким пятном. Отсюда было не разглядеть, но он знал: грудка зелено-голубая, переливчатая, лазоревая; спинка ржаво-коричневая, а хвост — голубо-синего пера, и каждое с белым, будто мукой присыпанным кончиком.

Митька положил ружье на борт, взвел курки, прицелился...

Он думал, после выстрела она рванется, порхнет, взлетит напоследок. Но птица просто упала вниз, как падают неживые предметы.

НЕУДАЧНАЯ ОХОТА

Он слез, пошел к дереву, взял теплое тельце. «До-был?» — спросил отец. Как будто сам не видел. «Добыл», — ответил Митька. Разве красивых перьев надергать? Он расправил оперение на груди — и тут же увидел клеща, надувшегося в размер белесой ягоды. Вот еще один... еще. Размахнулся и бросил сизоворонку в кусты, мимо которых ехали.

Вот и поохотился... глупость какая-то.

С другой стороны, у него уже было — ну или почти было — собственное ружье: ИЖ-56—3 «елка», двустволка бокфлинт, нижний двадцать восьмого, верхний нарезной калибра 5,6 миллиметра под патроны с капсюлем кольцевого воспламенения. Почти — потому что отец обещал отдать ее Митьке к четырнадцатилетию. А день рождения, как назло, был в самом конце лета, и потому здесь, в партии у Мызина, Митька оказался без ружья. Впрочем, отец говорил, чтобы он по этому поводу не больно расстраивался: дескать, четырнадцать ему или не четырнадцать, а все равно бы Мызин, какой друг ни будь, не согласился бы взять его сына в мирную геологическую партию, окажись тот не по годам вооруженным.

А какое это было ружьишко! (Митька именно так про себя говорил, по-охотницки: не ружье, а, будь оно хоть золотое, хоть самого верного боя и медведя наповал, — ружьишко.) «Белкой» потому и называлось, что из него северные промысловики били зверька в глаз, чтобы не испортить шкурку. Митька без промаху сшибал орехи с веток: щелк! — и готово. А то как-то шли с отцом по дамбе канала и увидели, что вода несет яблоко. Метров сорок было, аж у того берега. Митька приложился, секунду помедлил, выцеливая:

Андрей ВОЛОС

щелк! И яблоко припрыгнуло, расколовшись, и дальше уж поплыло двумя половинками.

Как-то раз, по-взрослому толкуя с Васильичем насчет того, отпустит его Мызин на охоту или нет, Митька обмолвился, что ближе к осени станет обладателем «Белки». И Васильич скривился, махнув рукой, — безделица, мол, Дескать, нижний двадцать восьмого палит — как вода из дуршлага течет. А верхний мелкашечный и вовсе никчемная вещь — куда с ним, если только на жаворонка. Но Митька-то знал, что Васильич сам хотел заиметь такое. Он и деньги отцу предлагал, и мену — на штучную шестнадцатого калибра тульскую двустволку, с резьбой на ложе, с эмалью на цевье. Но отец не отдал. И правильно сделал. А теперь вон чего Васильич — руками он теперь машет. Никчемная вещь, видишь ли... Зелен виноград, вот и отмахивается.

* * *

Вечером после ужина (усталые, сытые, у каждого кружка с недопитым чаем), в глубоких сумерках, разрежаемых показавшейся луной, нынче еще чуть ущербной, да мелкими всполохами дотлевающего в очаге огня, неспешно толковали насчет того, кто поедет в Гулинор.

Митька слушал, позевывая и переводя взгляд с одного на другого. Говорили по очереди, не раз повторяясь, все, казалось, об одном и том же: сил у него не было эту жвачку слушать, прямо глаза сами собой закрывались.

С другой стороны, он уже кое-что понимал в жизни и сейчас не мог не признать, что разговор вовсе не был бестолковым, а просто когда люди начинают всерьез въедаться в какое-нибудь совсем простое на первый взгляд дело, в нем тут же обнаруживается множество закавык.

Что Мергену дорога лежит, было ясно без лишних слов: он и теперь сидел с подвязанной щекой, в разговоре участия почти не принимал, а только время от времени, когда в зубе стреляло, едва заметно дергался.

Кому-то нужно было с ними ехать третьим, чтобы забрать продукты и лошадей, и по всему выходило, что придется Володе. Митька посматривал на него, понимая, что Володе ехать не хочется. Понятно, он бы и сам не захотел. Потому что хорошо в маршрут — все-таки по новым местам, где, можно сказать, еще не ступала нога человека и никого, кроме чабанов да баранов, не встретишь; другое — трястись по жарище полдня до Гулинора по знакомой, а потому неинтересной дороге. Потом обратно с лошадьми в поводу... вот уж радость.

Но вдруг ему пришла мысль: это ведь на целый день!.. и без всякого надзора. Сначала туда с ними... а потом обратно — одному!..

— Геннадий Николаевич! — спешно выкрикнул он. — А давайте я с вами поеду!

Мызин наморщил лоб и, чуть наклонив голову, посмотрел поверх очков.

— Куда поедешь?

— Ну куда... в Гулинор.

— А потом?

— А потом обратно. С лошадьми. И с продуктами.

— Один? — спросил Мызин, будто сам того не понимал.

— Ну один, — насупился Митька. — А что такого?

— Сиди, — недовольно сказал Мызин. — Поедет он...

И постучал карандашом по блокноту.

— А я вот думаю, — сказал Володя с неопределенной надеждой. — Может, это... может, у Сафеда лошадей оставите?

Мысль понятная: оставить лошадей у Сафеда, постоят животины пару дней у сторожа, ничего с ними не сделается; а зато, когда вернутся, все готово, вот они, лошадушки, — садись да и айда.

— Между прочим, вам можно и лишнего коника взять, — добавил Володя. — Третьего.

Это Митька тоже понял: он имеет в виду, что на обратной дороге третью лошадь они под вьюк с продуктами поставят, а сами будут гарцевать налегке. А что, он бы так и сделал... с вьюками-то не разгонишься.

— А пока они будут в Хуррамабад ездить да обратно, продуктам киснуть, — недовольно сказал Васильич.

— А чему там киснуть? — удивился Володя. — Макароны же...

— А овощи?

— А что овощи? Мы вон три недели огурцы едим, что с собой привезли, и ничего, подвяли только маленько, — сказал Володя. По его фразе выходило, что маленько подвяли те, кто эти огурцы ест. Мгновенно вообразив себя подвядшим, Митька прыснул. Мызин строго на него посмотрел.

— А Сафед знает, что мы ему лошадей хотим навялить? — поинтересовался Мызин. — Или прямо так вот, явочным порядком? Вдруг не захочет?

— Что ему не хотеть, — Володя пожал плечами. — Он мужик простой. Я был у него в хлеву. Большой хлев, поместятся...

— Тогда овес не забыть, — проскрипел Мерген, в очередной раз дернувшись.

— Бросьте, — вступил Васильич. — Что за новости — у Сафеда оставлять. Нужны ему наши лошади!..

Васильич развил мысль: Сафед огородник, а вовсе не лошадник. Да вдобавок и бестолков порядком, ему животных заморить — раз плюнуть. Лошадь с виду такая здоровая, а забудь водой обеспечить, тут же и заболеет. Так что пусть все же Володя едет третьим, заберет и пригонит назад с продуктами, а через день сгоняет еще раз, чтобы встретить, не переломится.

Володя горестно улыбнулся, но руками развел с таким смиренным видом, будто хотел показать: неприятно, конечно, что его приговорили к закланию, но если единогласно, то ничего страшного, он готов.

В конце концов Мызин так и постановил: Володя поедет с ними, вечером вернется с продуктами (продукты, продукты — просто уже в зубах навязли эти продукты!), а Васильич завтра сходит в маршрут на пару с Митькой.

— Ну и отлично, а вечером я тогда на Оби-Мумин смотаюсь, — неожиданно сказал Васильич, когда Митька уже решил, что дело в шляпе и можно идти спать. — Ночь там просижу, дело сделаю, утром Володя ко мне подъедет, поможет тушу погрузить. Помнишь Оби-Мумин? — спросил он. — Мы там в прошлом году с тобой были.

Володя кивнул.

— Помню.

— Где ореховая роща, знаешь же, — пояснил Васильич. — Ну вот, к обеду и приедем. А ты, Генуля, вернешься с Мергеном, уже все готово.

— Ты с живого не слезешь, — вздохнул Мызин.

— Я Клавдию Петровну научу, как жарить надо, — уверил Васильич. — Только день и потеряем. Лады? А ты прихвати чего ни то горло промочить. С полем-то...

Все это краткое время, пока стремительно длился, а потом завершался начатый Васильичем разговор, Митька сидел в совершенном остолбенении. То есть Васильич, значит, на охоту собрался! Он, значит, завтра, когда они вернутся из маршрута, двинет на какой-то там Оби-Мумин, в ореховый сад, за свиньей! А чтобы его, Митьку, с собой взять, о том и речи нет!..

— А я? — вскрикнул он, когда дар речи вернулся. — Я с Васильичем поеду?

— Ага, — кивнул Мызин. — Поедешь. Чтобы тебя там секач на клыки взял.

— Да как же на клыки, когда мы на дереве будем! — шепотом закричал Митька, стуча себя кулаками в грудь. — Ну какие клыки же, Геннадий Николаевич!

— Нет, — жестко сказал Мызин. — На охоту — это ты с батюшкой. Я такого не могу позволить. Понял?

И перевел взгляд на Васильича.

— Законно, — вздохнул тот. — Спички детям не игрушка. Нельзя так нельзя. Не журись, какие твои годы. Еще поохотишься.

3

Раннее утро и вообще-то время неприятное: пока бредешь умываться, ледяная роса обжигает голые ноги, а вода в речушке и того холоднее. Вершины еще не стряхнули голубые лоскутья рассвета. Дай бог часа через два солнце бросит первые теплые лучи.

Между тем надо вести Орлика на водопой, самому быстро набивать пузо рисовой кашей с тушенкой, до горла наливаться сладким чаем. Хорошо, если дадут потом пять минут посидеть у огня в сытом полуобмороке, слушая, как Клавдия Петровна, возясь у очага, причитает: «Митя, что ж опять в такую рань! Куда ж тебя таскают-то, господи!..»

Но когда все заняты одним и тем же, еще ничего. А если отчетливо слышно, как за полотняной стенкой палатки невдалеке сладко похрапывает Мызин... Что ж, конечно. Им спешить некуда. Вот такая справедливость: одни ни свет ни заря в маршрут на весь день, а другие — Мызин вот, Володя, Мерген с больным зубом и раздутой щекой — эти почивают... дрыхнут себе, сколько влезет.

А если при этом чувствуешь себя не только оскорбленным до глубины души, но и обездоленным, но и навек несчастным!.. Васильич, значит, вечером в Оби-Мумин за свиньей, а он тут с поварихой останется... Спички детям не игрушка. А вот взять — и не пойти в маршрут. Не игрушка так не игрушка. Может, у него голова болит. И в носу щекотно. Вон что Клавдия Петровна толкует. Она бестолочь, конечно, а все-таки. Гоняют ребенка в хвост и в гриву, как большого. А если простудился?.. Пусть уж Васильич сам как-нибудь. Ему за это зарплату дают. И полевые...

— Митя, ты седлаться-то думаешь? — спросил Васильич, показываясь из-за палатки. — Или штык в землю?

— Что? — Митька вздрогнул. — Ничего не в землю. Думаю, думаю!.. Заседлаюсь, и что, в седле тебя ждать?!

— Давай, давай, шевелись, ехать пора. Клавдия Петровна, перекусон нам собрали?

* * *

Тропа шла по краю плато — это была их собственная тропа, они ее проложили, каждое утро проезжая туда, и каждый вечер обратно, — потом брала на косогор, а миновав его, спускалась в ущелье, но не до самого низу, где воркотала река, а до середины борта. Потом выбегала на каменистую равнину, поросшую купами барбариса, колючего кустарника и тамариска. Чуть ниже зеленело плато — другое, но едва ли отличимое от того, где стоял их лагерь: такой же ровный ковер сочной травы, тут и там украшенный бело-розовыми свечами эремуруса.

Все это было многократно езжено, тыщу раз видено, и потому Митька равнодушно качался в седле, отдавшись своим угрюмым мыслям и безотчетно ловя звуки, издаваемые Орликом. Гамма их была многообразна — просто песня, а не лошадь. Во-первых, копыта: они то лязгали по камню, то скрипели по гравию, то шуршали в песке, то и вовсе чавкали, ступая по влажной луговине. Кроме того, скрипело седло, и тоже по-всякому: когда Орлик пер в гору, оно на каждый его шаг громко отзывалось противным писклявым голосом, а на спуске притихало, лишь изредка хрупая на манер ломаемого сухаря. Вдобавок и в самом Орликовом организме что-то беспрестанно звучало: ухало, гукало, подчас и булькало, будто у него там закипал чайник. Когда Митя, обеспокоившись состоянием Орликова здоровья, спросил у Мызина, что бы могло в его лошади так бултыхаться, тот ответил: «Это он селезенкой екает», — и тут же отвлекся, будто вопрос был исчерпан. Митьку объяснение совершенно не удовлетворило, но все-таки в конце концов он не то чтоб совсем перестал обращать внимание на эту музыку, но, по крайней мере, уже не очень беспокоился на ее счет, хотя опять и опять отмечал, что другие лошади на ходу ведут себя куда тише.

Пока ехали хожеными местами, разговаривать не было возможности — Васильич впереди, Митька метрах в пяти сзади, так что не докричишься; да и говорить не о чем. Митька ловил блеск, каким отзывалось на всякий луч Васильичево ружье за спиной, и снова вспоминал вчерашний отказ, и опять хмурился. Когда добрались до границы известного, Васильич придержал лошадь у кривого деревца, за которым начинался осыпной склон, и долго исследовал карту. Ветерок из ущелья то и дело ее заворачивал, Васильич чертыхался и расправлял. В другое время Митька подъехал бы вплотную и тоже в нее смотрел, а то, глядишь, и дал какой совет; но сейчас дожидался чуть поодаль. Потом Васильич тронул своего Чернявого направо, и еще километра три они пробирались то пыльными паутинными зарослями, то открытыми взгорьями, по которым гулял ветер и пахло травами.

— Здесь и начнем, — сказал Васильич, спешиваясь и забрасывая повод на куст. — Не возражаешь?

Митька в ответ только надменно пожал плечами.

Время шло к двенадцати, начинало припекать. Они отработали четыре обнажения. Дело было привычное: Васильич, сев на камень, строчил карандашом в пикетаже, Митька раскладывал образцы в мешочки и писал на них дату и номер (но не простым, как Васильич, а химическим, чернильным, для чего приходилось слюнявить ткань, а руки к концу дня чуть ли не до локтей становились фиолетовыми), а если Васильич говорил: «Второй на шлих», то выводил сверху еще и большую букву «Ш».

Васильич захлопнул пикетажку и сказал, потягиваясь:

— А что, не пора ли нам чайку, пока у воды? Разводи костер, Митяй!

— Ну конечно, — проворчал Митька. — Как на охоту брать, так спички детям не игрушка. А как костер, так сразу Митяй!..

* * *

Этим язвительным замечанием запал его обиды был исчерпан и, как он потом ни напрягался, выдумывая, чем бы еще поддеть Васильича, ничего на ум не приходило.

К тому же Митька думал, что «чайку попить» будет, как у Мызина: у Мызина они с Володей утром наполняли четыре семисотграммовые армейские фляжки и до вечера отхлебывали по мере надобности.

Но у Васильича оказалось интересней: во вьючке лежал походный котелок. Митя развел огонь. Васильич достал приготовленный Клавдией Петровной немудрящий провиант, расстелил тряпицу, в которую тот был завернут, наломал на нее сухую лепешку, разложил огурцы и нарезал помидоры (в отличие от и впрямь вялых огурцов эти были в самый раз, потому что их в свое время покупали зелеными, твердыми, как яблоки). Когда вода вскипела, бросил жменю заварки и накрыл.

НЕУДАЧНАЯ ОХОТА

— С другой стороны, конечно, хорошо можно кекликов брать, — ни с того ни с сего заметил Васильич, щурясь и задумчиво жуя.

Митька знал, разумеется, что кекликом называется каменная куропатка, только не понял, к чему это сейчас.

— «Белкой», говорю, — неясно пояснил Васильич. — Умные люди как делают. Берется щиток такой... ну, фанерка. Вот такая, скажем, — Васильич очертил в воздухе прямоугольник. — Примерно как от посылки. Мажешь клеем и всю-всю-всю залепляешь перьями. Кекличьими... они же пестрые такие... знаешь ведь.

— Ну да...

— Ставишь на склоне. Сам в кустах. Кеклик — птица любопытная. Увидит эти перья — и подходит. Целой стаей, бывает, идут. А ты из куста их по очереди: щелк! щелк!

— Да ладно, — не поверил Митька.

— Честно, — сказал Васильич. — Я знаю одного, он с «Белкой» пойдет, мешками приносит... Мелкашка же неслышно бьет. Ну почти неслышно. Это же не из нормального ствола пальнуть. Если шестнадцатым дашь, так одного из стаи возьмешь, остальных только напугаешь до смерти. Пырх — только их и видели. А «Белочка» — милое дело... Но нужно наповал класть. Одного подранишь — все. Как один начал трепыхаться, друзья разбегаются.

— Улетают, — поправил Митька.

— Если вниз по склону — улетают, — согласился Васильич. — А в гору — в гору кеклик ногами бежит. — Он отхлебнул из кружки и помолчал, размышляя. — Примерно так же и медведя. Только фанера больше нужна. И молоток.

— Зачем молоток? — спросил Митька.

— Зачем, зачем... ты слушай. На фанере рисуешь медведя, чтоб как живой. Идешь в горы, прячешься за этой фанерой. И сидишь с молотком. Приходит медведь...

— Уже настоящий? — уточнил Митька, подозрительно щурясь.

— Ну конечно, тот, что заявляется, уже настоящий, — подтвердил Васильич. — Видит нарисованного. Ага, думает, соперник. А у них как заведено? Приметил конкурента — вперед!.. Бросается он — и пробивает фанеру когтями.

Митька хмыкнул.

— А тут ты с молотком. Загибаешь ему быстренько когти, чтобы не сорвался. И тащишь в сдаточный пункт. — Васильич замолчал, с усмешкой на него глядя. — Понял?

— Да понял я, понял, — тоскливо сказал Митька. — Ты уже рассказывал. Нет, Васильич, ну честно, взял бы ты меня на охоту!

4

По правде сказать, он так и не понял, почему в итоге все повернулось. Ничто не предвещало. Он уже и думать забыл, смирился. Ну что делать — ладно, пусть так. Вот уж на будущий год, когда у него будет свое ружье... Васильич все поглядывал на солнышко — прикидывал, сколько им чапать до дому, а потом еще сколько ему до той ореховой рощи, где он собирается охотиться.

И вдруг, когда уже до лагеря было рукой подать, он сказал: «Ну что с тобой делать. Ты ведь с живого не слезешь, как Мызин говорит. Ладно, поедем».

— Оби-Мумин — это что? — спросил сейчас Митька.

— Оби-Мумин? — рассеянно отозвался Васильич. Его Чернявый медленно шагал по траве. Под самыми деревьями, метров на пять вокруг стволов больших, старых, в несколько обхватов деревьев было совсем голо — трава здесь, во всегдашней тени, почти не росла.

— Кишлак, что ли, был?

— Оби-Мумин-то? — переспросил Васильич, спешиваясь. — Не знаю. Какая разница. Оби-Мумин, ну.

— А на карте как? — задал Митька следующий вопрос.

— Не морочь голову, — невпопад ответил Васильич. Он сделал несколько шагов, присматриваясь. — Нет ореха-то.

Митька слез с Орлика и бросил повод на луку седла. Сам пошел, наклоняясь.

— А вот, — сказал он, подбирая один. Крупный такой, с одного бока уже шкурка подсохла. — И вот!

— Это разве орех, — раздраженно отмахнулся Васильич. — Это слезы, а не орех.

Он снял с плеча ружье, поставил к дереву, сам сел на высоко выступающий из земли корень и принялся сосредоточенно закуривать.

— Да ладно, слезы, — весело урезонил его Митька. — Ничего не слезы. Вон еще один.

Он не вдумывался ни в смысл того, что говорил Васильич, ни в суть тех слов, что произносил сам. Какая разница! Оби-Мумин, не Оби-Мумин, есть орех, нет ореха — все это уже не имело никакого значения. Важно другое: Васильич все-таки его взял.

— В общем, сюда кабан не ходит, — хмуро сказал Васильич. — Тут ему ловить нечего. Тут ореха нет... Надо в Кухимардон двигать.

— В Кухимардон? Это где? — согласно спросил Митька. Ему, собственно, было все равно. В Кухимардон так в Кухимардон. Какая разница? Он уже на охоте.

— А тебе придется назад.

Васильич добивал окурок, напоследок часто и решительно затягиваясь. Митька тупо смотрел на него.

— Володя вернется, скажешь. Может, он уже вернулся. Так и так, мол. Не в Оби-Мумин, а в Кухимардон. Володя Кухимардон знает. Мы там с ним бывали. Только сказать надо: Кухимардон, а не Оби-Мумин. Утром вместе приедете. Запомнишь?

— А как же тогда... — пролепетал Митька.

— А то он притащится сюда, — терпеливо разъяснял Васильич. — Понимаешь? И будет тут дурак дураком головой крутить. А кабана я если и завалю, то в Кухимардоне. Так надо известить. Сообразил? Ладно, давай, Митька. Нечего время терять. Мне уж пора шевелиться. Дотуда часа полтора ходу. Поздно приеду, только распугаю всех. Ничего не бойся. Езжай себе потихоньку, вот и доедешь. — И, помолчав, неуверенно спросил: — Ведь не заблудишься?

— Где тут можно заблудиться, — через силу хмыкнул Митька, лихорадочно пытаясь восстановить в памяти дорогу, по которой они ехали сюда, чтобы, повернув ее к себе другим концом, сделать дорогой обратно.

— Лошадь вывезет, — успокоил Васильич. — Доверяйся. Лошадь, она...

Но не договорил, только махнул рукой, а потом сунул ногу в стремя.

НЕУДАЧНАЯ ОХОТА

* * *

Митька уже повернул Орлика, но еще медлил понудить его к движению, и они стояли, точно так же, вероятно, окутываемые густеющими сумерками, как и Васильич, только Васильич уже ходко двинул по тропе и вот-вот должен был скрыться в зарослях, а Митька, озираясь, все еще смотрел ему в спину, ловя тусклые отблески на стали ружья и никак не находя решимости сделать первый шаг: этот шаг должен был подвести черту и окончательно подытожить его новое состояние.

Васильич обернулся напоследок, помахал и растворился в темной зелени.

Тогда он сказал вполголоса, инстинктивно боясь нарушить навалившуюся со всех сторон тишину:

— Давай, Орлик, поехали.

* * *

Можно было бы рассказать, как быстро темнеет в горах, но это давно стало трюизмом.

Хотя, конечно, одно дело размышлять о такого рода банальностях при свете лампы, при свете бра, при свете абажура и в приятной компании. Совсем другое — при свете луны, яркой, как прожектор, и в полном одиночестве, если, конечно, не считать Орлика полноценным компаньоном.

Луна висела невозможная, невообразимая: совершенно круглая, будто ее выводили циркулем; и такая большая и тяжелая, что само нахождение ее над головой вызывало опаску.

Этой ночью она раскрылась целиком, выкатилась в полную силу: без утайки являла себя миру, без стеснения показывала все свои щербины и оспины, которые, впрочем, вовсе не умеряли ее сияния.

На взгляд Митьки, в ее пронзительном, но призрачном и неживом свете, рождавшем такие же призрачные и неживые тени, всему живому следовало затаиться, если не оцепенеть. Он и затаился бы, но Орлик, которому не было до луны никакого дела, твердо шагал вперед; Митька хотел бы верить, что деловитость его поступи свидетельствует, что Орлик знает, куда топает.

Вот, например, тропа выбежала на бугристое, поросшее травой и кустами пространство между далеко разошедшимися друг от друга бортами ущелья. Проезжали они с Васильичем это место? Трудно сказать... может, и проезжали. Но если и так, все равно не узнать: тогда это была долинка, вызолоченная низким солнцем, напоенная травяным настоем; над ней безумолчно звенели цикады, стрекотали кузнечики, с жужжанием просвистывали мимо уха литые, будто пули, жуки, порхали крапивницы...

А теперь — теперь глубокая, кованого серебра чаша, налитая прохладой и сиянием. Днище помято и выщерблено, а каждая травина, каждый куст, каждый лист на нем — чернь по блестящему металлу.

— Пырх! — взорвалось что-то у Орлика под копытами.

Орлик шарахнулся.

Митька тоже шарахнулся, едва не выпрыгнув из седла, но кое-как удержался.

— Чтоб тебя! — крикнул он дрожащим голосом, когда осознал, что это была птица, с хлопаньем сорвавшаяся, метнувшаяся шумной тенью поперек луны, а вот уже и канувшая во тьму где-то на дальней стороне. — Ты что! Ворон не видел, дуралей!

НЕУДАЧНАЯ ОХОТА

Орлик извинительно пряднул ушами и взял прежний темп.

Миновали открытое пространство, тропа нырнула в заросли узкой лощины. Здесь было совсем темно: луна спряталась за бортом, да если бы и не спряталась, все равно ее свету было не пробиться сквозь густую листву. Вертлявая речушка шумела, будто что-то все пытаясь выговорить, о чем-то предупредить, предостеречь — да так и не пересиливала косноязычия, только изредка взблескивала отражением пробившегося к черной воде луча. Тропа то и дело прыгала с одного берега на другой, норовя выбрать местечко, где больше дресвы и меньше валунов, но все равно Орлик то и дело оступался и так гремел копытами, что отзывалось эхо.

Потом снова выбрались на открытое место... а потом опять куда-то нырнули; и все ехали и ехали, ехали и ехали, шаг за шагом избывая то, что нужно было, кровь из носу, избыть: эту длинную ночную дорогу.

Орлик стучал и стучал по камням, качал и качал его в седле, луна светила и светила, и в конце концов все это стало казаться Митьке то ли сном, то ли собственным беглым мечтанием, то ли даже какой-то картинкой, на которую сам он смотрел со стороны: скажем, раскрыл книжку, а на странице как раз иллюстрация: мальчик-подросток едет на лошади ночью в горах. Глядя на рисунок, нельзя было сказать «он боится», ведь мальчик был изображен наравне с прочим, художник не уделил ему какого-нибудь особого внимания, а уравнял с луной, с Орликом, с посеребренными вершинам вдали, с блестящими монетками листьев и сверкающими самородкам камней. Мальчик ничем не выделялся из их совокупности, а потому заявить, что он боится, было бы так же нелепо, как сказать то же самое о луне, камнях или вершинах. На смену страху пришло ощущение равенства с тем, что его окружало, пронзительное чувство растворенности в сущем.

Потом на них выбежали собаки.

Митька вспомнил — ну да, они их и по дороге туда встречали. Чабанские, сказал тогда Васильич, волкодавы, сказал он; где-то неподалеку большая отара, вот и рыскают. Им не попадайся — сожрут. Их же как кормят? Хорошо, если раз в неделю кусок сырого теста швырнут. У них просто: что потопали, то и полопали.

Но когда они ехали туда, псы остановились невдалеке и сидели, настороженно следя за тем, как они проезжают мимо. Ишь ты, усмехнулся Васильич, умные: ружье видят.

А теперь ружья не было, а может, и вовсе не в ружье было дело. Так или иначе, появившись из зарослей, они — серебряные, увеличенные лунным светом раза в полтора — тут же бросились: окружили Орлика, глухо рыча и лишь время от времени позволяя себе хриплое взлаивание.

Но Митьке уже явился образ серебряной картинки, на которой он по праву занимал отведенное ему место, и теперь он насмешливо посматривал сверху, осыпая волкодавов то злобной взрослой руганью, то издевками насчет их куцых хвостов. Ноги, правда, из стремян на всякий случай вынул и поджал к седлу.

А Орлик шел как шел... шел себе и шел. Однако все же они и его раздражали, и в какой-то момент он стал брыкаться, норовя хоть кому-нибудь разбить башку. Но псы ловко отскакивали, Орлик ни по кому так и не попал, а вот Митька в первую секунду едва не слетел: уже вообразил, как его сейчас сожрут, но в последнее мгновение успел клещом впиться в гриву и усидеть в седле.

Собаки донимали их минут десять: то отвлекались на что-то, то опять сбегались. Но Орлик шагал и шагал, не обращая на них внимания, и скоро псы тоже остались позади, как оставалось все, мимо чего они ехали.

Он удивился, когда в конце концов увидел серебряное блюдо — а это было их плато; а на нем серебряные шатры — а это были их палатки; и от них уже бежала такая же серебряная, как те, что остались позади, только вдвое меньше, собака — а это был рыжий Васильичев пес Зарез.

Время давно перевалило за полночь, но Володя еще не уснул. Услышав возбужденные голоса, поднялась и Клавдия Петровна.

— Господи, — восклицала она, вываливая на сковородку банку тушенки. — Одного! Ночью! Да он с ума спрыгнул!..

* * *

На этом можно было бы и остановиться, ведь я рассказал главное из того, что хотел. Осталось только логическое окончание. Оно ничего уже не может изменить, но чтобы производить впечатление чего-то завершенного, картина должна быть взята в раму. Поэтому придется сообщить, что спал Митька плохо. Его стало трясти, как только забрался в спальник, и он стучал зубами до тех пор, пока Володя не заставил вылезти и надеть свитер и шерстяные носки; тогда кое-как угрелся, и все равно: закроет глаза — тянутся серебряные кусты и камни, повернется на другой бок — серебряные камни и кусты. Но проснулся легко и весело, будто вчера совершил что-то важное, не ударив в грязь лицом. Они быстренько позавтракали и двинули к Васильичу. По третьему разу дорога стала узнаваемой. Вот лысый холм... вот роща, где напали собаки (он сдержанно рассказал Володе, как они, подлые, бросались, умолчав насчет того, как сам чуть не вылетел из седла); вот и ущельице, где вчера Орлик оступался и гремел копытами. Часа через два добрались до Оби-Мумина, Митька узнал место, где он простился с Васильичем. Двинули дальше, и еще через пару часов услышали выстрел: Васильич пальнул, чтобы привлечь внимание. Тогда они взяли правее, туда, где он, величиной с богомола, махал руками со склона близ ореховых деревьев.

Васильичева охота оказалась удачной. Он уже разделал тушу и разложил по вьюкам. Только огромная голова лежала на земле, запрокинувшись, и скорбно смотрела в небо маленькими желтыми глазами. Рядом валялись четыре голяшки с копытцами. Метрах в десяти дальше, на краю промоины, трепалось что-то вроде лоскута сине-зеленого тюля: это зыбкое облако мух бешено роилось над потрохами.

— А это куда? — сказал Митька, пересиливая содрогание.

— Что? Да куда его... Тут оставим.

— И куда оно денется? — спросил Митька, не рассчитывая получить ответ.

Однако Васильич все же ответил.

— А куда все девается? — сказал он, пожав плечами. — Туда и денется. Пойди-ка, философ, орехов набери, пока вьючимся. Тут много.

Митька пошел собирать орехи. Далеко не отходил — в глазах стояла кабанья голова, и взгляд желтых глаз сверлил его, о чем-то вопрошая.

КУДЫЧ

1

Начало было очень печальным.

Я проснулся от какого-то телесного неудобства. Повернувшись, я обнаружил, что неудобство не устранилось, а обрело вполне отчетливые контуры.

Болел бок.

Я снова повернулся, чувствуя, как сон неудержимо отлетает, а сам я, вместо того чтобы отвлечься и забыть о пустячном недомогании, вызванном скорее всего безобидным и скоротечным процессом, идущим в организме, поглощен ожиданием той минуты, когда этот процесс прекратится.

Потом я проглотил три таблетки какого-то анальгетика. Теперь я, твердо уверенный в том, что перед современными лекарствами отступают неизлечимые прежде недуги, прислушивался к себе с некоторым злорадством.

Между тем боль превратилась в живое злобное существо. Я всегда знал, что во мне много нечеловеческого; но чтобы до такой степени! Чтобы до такой степени звериного и безжалостного!.. Она жрала меня изнутри, и я крутился на постели, принимая самые рискованные положения.

Очень скоро я понял, что умираю. По-настоящему умереть мне захотелось получасом позже, а в ту минуту я решил вызвать «Скорую».

Я все сделал правильно — кроме того, что забыл сообщить корпус дома. Честно говоря, я его попросту не знал. Почему — это отдельная история, и если начать с нее (а она потянет за собой еще десяток), то мое краткое повествование превратится в пухлый роман, лишенный смысла и сюжета, поскольку этот роман — сама жизнь. Я описал неприветливой телефонной женщине грозные симптомы одолевающего меня недуга, сознался в том, что не знаю ни причины его, ни названия, и прохрипел натужное «спасибо», когда она неожиданно твердо сказала что-то такое, из чего следовало, что в беде меня не оставят. После этого я снова лег и продолжил свои упражнения.

Тот эффект психики, когда человеку кажется, будто он наблюдает за самим собой со стороны, многократно описан в литературе. Для меня его новизна заключалась в том, что я не раздвоился, а по крайней мере расчетверился. Один из нас пыхтел и корчился на сбитой простыне. Другой почти равнодушно посматривал то на него, то на часы, прикидывая, сколько еще бедняге осталось, и в очередной раз решив, что более сорока минут он не протянет, с выражением вежливого сочувствия пожимал плечами. Третий витал над крышей многоэтажного дома, паря в прохладе утреннего воздуха. Правую ладонь он прижимал ко лбу, чтобы защитить глаза от солнца. У него была внимательная, напряженная физиономия. Всматриваясь в расстилающиеся внизу переплетения затененных улиц и в поросшие голубыми дымками вереницы машин, сочащихся по артериям города, словно капли разноцветной крови, он пытался разглядеть белый «рафик» с красным крестом на боку, спешащий по важному делу, неудержимо приближающийся, вот уже, быть может, скрипящий тормозами у подъезда.

Наличествовал и четвертый. Он тоже парил — но выше, значительно выше. Если третий мог показаться с земли мальчишкой, забравшимся на самый верх пожарной лестницы, то четвертого человеческий глаз не разглядел бы вовсе: ничто земное уже не могло коснуться его — даже взгляд.

Он появился в тот момент, когда некая часть моего «я» принялась возносить сначала робкие, а потом все более требовательные молитвы. Это происходило само по себе, а вовсе не по моему желанию. Атеистический мой мозг работал, анализировал, наблюдал, делал выводы; атеистическая моя душа тоже была на месте — в той степени, насколько она вообще мне присуща. Она была, разумеется, испуганной, почти такой же скорченной, как и тело. Какие-то сполохи, какие-то обрывки мыслей и чувств перебегали по ним, как перебегают огни гаснущего костра. Но ни боль, ни эти бессвязные вспышки, касавшиеся пустяков, еще вчера называвшихся жизнью, не могли заглушить таинственного всхлипывающего бормотания, то нисходящего, то восторженно возвышающегося и обращенного из какой-то недосягаемой для человеческого глаза выси в высь, недосягаемую даже для воображения. И уж конечно, не могли перебить его те жалкие слова, что лепетал я, комкая простыню, то бессмысленное «осподидачтожтакое», срывавшееся с теряющих чувствительность губ...

Дважды звонил телефон, извлекая меня из бесцветного полуобморока, в который я снова погружался, едва положив трубку. Какая-то дальняя электрически похрустывающая особа допытывалась, где я живу. Я говорил. «А корпус, корпус! — не унималась она. — Корпус какой?»

Корпус дома сообщил мне беспредельно возмущенный и взъерошенный молодой врач. Когда позвонили в дверь и я с грехом пополам отпер, они с медсестрой ворвались так, словно брали давно осажденную крепость и намеревались не облегчить мои страдания, а смертельно изувечить. Сверля меня серыми глазами, врач крикнул, чтобы я, если умею писать, в чем он глубоко сомневается, немедленно взял карандаш и бумагу и записал номер корпуса. Как я понял из его запальчивой речи, в будущем это могло бы сэкономить литров тридцать бензина, который они сожгли, колеся по микрорайону. Я понял, что ждать милосердия от человека в таком состоянии — совершенно безнадежное дело, и снова повалился. Я елозил по дивану, а он смотрел на меня с отвращением. Было заметно, впрочем, что мои муки не приносят ему полного удовлетворения. Поэтому он засучил рукава и стал гневно мять мой живот, добираясь кулаком не только до кишок, но и до позвоночника. Я поскуливал. Медсестра тоже была очень милой.

Обследовав меня, они коротко посовещались.

— Госпитализировать будем? — спросил врач.

— Не будем, — ответил я с последним испугом.

Он тут же подсунул мне какую-то казенную бумажонку, которую я молча подмахнул.

Сестра раскрыла ящик, извлекла блестящую коробочку стерилизатора, несколько ампул и принялась скрипеть стеклом. Когда она двинулась ко мне, угрожающе воздев сверкающий шприц, я собрал последние силы и спросил, стараясь придать голосу выражение надежды:

— Скажите, доктор, это со СПИДом?

— Других не держим, — буркнул он.

— Вытяните руку, — сказала она, наклонившись.

Игла вошла в вену, и еще до первого движения поршня я почувствовал облегчение. Она выдернула шприц, внимательно глядя мне в лицо.

— Отпускает?

Я кивнул.

Они сидели, врач барабанил пальцами по столу, а сестра иногда немного улыбалась.

Мир выплывал ко мне, как выплывает, должно быть, из толщи мутно-зеленой воды поднимаемый спасателями корабль.

— Ну? — снова спросила сестра, наклоняясь.

На этот раз я почувствовал легкий аромат ее духов и заметил нежную ложбинку груди в треугольнике белого халата.

— Оживаю, — уверенно сказал я.

На меня необоримо наваливался сон, но я еще слышал, как они хлопнули дверью.

2

Серьезно болеть в мои планы никоим образом не входило, однако на следующий же день я, гонимый убежденностью в том, что за жизнь следует бороться до последнего, отправился в медицинский кооператив. Через неделю я получил целый ряд щедро оплаченных сведений, что в моих глазах несколько скрашивало их расплывчатость. Выходило так, что почечную колику может пережить всякий и случается она по тысяче разных причин; что, возможно, причиной был камень, однако ни рентген, ни ультразвук этого камня не выявили; что почки у меня здоровые, но следует помнить о том, что спорт и рациональное питание, а вовсе не разного рода излишества и злоупотребления помогут сохранить здоровье; и что я должен на всякий случай попринимать таблетки. «Я вам пропишу, пожалуй, вот это, — сказал тучный уролог, пыхтя над рецептом. — Или нет, лучше, пожалуй, вот это... — Он посмотрел на меня, словно оценивая, перенесу ли я прием задуманного им препарата, скомкал рецепт, безнадежно махнул рукой и сказал: — Знаете что, попейте лучше ромашку...»

Ромашки у меня не было, а лечиться хотелось, поэтому я так и сяк примеривал к себе идею насчет того, чтобы лечь на серьезное обследование — облачиться в линялый халат, слушать анекдоты, утром есть овсянку... Но, как это обычно и бывает, жизнь, выбитая было из колеи, катилась себе дальше, и уже через неделю, проводя мыслью по тому месту, где еще недавно бугрилась проблема, я обнаруживал почти идеальную гладь.

А было лето, стояла жара, ночами донимали комары, невозбранно плодящиеся где-то в тухлой сырости подвальных коммуникаций, цветы стоили баснословно дешево и, главное, было кому их дарить.

Возможно, никогда в жизни я уже не вспомнил бы об этом неприятном происшествии, если бы однажды вечером не заехал к приятелю.

— О! — обрадовался он. — Заходи! Мы тут как раз выпиваем!

— Ну и дураки, — сказал я, расшнуровывая ботинки. — Знаешь, как алкоголь действует на почки?

КУДЫЧ

— Сейчас обсудим, — сказал он, нетерпеливо подталкивая меня в спину. — Вот, знакомьтесь.

Из-за стола поднялся широкий и очень плотный человек лет сорока, запотелый, как водочный графин. На нем были армейского образца брюки и майка квелого голубого цвета. Плечи из нее выпирали и бугрились.

— Шабко, — сказал он, протянув руку. — Прапорщик Шабко.

Я уважительно пожал его широкую клещеватую лапу, сделанную, казалось, из неоструганной доски, да еще и в большой спешке. Шабко приветливо смотрел на меня, улыбаясь и часто кивая, словно заранее со мною во всем соглашаясь. На столе лежала охапка зеленого лука, сверкала редиска и пристальным взглядом обреченного таращилась большая яичница.

— Ну, садись, садись, — сказал Саня, берясь за бутылку.

— Я не буду, — не очень твердо сказал я. — Если только половинку...

Шабко развел руками, горестно улыбнулся и спросил:

— А шо ж такое?

— Видишь ли, — сказал Саня. — Ему недавно вырезали почку...

Шабко окаменел.

— ...а человек с одной почкой должен, на его взгляд, пить вдвое меньше...

Рюмки наполнились.

— Шо, правда? — с искренним ужасом спросил Шабко.

— Почти, — сказал я.

Мы выпили, закусив луком и редиской.

— Надо ехать на арбузы, — сказал Шабко. — Первое дело.

— Арбузы — это если камни, — сказал я. — У меня камней нет.

— Подожди, — возразил Саня. — Тебе же говорил этот коновал, что колика могла быть результатом сдвига камня?

— Сдвиг камня... — повторил я. — Ты обо мне, как о будильнике... Сдвиг камня... Семь камней... Анкерный механизм... Ну и что, что говорил? Если был, то маленький.

— Большой нам пришлось бы поставить тебе на могилу, — заметил Саня.

— Арбузы — первое дело, — повторил Шабко.

— В прежнее время пол-России ездило на арбузы, — мечтательно сказал Саня, берясь за бутылку. — Только тем и спасались.

— Мне половинку, — сказал я. — А куда ехать-то? Все кругом в удобрениях. От таких арбузов еще скорее загнешься.

Мы выпили и подробно обсудили эту проблему.

Между тем своим чередом наполнялись рюмки, лук, как ему и подобает, хрустел, редиска оглушительно трескалась на зубах. Мизерное пространство кухни открывалось распахнутым окном в пропасть десятого этажа. На дне пропасти кудрявились деревья, неуемно визжали железные качели, дети настойчиво бегали друг за другом, и было непонятно, дерутся они или играют. Противоположным бортом являлась сверкающая закатным отражением стекол стена соседнего дома.

— Да не может, не может человек жить в этом муравейнике! — говорил Саня, описывая рукой широкий полукруг, причем бутылка, поваленная им, была противоестественно ловко подхвачена Шабко, так что и капельки не пролилось. — Не может! А если может — это не человек уже, а муравей! Насекомое! И ты мне скажи — нет, ты мне скажи! Почему тысячу лет назад, когда мир был чист как стеклышко, люди только и думали что о конце света, а теперь, когда до него рукой подать, никому и в голову не приходит об этом задуматься? А? Почему? Да потому, что это и есть его главный признак!

Шабко то ли по складу характера, то ли по роду своей прапорщицкой деятельности вовсе не был склонен к эсхатологическим изысканиям, я же несколько лет назад решил, что онтологический конец света ничуть не страшнее индивидуального и отличаются они друг от друга только массовостью — как отличается личная зарядка от физкультурного парада. Поэтому говорили мы в основном не о смерти, а о жизни — о ее тяжелых сторонах по преимуществу.

Беседа наша становилась все задушевней. «Слушай сюда!» — говорил Шабко, показывая мне растопыренную ладонь. Он начинал загибать пальцы и так, на пальцах, в два счета убеждал меня в том, что прожить на его зарплату с женой и двумя детьми невозможно. Я качал головой, и на лице у меня, надо полагать, было написано искреннее сочувствие. Выдержав драматическую паузу, Шабко говорил опять «слушай сюда!», снова протягивал растопыренную свою грабку и опять-таки по пальцам расписывал мне целый ряд остроумных приемов, которые позволяют ему прожить не хуже других. Пальцы были похожи на клавиатуру фортепиано, на котором, как известно, можно сыграть гамму как слева направо, так и наоборот.

Уже смеркалось, света мы не зажигали, сидели себе сумерничали, время от времени чокаясь, а затем привычно хрустя редиской или луком. И мы уже на многое были готовы друг для друга — последнюю рубашку можно было отдать не задумавшись в этом уютном полумраке.

Собственно говоря, к тому и шло. Я обещал Сане немедленно, вот, может быть, прямо сегодня, позвонить друзьям и договориться о том, чтобы они привезли из Канады, куда в скором времени собираются, слуховой аппарат для его двоюродной тетки, которую в последний раз он видел девять лет назад, и уже тогда она была глухая, — а то что же ей, старой, без аппарата. Саня, бросая на меня растроганные взгляды, рвал в свою очередь ворот, клянясь, что Шабко может спокойно как белый человек ехать с богом в свой Орджоникидзе[1] и стоять там дальше на страже мира и безопасности, а он, Саня, которому все это ровно ничего не стоит, сам в качестве дружеской услуги купит заказанные женой вещи — две куртки на десять и на двенадцать, четыре пары брючат, пальто — то есть, короче говоря, все, что ее душеньке угодно, и даже денег ему оставлять не нужно — что, у него денег нет, что ли? Шабко не хотел, видно, оставаться в долгу и потому божился выслать бандеролью тысячный кинжал, который недавно по-кунацки вручил ему приятель-осетин.

Когда совсем стемнело, мы включили свет и рассмотрели симпатичные, милые, дорогие черты друг друга. Было поздно. Саня принялся стелить Шабко на диване, я же, норовя попасть ногой в ботинок, слушал, как прапорщик толковал мне:

---

[1] Ныне — Владикавказ.

КУДЫЧ

— Слушай сюда! Завтра я выезжаю! В четверг я дома! В пятницу — в части! А в понедельник позвоню!

Умиленный, я смотрел на него с нежностью.

— Так а шо же мне стоит?! — говорил Шабко, плаксиво кривясь и прижимая пудовые кулаки к груди. — Шо мне стоит? А места у них арбузные — у-у-у! Договорится — и поедешь! Ему еще полгода у меня служить! Шо ж он, для меня не сделает? Сделает! Он у меня вот где!

Шабко отнял от груди правый кулак и предъявил мне.

— Телеграмму даст! Вызовет родителей на переговоры! Договорится! И поедешь! Места там арбузные — у-у-у! Он рассказывал!..

Я растроганно кивал. Ботинок елозил, собака, по полу, а на ногу не надевался.

— Слушай сюда!.. — повторял Шабко...

Мы сердечно простились, расцеловавшись и пожав друг другу руки, я вышел на воздух, оказавшийся ошеломительно свежим, и побрел к метро. Руки я держал в карманах. Мир был полон добрых людей, и поэтому спешить куда-либо было вовсе не обязательно...

* * *

Проснувшись, я хмуро изучил в зеркале помятую физиономию и умылся. Потом я заварил чай. Дымящаяся пиала несколько организовала бессмысленное прежде пространство. Я сел, подпер кулаком голову и задумался. Вчера мы так и не выяснили, как влияет алкоголь на почки, но было очевидно, что на мозг он оказывает совершенно сокрушительное действие.

Я хорошо представлял себе, как будут развиваться события, если я на самом деле обращусь к своим друзьям с просьбой насчет слухового аппарата. Для начала они осведомятся, нельзя ли этой штукой разжиться здесь, и мне придется мямлить, намекая на качество заграничных. Можно, разумеется, взять еще один грех на душу и заявить, что аппарат нужен не Саниной, а моей собственной двоюродной тетке. Они спросят, сколько он может стоить. Откуда мне знать, сколько он может стоить! Они честно распишут мне свой нищенский бюджет, а я буду кивать трубке и повторять как заведенный: «Конечно, конечно». В общем, дело совершенно безнадежное. И зря все-таки говорят, будто что у трезвого на уме, то у пьяного на языке. Еще вчера утром у меня, у трезвого, и мысли бы подобной не возникло!..

Но больше всего я жалел Шабко. Куртки, брюки, пальто и все прочее, вчера перечисленное, должно было, по моим представлениям, висеть на плечиках в магазине до второго пришествия, потому что ни один разумный человек, наобещав спьяну все это купить и выслать, ни шага не сделает в сторону универмага. Но если мы с Саней отвечали только за себя, то несчастному Шабко предстояло держать ответ перед женой.

Надеяться можно было только на то, что Шабко не хуже меня знает цену застольным обещаниям.

Я сел к телефону и набрал номер.

— Ты живой? — спросил я, когда Саня поднял трубку.

— Вполне, — ответил он.

— А Шабко?

— Не знаю. Вскочил в семь часов и унесся куда-то за мануфактурой. — Он помолчал и хмуро добавил: — В ночную мглу.

— Слава богу, — сказал я. — Разумный человек. Ну пока. Кинжал потом не забудь показать.

Он даже не засмеялся.

И снова жизнь покатилась своим чередом, спеша, словно неумелый рассказчик, закруглить одну историю, чтобы начать сразу несколько следующих. И снова все стало неудержимо отступать в прошлое под напором настоящего. И снова дни полетели, слоясь друг на друга, будто палая листва.

Но однажды меня разбудил звонок, телефонистка буркнула: «Говорите с Орджоникидзе!», и я спросонья чуть не упал в обморок, вообразив, что услышу сейчас чугунный голос железного наркома. К счастью, это оказался всего лишь голос прапорщика, в самое ухо по-солдатски бодро прокричавшего мне несколько слов, являвшихся адресом.

— Слушай сюда! — ревел Шабко, не рассчитывая, видно, на надежность связи. — Тебя ждут! Перед выездом дай телеграмму! А потом…

Что я должен был сделать потом, осталось тайной, поскольку связь и в самом деле оборвалась.

3

Присидевшись, трудно подниматься. Хоть все и жалуются на однообразие будней, на безвкусие времени, невозвратно струящегося в мелкие поры незначительной суеты, хоть и толкуют о том, что жить так — это все равно что не жить, поскольку не остается ни памяти, ни следа, хоть и гомонят подчас за рюмкой о прежних днях, когда, бывало, рюкзачок за спину и — фьюить! — только тебя и видели все эти сидни, которым никогда не понять, как свеж мир, если смотришь на него с дороги, — а все же никто никуда не едет, предпочитая однообразие мелких удобств разнообразию тягот.

В общем, чтобы сорваться с насиженного места, требуется определенное мужество.

Для того же, чтобы двинуть гостевать к совершенно незнакомым людям, предварительно установив с ними насильственный контакт по армейской линии, требуется, видимо, не только мужество, но еще и нахальство.

Отдавая себе в этом отчет, я колебался и никуда бы, наверное, в конце концов не поехал, если бы не таинственное очарование фамилии: Акашевы.

Что за фамилия такая? — гадал я. Понятно, что не русская. Акашевы. Может быть, какие-нибудь кавказцы. Чечены там или осетины. Правда, Саня, принимавший активное участие в моих сомнениях и подначивавший меня немедленно ехать, заявил, что Акашевы — самая что ни на есть русская фамилия, возникшая в годы афганской войны и берущая начало от автомата Калашникова — АК. «Да перестань, — отмахивался я, пытаясь настроить его на серьезный лад. — Лезгинская, может быть, фамилия. Даргинская, может быть...» — «Кавказ — котел народов, — сказал Саня. — Может быть, даже табасаранская». Я насторожился. «Нет такой национальности», — сказал я. «Как же нет?» — возразил Саня. В качестве доказательства он поведал мне о споре, что произошел однажды в ресторане города Шевченко между ним и неким человеком, случайно оказавшимся за столиком. Поначалу тот был настроен в высшей степени дружественно, однако с течением времени помрачнел и незадолго до закрытия стал требовать, чтобы Саня угадал его национальность. «Ты сначала мою угадай», — предложил Саня. «Что тут угадывать? — фыркнул тот. — Татарин!» Саня не стал с ним спорить. Вместо этого он заявил, что ему тоже ничего не стоит угадать. «Ну угадай, угадай!» — «Табасаранец», — твердо сказал Саня. «Ну и что?» — спросил я. «Ну и ничего, — сказал Саня. — Он, оказывается, был татом, страшно обиделся и тут же, мерзавец, съездил мне по морде». — «Ну? — спросил я. — А ты?» — «И я съездил, — сказал он. — В общем, есть такая национальность — табасаранцы».

Так или иначе, мы сошлись на том, что фамилия явно кавказская, тем более что и по карте от дельты Волги до Кавказского хребта было рукой подать.

Я все сомневался, так и сяк прикидывая шансы на успех этой поездки, а уже совершенно случайно выбросили в угловом хороший чай, и я купил три большие пятисотграммовые пачки. Я еще не решил, еду ли, а чай уже стоял в шкафу, и слоны нетерпеливо переминались вокруг золоченого дворца.

Потом мне попалась колбаса.

Можно сказать, что поехал я в конце концов именно из-за этой колбасы. Она меня повязала по рукам и ногам. Конечно, если бы можно было в любой момент пойти в магазин и купить эту несчастную колбасу[1], я не стал бы ее хватать, когда она мне, как на грех, подвернулась. Но поскольку в магазине колбасы нет, а если есть, то в очереди не достоишься, я, разумеется, купил ее сразу, как только увидел. Я рассуждал так:

---

[1] Действие происходит в 1989 году. Ныне трудно поверить, но в ту пору секрет производства сырокопченой колбасы был утрачен, и все почти забыли, что это такое.

если не поеду, то пристрою куда-нибудь эту колбасу, будь она проклята, а если не куплю сейчас, а потом соберусь ехать, то буду мыкаться как саврас по магазинам — и, скорее всего, безуспешно. Рассуждение было в общем и целом правильным, однако, оказавшись с колбасой на руках, было решительно невозможно от нее избавиться. Ну куда в самом деле деть пять килограммов сырокопченой колбасы? Я еще продолжал заниматься какими-то московскими делами, а в голове уже беспрестанно тикало: помни, помни, у тебя колбаса в холодильнике!

Именно колбаса перевесила в конце концов все мои сомнения, я купил билет на самолет, добрал кое-чего по мелочи — сыру, «зубровки», каких-то конфет — и был готов.

И, как всегда это бывает, проснуться пришлось затемно, когда еще звезды помаргивали в окно. Страшно хотелось спать, а есть совершенно не хотелось, но все же я запихивал в себя какие-то бутерброды да еще и в сумку с собой сунул пару, потому что, когда придется перекусить в следующий раз — было неизвестно. А выходя из дома, почувствовал вдруг тоску, неуют, пронизывающий холод утреннего воздуха и даже мгновенный прилив острого отчаяния: куда еду? зачем? кого встречу? что за люди? как они ко мне отнесутся? хорошо ли мне с ними будет? — полная, совершенная неизвестность.

Автобус летел по залитому ранним солнцем шоссе, мелькали кусты и деревья. Казалось, кто-то снимал нас, не жалея пленки и фотовспышки, — а это багровое светило, едва только оторвавшееся от горизонта, моргало за стволами, вспыхивая, пропадая и вновь слепяще появляясь. Порой автобус скатывался в сырой ложок, наполненный ночными тенями, а потом, упрямо загудев, взмывал к прежнему свету. Меня донимали вопросы, я задремал, покачиваясь в кресле, и в дреме поплыли ответы, облеченные в туманные картины предполагаемого будущего. «Наримановский район... поселок Кудыч...» — твердил я сквозь сон. «Куда я еду? — спрашивал я сам себя и тут же отвечал: — В Кудыч!» Это слово — Кудыч — особенно смущало мозг. Кудыч! Кудыч! В нем слышалось бесконечное «куды?». «В Кудыч, в Кудыч!» — твердил я. А эхо откликалось: «Куды? Куды? На кудыкину гору? Куды вам, не кудычьте!» В автобусе было тихо, все дремали, у шофера поигрывала музыка, гудел мотор, а меня обступали какие-то шальные дорожные голоса и трандычили на разный манер: «Кудыч! Кудыч! Куды вам? Кулек!.. Пиши, в общем и целом!.. Кудыч?.. Куды ты!..» — и все это переплеталось и снова и снова плясало передо мной, дразня своей губительной незавершенностью.

Автобус мчался по асфальту, а навстречу ему вставали какие-то просторы, огромный дом... собака во дворе... лепетание деревьев... резная тень на блистающих стеклах террасы... из обрывков тумана поднималось чье-то симпатичное усатое лицо... становилось безусым... вот вдруг бородатым... вот и борода пропадала... оно нежнело, облекаясь явно женской плотью... Усмехалось, щурилось, приветливо глядя и произнося почему-то только одно слово — «хлопчик». Автобус качался, я стряхивал на секунду сон, недовольно смотрел в окно, провожая взглядом столбы и дорожные знаки; снова закрывал глаза и тут же, быстро построив еще один реалистический вариант будущего, в котором вообще ничего, кроме цветных линий и сполохов, разобрать было невозможно, мучительно задавался вдруг вопросом: а арбузы?! где я буду брать арбузы?! Еще не успевало погаснуть гулкое эхо этого восклицания, как уже выстраивался в центре какого-то села небольшой базарчик, коряво расползшийся потемнелыми дощатыми рядами по вызолоченному солнцем грязному майдану... теснились с краю грузовики... мотороллеры-фургоны... стоял гомон, шум... я шагал неторопливо, присматриваясь к терриконам больших арбузов... и какие-то старухи... дети... женщины... наперебой предлагали мне... катили в мою сторону... чистый кегельбан...

Меня растолкали добрые люди. Спотыкаясь и зевая, я побрел к самолету.

Моя соседка появилась, когда трап уже дрогнул и откатился метра на полтора. Я видел в окошко, как она бежала с чемоданом. Повалившись в пустующее кресло, она левой рукой схватилась за сердце, а правой извлекла пудреницу.

Затем она сообщила, что перепутала время, ехала на такси и таксист взял с нее сорок рублей; что не успела позавтракать, что ее не хотели пускать к самолету и что она все же прорвалась, лишившись, правда, двух пуговиц и зонтика; что зонтик у нее есть еще один, да и пуговицы, пожалуй, найдутся; что вот она доберется к вечеру домой, обнимет мужа, поцелует дочку, распакует чемодан, раздаст подарки, а потом примет ванну и навеки забудет весь этот кошмар, всю эту толкотню, давку, все эти аэропорты, самолеты...

Я вынул из сумки свои бутерброды. Глаза у нее заблестели. Жуя, она продолжала говорить, а потом спросила, смахивая крошки с коленок:

— А вы куда едете?

КУДЫЧ

— В Кудыч, — сказал я. — Кудыч Наримановского района.

И пожал плечами. Большего я сказать ей не мог.

— О! — воскликнула она. — В Нариман! К казахам, значит.

— К чеченам, — поправил я ее. — Акашевы. Акашевы — это чеченская фамилия.

— Казахская, казахская! — не уступала она. — У казахов, у казахов будете жить! Акашевы, Айкашевы, Арташевы, Байгашевы — это все казахские фамилии! Да и вообще в Наримане одни казахи живут!..

Я поверил ей безоговорочно и сразу, быть может, потому, что бессознательно ждал появления человека, который смог бы толком объяснить, куда же я, черт побери, еду! Я ждал, вот он и появился, как всегда появляется то, чего тебе не хватает. Если ты хочешь о чем-то узнать — непременно придут и расскажут. Если тебе что-то нужно, возникнет человек, у которого этого просто завались, просто некуда девать, и он будет страшно благодарен тебе за то, что ты взял хотя бы часть. Честное слово, я никогда не хожу в библиотеки не потому, что мне лень, а потому, что нужные книги возникают сами собой. Если книга нужна — она обязательно и очень скоро появляется на столе: тебе предлагает ее почитать кто-нибудь из знакомых, ты находишь ее в подворотне, или она падает на голову с крыши. Узор жизни непонятен, но осмыслен: ткач следит за разумностью орнамента. Одна моя приятельница захотела научиться готовить плов. Я привез ей казан, написал на бумажке рецепт, разъяснил что к чему, а потом сказал, что все, кроме зиры и барбариса, она сможет купить в магазине; и что я дал бы ей и зиру и барбарис, кабы они у меня были; однако мои запасы кончились, и поэтому я не могу дать ни барбариса, ни зиры. Она покивала и взяла казан, помещенный мною в большую авоську. В метро какой-то случайный пассажир все косился то на нее, то на казан, а потом спросил: «Простите, вы случайно не плов будете варить?» Она кивнула. «Скажите, — спросил он, ерзая от нетерпения, — а зира и барбарис у вас есть?» Она ответила, что вот именно зиры и барбариса у нее нет. Тогда он засмеялся от счастья, расстегнул портфель, достал оттуда кулек и вручил ей. Теперь она сама учит подруг варить плов. «Мясо, лук, морковь и масло ты купишь в магазине, — говорит она, — а зиру и барбарис тебе дадут в метро...»

— Казахи? — переспросил я.

4

Как известно в нашей стране каждому, в церквах могут располагаться не только склады, конторы, мастерские, небольшие заводики по изготовлению скоб и петель, юридические консультации и зубоврачебные кабинеты, но даже и места отправления религиозного культа. Тем более никого не может удивить, что в церкви разместился автовокзал.

Никого это и не удивляло. Автобусы сюда, разумеется, не въезжали, но, как и в любом другом автовокзале, наличествовали кассы, справочное бюро, буфет и газетный киоск. Возле каждого из этих заведений стояли или прохаживались люди, и на их лицах нельзя было заметить даже тени изумления. На второй этаж, представлявший собой хлипкое переплетение каких-то жердочек и перегородок, вела сварная узкая, лепящаяся к стене лестница, по-птичьи неловко вмонтированная под самые своды, где некогда клубился сумрак непросвещенности и аромат ладана, а теперь тускло посвечивали сорокаваттные лампочки. Ее крутизна и очевидная ненадежность вкупе с упомянутыми уже гулкими сводами навевали несколько праздничное, цирковое чувство удовольствия, с каким взираешь на чужое удальство. Небольшая табличка, прикрепленная к белому камню трехсотлетней стены, извещала, что там, наверху, в этом дощатом курятнике, находится автошкола. По лестнице сновали люди, на их лицах тоже не было удивления, а на самом верху виднелись темные лики святых — эти и подавно ничему не удивлялись.

Было часов одиннадцать. Узнав, что автобус в Кудыч отправляется в пять, и на всякий случай купив билет, я почему-то отверг все доводы разума и вместо того, чтобы, сдав сумку в камеру хранения, посвятить свободное время изучению города и чувству первопроходничества, решил немедленно добраться до железнодорожного вокзала и уехать поездом.

Решив так, я почувствовал, что у меня испортилось настроение. Ведь в конце концов человек должен быть хоть немного разборчив в средствах! Вот ведь есть же у меня чудное средство — автобус! Куплен билет. Рейс вечером. Днем я могу пошататься по Астрахани. Увидеть Волгу, постоять у дома, где родился Хлебников. Пойти дальше по улочке, бормоча про себя: «Ах, молодчики-купчики, ветерок в голове...» Посидел бы на каком-нибудь трухлявом пне, поразмышлял бы о том, что некогда пень был деревом и поэт разглядывал птах, попрыгивавших в кроне... Как там про зинзивера? «...В короб пуза положил много всяких трав и вер...» Вер — это камыш. «О лебедиво, о озари!»

Я поколебался еще минуту, вздохнул, поднял свою кладь и вышел на пыльную площадь.

В сущности, спросить дорогу до вокзала можно было у любого из тех, кто стоял или прохаживался у дверей. Я, однако, не спешил. Во-первых, это должен был быть мужчина. Женщины не склонны делать разницы между старожилом и приезжим. «Так это... До Солдатского доедешь, а там мимо Седьмого к Татарскому, а на Камушках налево, вот тебе и вокзал...» При этом Солдатский — это магазин, и ехать до него с тремя пересадками. Седьмой — тоже магазин, только его снесли лет двадцать назад, а на его месте разбили сквер, унаследовавший имя. Татарское — кладбище, но в действительности называется оно Воскресенским. Что же касается Камушков, то с ними приезжему человеку и вовсе никогда не разобраться...

Однако и с мужчинами следует держать ухо востро. Среди нашего брата попадаются такие любители точности, что разговаривать с ними можно, только наевшись предварительно гороху. «Далеко ли до вокзала?» — спрашиваешь ты у него, этак по-простецки улыбнувшись. «Далеко», — отвечает он, дав точный ответ на заданный вопрос. Есть такой у меня в друзьях. Однажды он пригласил меня к себе на дачу, мы встали на лыжи и долго бродили по лесу. Он свои места знает как пять пальцев, я же в тех краях был впервые. Мы ушли далеко от дома. Начинало смеркаться, снег голубел, небо над лесом бледнело, теряя последний румянец. Навстречу нам из кустов вышел изможденный человек. От него валил пар. Увидев людей, он остановился и повис на палках. Усы его заиндевели. «Скажите! — хрипло обратился он, когда мы приблизились. — Так я выйду к железной дороге?» И махнул палкой куда-то в сторону мрачно чернеющего леса. «Выйдете», — сказал мой друг. Человек облегченно вздохнул и широким лосиным шагом двинулся в ту сторону, куда махал. Мы прошлись еще немного и повернули к дому. «Слушай, — спросил я, пытаясь сориентироваться. — Разве Колюбакино в той стороне?» — «Разумеется, нет, — ответил он. — Колюбакино вон там: вон, где кривая елка». — «Зачем же ты отправил его в противоположную сторону?» — изумился я. «Я его отправил? — в свою очередь изумился он. — Я только ответил на его вопрос. Выйдет ли он к железной дороге? Разумеется, выйдет. Он же не уточнял — к какой дороге. Если бы он сказал — к ближайшей железной дороге, я указал бы ему совсем другое направление...»

Я приметил одного казаха, скучавшего в тени чахлого тополя.

— Вокзал? — с интересом переспросил он. — Вон ту улицу видишь?

— Вон ту? — уточнил я.

— Поперек идет, видишь? Вот по ней, а там на любой автобус.

— А сколько идти? — спросил я.

— Квартал идти, — ответил он; неожиданно глаза его еще больше сузились, он просверлил меня взглядом и спросил голосом, в котором не звучало даже отголоска надежды: — Ты знаешь, что такое квартал?

Я опешил. Естественно, я знал, что такое квартал. Я с детства успешно пользовался этим словом. Более того, мне было известно, что происходит оно от латинского quartus, то есть четвертый; что означать может не только часть города, ограниченную пересекающимися улицами, но и часть года, а также часть леса, отрезанную просеками. Разбуди меня ночью, и я все

про квартал отбарабаню без запинки, от зубов будет
отскакивать... Но когда тебе задают слишком простой
вопрос, а ты не можешь и предположить, что спраши-
вающий хочет проверить самые верхушки твоих знаний
или умственных способностей, невольно закрадывается
подозрение, нет ли в этом вопросе какого-нибудь под-
воха. Черт их всех тут знает, может, у них кварталом
называется что-то совершенно иное! Кроме того, интонации его голоса и выражение лица свидетельствовали,
что он заранее убежден в полном безумии моего ответа. Поэтому вместо того, чтобы отмести злополучный вопрос как явно провокационный и тем или иным
способом выказать решительную уверенность в своих
знаниях, я неожиданно для самого себя вяло пожал
плечами и, попытавшись свободной ладонью обрисовать
что-то похожее на квадрат, промямлил:

— Ну, квартал — это такое вот...

— Квартал?! — бешено воскликнул он, вздымая
обе руки, а затем принимаясь рубить ими воздух. —
Вот смотри: так улица, так улица, еще вот так улица... — Ему уже не хватало локтей и ладоней, чтобы
изображать перекрестки. Я тупо молчал. Видимо, осознав всю бессмысленность попыток растолковать мне
это простое понятие, он с огорчением опустил руки,
в мгновение ока безжалостно разрушив все, что было
только что им создано, щелкнул пальцами и уже совсем
равнодушно сказал:

— А!.. Иди туда, сам увидишь...

И действительно, часа через полтора я уже сидел
у вагонного окна. Вагон постукивал: Астрахань со всеми своими домами, заборами, пыльными пустырями
строек, Волгой, мостом, деревьями, снова заборами
и пустырями и прочими неприглядными, оставляющими

впечатление разрухи задворками, мимо которых всегда
следуют поезда, выбирающиеся из города, отползала,
отползала и скоро изгладилась совершенно. За окном
теперь лежала бугристая степь, а то блестела вода, по-
росшая по краям желто-зеленым тростником. Вдоль
полотна стояли столбы, на столбах провисшие провода,
а на проводах сидели какие-то птички.

Куда я еду? — с тревогой спрашивал я себя, ис-
пытывая досаду при взгляде на очередное озерцо,
проплывающее мимо. Вода рябила, сверкала; сверкал
и берег, покрытый белоснежной коркой соли. Степь,
степь! Да еще какая степь — вон даже песок буграми,
барханы! Не степь — пустыня! А где же Волга, где
рыба, осетры?.. В поезде было жарко, солнце лупило
в мое окно, пересесть на другую сторону не было возможности — все занято. Все куда-то ехали — но, надо
полагать, все ехали по делу и знали, куда едут. Ехала
бабушка-казашка с тремя внуками — один из них норовил сползти на пол и для этого выгибался и скулил,
а бабушка и внуки постарше держали его в шесть рук;
от их группы исходили волны живой энергии. Ехала
молодая русская женщина в роскошной мохеровой
кофте и шерстяной юбке; я видел ее в окно, когда поезд притормозил у какой-то платформы по выезде из
города — кофта была красной, а юбка черной; теперь
она сидела рядом; кофта была по-прежнему красной,
а юбка стала розовой, поскольку ее облепил мохеровый
пух; женщина терпеливо обиралась, но юбка только ро-
зовела пуще. Ехал скуластый парень в тертом куцем ко-
стюмчике; усевшись, он вынул из кармана колоду карт
и предложил сыграть; когда же все отказались, спрятал
колоду, откинул голову и моментально уснул, причем
лицо его разгладилось и стало почти невинным...

Я смотрел в окно и тосковал, понимая, что меня обманули. Поезд постукивал, но это ритмическое постукивание не возбуждало никаких чувств, кроме скуки. Я стал вспоминать, когда в последний раз ездил поездом, и вспомнил — это было года два назад. Я ехал в командировку, поезд был пассажирский, ехал не спеша, но и мне спешить было некуда; я лежал на верхней полке с книжкой; так же вот постукивали колеса, но тогда это постукивание рождало в душе — отчетливо помню! — некое ностальгическое умиление. Иногда я выходил из купе и стоял в коридоре у окна, и ветерок из его открытой верхней части щекотал лоб. Поезд часто останавливался, однако почти никогда никто не входил и не выходил; проводница привыкла к этому и даже не открывала дверей на остановках; три минуты стоянки протекали быстро, и снова тихо-тихо, понемногу ускоряясь, начинали плыть дома, деревья, штабеля шпал и водокачка. Однажды под моим окном пробежали два человека. Они несли по два больших чемодана. Первый не заметил меня, а второй остановился и крикнул растерянно и хрипло, воздев ко мне потное лицо: «Где рабочий тамбур?» Должно быть, они с напарником бегали вдоль всего состава и не могли найти ни одной открытой двери. «Где? — отчаянно вопрошал он. — Где рабочий тамбур?!» Я был так разнежен стихшим на время стуком колес, так расслаблен покачиванием и покоем, что не смог сразу сообразить, в чем дело. Я пожал плечами и сказал: «Не знаю». Я думал, он плюнет и побежит дальше, ведь три минуты — это очень недолго. Но вместо этого он решительно поставил чемоданы на землю, еще круче задрал голову и, глядя на меня с отвращением и укором, разразился продолжительной речью. Мое незнание подверглось глубокому анализу. При этом, надо отметить, он почти не употреблял бранных выражений. Он яростно стыдил меня, утверждал, что у таких, как я, нет ни ума, ни совести, и даже сардонически расхохотался, показывая, как ему смешно меня видеть — дожил чуть ли не до седых волос и не знает, где рабочий тамбур! Он тряс в воздухе пальцем и топал ногой. Он был прав, разумеется, и я бы даже сбегал растолкать проводницу, если бы не столбняк изумления, сковавший меня в ту секунду, когда он бросил чемоданы и начал речь. По-моему, он не сказал еще и половины того, что хотел, когда поезд медленно поехал. Я стал удаляться, а он не хотел быть оборванным на полуслове. Но и чемоданы оставлять ему не хотелось. Он поднял их и пошел за мной вдоль полотна. Поезд набирал ход, чемоданы были тяжелые, однако он все ускорял шаг, а потом побежал. Если бы не чемоданы, его хватило бы секунд на сорок. До сих пор не понимаю, почему он не оставил их там, где они стояли, — он всегда мог бы за ними вернуться, отдышавшись...

«Уеду! — думал я, малодушно примериваясь к тому, что скользило за окном. — Не понравится — соберусь да уеду!..»

За окном скользила степь, солончаки, соленые озера, оставившие на топких бережках избыток все той же соли. Поезд содрогался, тормозил у какой-то станции с невнятным тюркским названием, у разъезда, высыпавшего к полотну дороги десяток жалких кособоких домишек, оставляющих впечатление дощатых, пыльный косогор и равнодушного верблюда вдалеке. «Уеду! — повторял я, уныло храбрясь. — Вот ей-богу, соберусь и уеду!»

Ах, дьявол! Я уже представлял себе все неудобства подобной ситуации: приехал человек погостить ненадолго, но ведь не на два же дня! А если собрался уезжать — значит, не понравилось? Живут себе люди так, как умеют, а тут приезжает какой-то икс (не очень-то его и звали, между прочим) и нос воротит. Да и не могу я так: фырк, и уехал — не понравилось, мол, и дело с концом!

Беда! Ведь придется, придется теперь блох кормить дней десять, куда денешься! Или, может, сойти на ближайшем разъезде... дождаться обратного поезда... с вокзала в аэропорт... только меня и видели! Я совсем уже было решил так сделать и уже чувствовал легкое сжатие чего-то в груди — то ли сердца, то ли еще чего, — всегда предшествующего принятию значительных решений, как вдруг вспомнил и чуть не застонал: колбаса! Колбаса, будь она трижды неладна! Куда ее? Не назад же везти!.. Я обреченно успокоился и снова уставился в окно.

Еще через час я взял сумку и направился в тамбур. Приближался разъезд, на котором мне следовало сойти.

Поезд остановился, проводница отперла дверь, посторонилась, я протиснулся к ступенькам, спустился, встал на твердую землю и оглянулся.

С небольшого бугра, на котором стояли дома и сараи, к поезду бежали люди. Они спешили. В основном это были женщины, но попадались и старики. Женщины были нагружены мешками. Одна катила большую садовую тележку, набитую арбузами. Старики несли связки сушеной рыбы — судя по цвету, позапрошлогодней.

Из поезда тоже посыпался народ. Так сбегаются два войска, чтобы начать крошить друг друга. Я отошел в сторонку. На воблу никто не обращал внимания, и ее владельцы в отчаянии ковыляли вдоль состава, тщетно оглашая степь призывными воплями. Зато арбузы шли нарасхват. Недалеко от меня худая смуглая казашка вынула из мешка и положила в пыль три больших арбуза. Она недолго поторговалась с каким-то солидным чернявым мужчиной в трикотажных бриджах и олимпийке, после чего он отдал ей деньги и стал топтаться, примериваясь к покупке.

Все знают, что человек в силу своего физического строения не в состоянии поднять одновременно три больших арбуза. Вопреки ожиданиям ему это удалось, но картина была явно противоестественной. Должно быть, и покупатель, и продавец хорошо это понимали; во всяком случае, только этим я могу объяснить то удовлетворение, с которым оба воззрились на осколки упавшего арбуза — словно этот арбуз являлся необходимой жертвой, оговоренной условиями сделки.

В голове состава что-то свистнуло. Мужчина заторопился. С двумя оставшимися управиться ему было легче. Помогая себе животом, он пристроил их под мышки и затрусил к дверям вагона.

Несколько раз он пытался задрать ногу. Ступеньки были слишком высоки. Сверху на него с любопытством смотрела проводница. Снова свистнул тепловоз. Поезд дернулся, загремели буфера. Тогда он нечеловечески ловко вывернул руку, чтобы, удержав арбуз, ухватиться вдобавок за поручень. Вторая часть замысла вполне удалась, однако арбуз при этом выскользнул, с победным треском грянулся о шпалу и развалился на восемь частей. Каждая из них сверкала и переливалась. Мужчина ошеломленно посмотрел на мясистые черепки, облизываясь и, видимо, не до конца понимая, как это такое может быть. Но зато теперь у него освободилась рука.

Поезд медленно поехал.

Мужчина снова схватился за поручень и в мгновение ока превратился в комок готовых к броску мускулов. Третий арбуз вырвался, когда он уже опустил левую ногу на пол тамбура. Кругом ахнули. Ахнул и арбуз — но для него это было смертельно. Мужчина окаменел, свесившись с лестницы. Все под ним плыло, удаляясь, — сухая трава, окурки, фантики и останки последнего арбуза. Он провожал их взглядом, под которым и Лазарь бы зашевелился в гробу. Вдруг он бешено, словно зверь прутья клетки, затряс поручень и закричал в степь: «Ваш арбуз плохой! Ваш арбуз плохой! Ваш арбуз плохой!..» Он не уточнял, который из трех. Поезд набирал ход, уже шелестел воздух и постукивали колеса. «Ваш арбуз плохой! — надсаживался он, удаляясь. — Жулики! Жулики! Ваш арбуз плохой! Ваш арбуз плохой!!!»

Вот уж верно говорят: не знаешь, где найдешь, где потеряешь. Казалось бы, совершенно безвредное растение — арбуз, а поставило человека буквально на грань умопомешательства.

Он все орал, а поезд набирал ход, унося его, обливающегося слезами злобы и отчаяния, куда-то в глухую степь, где ему смогут посочувствовать разве что суслики. Поезд набирал ход и удалялся, и по мере его удаления оставшиеся теряли к слабо доносящимся воплям последние крохи интереса. Все расходились, оживленно переговариваясь. Женщины шагали налегке, гомоня и смеясь, а старики тащили воблу и в разговоре ограничивались какими-то невнятными проклятиями.

КУДЫЧ

Взобравшись на гребень плоского холма, я оглянулся в последний раз. Да, так оно и было, все возвращалось на круги своя, ничья печаль не могла поколебать оси вечного вращения: к разъезду с другой стороны приближался поезд, от поселка семенили женщины, старики упрямо несли воблу, и моя казашка бегом тащила мешок с тремя новыми арбузами.

Что же касается меня, то я шагал по степной дороге, приближаясь к поселку с названием Кудыч. Я шагал по дороге, а в это самое время километрах в четырех или пяти от меня некто Прокшина бежала по мосткам к лодке. Нагнулась, добежав, стала развязывать непослушный узел, потом перелезла в лодку и принялась махать рукой тем, кто остался на берегу; тот же ветер, что налетал на меня справа, дул ей прямо в смеющееся лицо, быстро отжимая лодку от мостков дальше в озеро; я об этом знать ничего не мог, потому и шагал себе к поселку, с интересом разглядывая недалекие уже дома.

5

Прокшина то и дело смеялась. Она вскидывала голову, заливисто хохоча, а потом словно в изнеможении опускала ее, мотая, и волосы тряслись, а концы прядей раскачивались.

Соловейко сидел у правой дверцы, а Прокшина рядом с Карзеевым, и часто, толкая рычаг переключения передач, Карзеев задевал ее полное колено, обтянутое зеленым вельветом брюк, и тогда ему становилось еще веселее. Соловейко после второй бутылки засмурел, но не от выпитого, а оттого, что Прокшина его шуткам почти не смеялась, а когда он, подсаживая ее в кабину, решил немного пощекотать, по-кошачьи зашипела и замахнулась. Он смотрел перед собой сквозь пыльное стекло, за которым набегала под колеса грузовика увалистая, но хорошо наезженная дорога, и оттопырившаяся нижняя губа придавала его широкому лицу выражение неприятной угрюмости.

— Слышь, Петро! — крикнул Карзеев, скалясь и снова чувствуя, как словно током ушибло руку от обтянутой зеленым вельветом круглой коленки. — Слышь! Верка завтра в душ пойдет, там-то мы ее и ущучим!

Он повернул голову и подмигнул обоим, взлаяв отрывистым кашляющим смехом и успев схватить взглядом ее лицо, казавшееся сейчас совсем молодым и свежим.

Прокшина хохотала, махала рукой, потом выговорила:

— Задвижка там! — И снова залилась, опустив голову, а потом на мгновение прижалась виском к его плечу.

— Задвижка, — нетвердо сказал Соловейко. — Задвижка... Дернул как следует — вот и вся задвижка!

Он засмеялся, толкнул Прокшину локтем и спросил, заглядывая ей в лицо:

— А?

— Да не толкайся ты! — недовольно сказала она, отодвигаясь ближе к Карзееву. — Не люблю, когда лезут!

— Ишь ты! — буркнул Соловейко. — Не любит.

И снова стал смотреть в стекло, оттопырив губу.

Дорога несильно пылила, кузов грохотал, ветер сносил пыль из-под задних колес вправо, и она желтым хвостом летела на траву, на холмистую степь, ртутно освещенную брызжущим из-за облаков солнцем.

Соловейко ткнул в рот папиросу, чиркнул спичкой, долго совался в ладони, сберегающие пламя; машину трясло, он прикурил, но обжег пальцы и выругался. В его представлении ошибкой было именно то, что поехали втроем: троим здесь делать было нечего. Пока сидели в вагончике, ему казалось, что Прокшина ждет не дождется, когда уйдет Карзеев; впрочем, именно она первой и заговорила о том, чтобы проехаться до озера. Теперь же, когда ему все равно деться было некуда — не пешком же назад идти! — он понимал, что поехал напрасно. Соловейко покосился на Прокшину и почувствовал одновременно злобу и желание. Ему не нравилось, когда водили за нос, но волей-неволей гнев свой приходилось усмирять — не позволяло положение.

— Ну все, сворачивай, — сказал он. — Здесь ближе.

Карзеев притормозил и стал съезжать на какую-то колею, лежавшую по склону увала. Машина закачалась, накренилась. Прокшина ойкнула, засмеялась.

— Слышь, Петро, как бы нам не перевернуться! — озабоченно сказал Карзеев и подмигнул Прокшиной, отчего она в ужасе прижала к груди ладони и снова захохотала.

— Ой, у меня дети! — выкрикнула она сквозь смех.

— Дети пенсию будут получать, — ответил Карзеев, осторожно руля. — Государство сирот не оставит! А, Петро? Не оставит ведь?

Соловейко буркнул что-то.

— Витечка, Витечка, не торопись! — повторяла Прокшина с преувеличенным страхом в голосе. — Дети ведь, дети!

— Ты сильно-то не бойся, — крикнул Карзеев. — А то другие дети не родятся!

Передние колеса ухнули в какую-то вымоину.

— Тише, тише! — недовольно сказал Соловейко. — Не видишь, что ли?

— Я бы сам тут в жизни не поехал. Я бы вон там поехал, вон, где прошлый раз ездили. Я бы женщину по гладкой дороге вез! А, Верусь? По гладкой-то дорожке хочешь проехаться?

— С вами по гладкой дороге далеко заедешь!..

— Втроем далеко не заедешь, — мрачно сказал Соловейко.

— А мне все равно! — выкрикнула Прокшина, хохоча и снова приваливаясь к плечу Карзеева. — Хоть вдесятером! Мне бояться нечего!

— Совсем нечего, что ли? — Соловейко несколько оживился. — Хоть вдесятером, говоришь? А?

— Да ради бога! Только где же десять мужиков-то нормальных найдешь?

— Нет, что ли, нормальных мужиков? — гнул свое Соловейко. Он закинул левую руку ей на плечи.

— Ну! Ну! Руки-то, руки!

— Ну вот; говоришь, нет нормальных мужиков, а сама упираешься! — сказал Соловейко, несколько удовлетворенный.

— Что ж я должна? — сказала Прокшина и хотела еще что-то добавить, но снова залилась и, наклонив голову, коснулась виском плеча Карзеева.

Карзеев чувствовал эти прикосновения, и всякий раз не то чтобы вздрагивал и не то чтобы ему совсем хорошо становилось на душе — не так уж ему нужна была эта Прокшина, чтобы стало хорошо на душе от прикосновения ее виска к плечу; напротив, брезжили сложности, связанные с местом и временем, да к тому же прежде у нее было что-то с Мишкой Капустиным, который в этом году командирован не был, остался в Калининграде; да и с Соловейкой что-то было наверняка, недаром он бурчит; и по сумме обстоятельств ничего хорошего ждать от этих прикосновений не приходилось, однако всякий раз Карзеев чувствовал, будто к плечу приложили что-то горячее — ну, словно кто-то ложку из стакана с кипятком вынул и приложил, — и невольно косил глаза, мгновенно выхватывая подрагивание ее груди.

Он проглотил внезапно набежавшую слюну, откашлялся.

— К мосткам подъедем?

— Давай к мосткам, — сказал Соловейко. — Тут в тине утонешь.

Они обогнули остроносый залив, въехали на холм, а потом снова спустились к зарослям. За ревом мотора не было слышно, как шумит под ветром камыш, но озеро рябило мелкой волной, кое-где срывались барашки, и если смотреть прищурившись, можно было представить, будто глядишь на далекое море.

Карзеев остановил машину и заглушил двигатель. Ветер мгновенно вымел из-под колес последнюю пыль. Камыш беспорядочно качался и скрипел, клочковатая жесткая трава вздрагивала так, словно по песку бежала дрожь.

— Ну, ну, ну! — заторопилась Прокшина. — Пусти-ка, пусти!

Она выбралась из кабины, постояла недолго, повернувшись лицом к ветру, пошла вдоль камыша, разглядывая проблескивающую воду.

— Ты кустики-то подходящие присмотри, — крикнул Соловейко. — Присмотри кустики-то!

Прокшина не оглянулась.

— Давай допьем, что ли? — спросил Соловейко.

Он достал из бардачка стакан, плеснул из бутылки, посмотрел, сколько осталось. Долил еще немного, протянул Карзееву. Нашарил в валявшейся под ногами сумке помидор.

— Ну, давай, — сказал Карзеев, кося в стакан. — Чтоб нам жить до ста лет. Верке-то оставил?

— Хватит с нее, — сказал Соловейко. — Не задерживай.

Карзеев выпил, сморщился, надкусил помидор.

— Эх, — сказал Соловейко, выливая остатки. — Разве это жизнь!

Выпив, он помотал головой, осторожно выдыхая воздух, потом засунул в рот то, что осталось от помидора.

— Не смотри ты туда, не смотри, — сказал Соловейко, жуя. — Не даст она тебе. Соли нет?

— Откуда? — рассеянно сказал Карзеев, доставая сигареты. — Вон, посолонись пойди...

Он кивнул туда, где поблескивало пятно солончака.

— Я ж не корова, — хмыкнул Соловейко. — Не могу без соли жрать. Никакого вкуса.

— На мостки пошла, — сказал Карзеев.

— Давай беги за ней, — предложил Соловейко.

— Сам-то что не бежишь? — спросил Карзеев.

— Я набегался, — ответил он.

КУДЫЧ

Прокшина постояла на самом конце длинных, проложенных сквозь камыш мостков, пошла назад.

— Купаться будем? — спросила она, улыбаясь.

— Ветер-то какой, — неопределенно сказал Карзеев.

— Ты раздевайся, а там видно будет, — сказал Соловейко — Заодно и искупаемся.

Карзеев засмеялся.

— Да ну вас! — сказала Прокшина. — Сидите тут пнями!

Она повернулась и побежала к мосткам. Ветер трепал волосы, нежно мял лицо. Ей казалось, что она бежит очень легко, словно стала почти невесомой. Она чувствовала на своей спине взгляды, и ей хотелось бежать еще легче. Может быть, ей казалось, что, если она побежит так же легко, как бегала когда-то, она сможет испытать тот давний восторг, то биение сердца, от которого осталось лишь смутное, изредка приходящее воспоминание. Она стала смеяться на бегу, словно ее кто-то догонял, а ей хотелось хоть немного оттянуть тот неизбежный миг, когда он все же догонит и схватит за руки, и обнимет, и повалит в траву. Никакой травы под ногами не было, она тяжело бежала, смеясь и задыхаясь, по доскам играющих под ногами мостков; справа и слева скрипел под ветром камыш, мотались метелки, пахло водой, прелью, ветер нагонял и трепал волосы. Добежав до края, Прокшина оглянулась, переводя дух.

— Эй! Эй! — закричала она, размахивая руками.

Никто не догонял ее, да она и не предполагала, что тучный Соловейко или даже Карзеев сорвется и побежит.

— Сидите там пнями! — бормотала она, торопливо дергая не желавший распутываться узел.

— Смотри-ка, лодку отвязала, что ли... — сказал Соловейко.

Прокшина стояла в лодке, махала руками. Лодка медленно отплывала от края мостков.

— Весла-то там есть? — спросил Карзеев.

— Наверняка, — сказал Соловейко.

— Смотри-ка, несет как, — сказал Карзеев. — Ветер. Во дает!

Прокшина стояла в лодке, размахивая руками и хохоча. Пространство воды между нею и мостками все ширилось. Она была одна. Соловейко и Карзеев остались на берегу, и неожиданно она почувствовала радостное облегчение.

— Что она не гребет-то? — спросил Карзеев.

Он распахнул дверцу и спрыгнул на землю, глядя в сторону озера.

— Эй! — закричала Прокшина.

Она уже взяла весло и тыкала им в воду. Ветер относил лодку дальше, весло не слушалось. Она испугалась.

— Эй! — снова крикнула она, стараясь засмеяться. — До свидания!

Волны поплескивали о борта. Лодка покачивалась. Прокшина оглянулась. Озеро простиралось вдаль, и где-то страшно далеко зеленел такой же камыш, желтели холмы. Она опять схватила весло, стала месить воду. Лодка повернулась к мосткам кормой.

— Второе весло возьми, слышь! — заорал Карзеев. — В уключины вставь!

— Вот же дура, — сказал Соловейко, выбираясь из машины. — Перевернется еще.

— Не перевернется, — возразил Карзеев. — Большая лодка. Ее танком не перевернешь.

Они торопливо шагали по мосткам.

— Греби, греби как следует! — заорал Соловейко.

Лодка неспешно крутилась вокруг собственной оси, неуклонно отплывая все дальше и дальше.

— Сильнее! Сильнее! — орал Соловейко. — Кто тебе сказал лодку-то отвязывать!

— Мальчики! — закричала Прокшина. — Мальчики!..

Оступаясь и хватаясь за борт, она перебиралась с кормы на нос.

— Ну, все, — сказал Соловейко. — Поехали на ту сторону, ее через полчаса пригонит.

— Тьфу, дура! — сказал Карзеев, расстегивая брюки. — Вот ведь не хотел в воду лезть!

— Брось, брось! Сама приплывет!

— А там как вытаскивать? — Карзеев разулся. — Там сквозь камыши не продерешься. Весло не потеряй! — крикнул он.

— Мать твою, муху ядовитую! — заорал Соловейко. — Черт тебя понес!

— Держи! — Карзеев совал ему часы.

— Да погоди ты! Погоди! Что камыш! Прибьет, там посмотрим!

Карзеев, схватившись за арматурные прутья мостков, опускался в воду.

— Теплая! — сказал он и тут же оттолкнулся, ухнул, голова его на мгновение пропала, вот появилась; Карзеев фыркнул и поплыл за лодкой.

— А, дурак! — крикнул Соловейко. — Ну плыви, плыви! Не догонишь, так хоть погреешься!

Он постоял, напряженно следя за тем, как бежит мелкая волна и движется по воде голова Карзеева, уже кажущаяся несоразмерно маленькой, а потом крикнул, захохотав, чтобы отогнать неприятное предчувствие:

— В лодке-то не спеши очень! Я отвернусь, если что! В лодке-то еще лучше — сама подмахивает!

Лодка была уже метрах в двухстах. Соловейко перевел взгляд туда, где только что виднелась на серой неровной воде, играющей тусклыми бликами и рябью, голова, — и не нашел ее.

— Мать твою, муху ядовитую! — пробормотал он, топчась на мостках.

И с облегчением разглядел: да вон же, вон!

Так он переводил взгляд с лодки на Карзеева и опять на лодку, прикидывая, сколько тому осталось. Волны рябили, уже почти невозможно было отличить темное пятнышко головы от мириад иных пятен и бликов. Вот он снова потерял ее... нашел.

— Прокшина! Про-о-окшина! — закричал Соловейко, сложив ладони рупором. — Ты не бегай там, не бегай! К тебе Карзеев плыве-о-о-от!

Он поискал взглядом Карзеева. Глаза слезились от напряжения. Вот, кажется, мелькнула. Соловейко махнул рукой и отвернулся.

* * *

Карзеев плыл с удовольствием — быстро, но спокойно. После выпитого, после дорожной пыли и тряски вода была именно тем, чего, оказывается, хотелось. Он мерно работал руками, не оглядываясь, не глядя вперед, твердо зная, что через пять или семь минут догонит лодку. Конечно, ветер нес ее по озеру дальше, но он плыл быстрее. Он хорошо плавал. Мелкая противная волна нагоняла, подталкивая, а то плеща в затылок.

Приходилось часто отфыркиваться. Плавать он учился сам, но давно, в детстве, и уже забыл, как это происходило. На речной отмели было хорошо учиться. Однажды он заступил куда-то глубоко, погрузился с головой, испугался, забарахтался, борясь за жизнь, — и поплыл, сам поплыл к берегу. Тогда до берега было рукой подать — но то ли от испуга, то ли потому, что в этом отчаянном броске он отдал все свои детские силы, его вырвало, когда он выбрался на песок... Карзеев оглянулся. Ого! Он уже далеко отплыл — мостки выглядели отсюда спичечным строением. Волна плеснула в рот, он фыркнул, высморкался, посмотрел вперед. Лодку было видно очень плохо. Он заерзал ногами, пытаясь немного подняться в воде, и с грехом пополам разглядел ее. Сейчас он был примерно на половине пути.

Карзеев глубоко вздохнул, вытянулся и поплыл дальше. Вода была приятной. Она скользила по телу, поддерживала его. Однажды он купался в ледниковом ручье. Вот была водичка! Эта по сравнению с той — просто кипяток. Вода плескалась вокруг, руки входили в нее по очереди, поднимая брызги. Ветер сшибал кое-где барашки. Сердце сильно колотилось. Карзеев замедлил ход, передыхая. Мостки почти исчезли из виду, и для того, чтобы разглядеть их, ему пришлось подняться из воды так же, как поднимался он, когда пытался увидеть лодку. Лодка приблизилась немного, но пока он дышал, поддерживая тело в воде легкими движениями ног, ветер отгонял ее дальше.

Карзеев поплыл. Нет, все-таки теперь значительно ближе. Вода вокруг побелела вся — это был порыв ветра. Ветер подхватил брызги и бросил их в метре или двух. Карзеев не заметил этого — он работал руками, стараясь делать это мерно, чтобы в тот проме-

жуток времени, когда рука, завершив гребок, движется
расслабленно, мышцы успевали отдыхать. Он поднял
голову, выглядывая лодку. Все вокруг свинцово мерца-
ло и хлюпало, все вокруг жило и двигалось. Он стриг
ногами, чтобы подняться. Ветер холодил лицо и плечи.
Вон она! Далеко! Карзеев оглянулся. Берег зеленел
камышом, вот и белая полосочка мостков, вон машина
чуть выше. Он тяжело дышал, глядя туда, где должна
была быть лодка. А, вот же она! Далеко. Руки мерно
работали, отталкиваясь от воды, тело скользило все
дальше и дальше.

«А вдруг не догоню?» — подумал Карзеев.

Стих бы ветер! Если бы стих ветер, он бы тут же
догнал. Но ветер несет ее все дальше. Ему приходится
гнаться за ветром. За ветром разве угонишься! Ветер
не устает. Волна, плеснув в физиономию, залила рот
на вдохе. Он закашлялся, долго фыркал, болтая в воде
ногами, чтобы не погружаться. Толстые люди плавучи.
А он даже в море не умел держаться поплавком — ноги
вечно тонули. Стоило остановиться, как вода кругом
похолодела. Ух! Он попытался взбодрить себя фырка-
ньем. Раз, два. Правой, левой. Раз, два. Не так стра-
шен черт, как его малюют. Раз, два.

Когда Карзеев поднял голову в следующий раз, он
отчетливо понял, что догнать лодку не сможет. Ветер
нес ее скорее.

Мне бы парус! — подумал он, тяжело дыша. Мышцы лица были напряжены, улыбки, наверное, не получилось. Дальний берег, тот, к которому несло лодку, был
далек. Отсюда, с поверхности воды, все было далеким,
едва видным. Лодку несло, Прокшина черной галочкой
торчала на корме. Лодка не переворачивалась. Такую
большую лодку и втроем-то не перевернуть. Скоро ее

прибьет в камыши. Через полчаса. Или чуть больше. Значит, и ему плыть полчаса — или чуть больше.

Карзеев повернулся и поплыл назад, к мосткам, к берегу, казавшемуся ближе. Он и был ближе. Но теперь ветер и волна били в лицо. В спину они не больно-то подгоняли. А сейчас ему показалось, что он толчется на одном месте. Руки плескали воду, гнали ее от себя, но волна катилась в грудь, отталкивала назад. Он плыл и плыл, плыл и плыл, стараясь не смотреть вперед, потому что это только отнимало силы. А когда посмотрел все-таки, ему показалось, что не сдвинулся с места.

Если бы я был в лодке! — подумал Карзеев. Дыхание прерывалось, легким не хватало воздуха, чтобы освежить кровь. Дура! Дура! Есть же весло! Если бы ему это весло!.. Греби себе с кормы полегоньку! Ну и что, что одно весло! Если бы два, так это совсем безделица! Но ведь и одним можно! Греби себе полегоньку с кормы, лодочка и пойдет!..

Ноги устали стричь воду, он погрузился на мгновение с головой, вынырнул, стал бить руками. Выправился. Сделал несколько гребков в сторону ближнего берега. Нет, это неправильно. Надо плыть все-таки туда, за лодкой. Он попробовал подняться в воде. Лодка едва виднелась на разрытом пространстве озера.

Он чувствовал ужас. Вода холодила тело, сковывала мышцы. Главное — не спешить. Помаленьку, помаленьку!

Он медленно взмахивал руками, но они почти уже не были способны грести. Ему подумалось, что, может быть, у мостков была привязана и вторая лодка. Просто они с Соловейкой не заметили. Если бы была вторая лодка, он бы сел в нее и быстро догнал Прокшину. Волна залила распяленный в попытке бесполезного вдоха рот. Он закашлялся, погрузился, судорога легких заставила вдохнуть еще. Он беспорядочно бил по воде руками. Хотел крикнуть, но не мог — горло было сдавлено.

Карзеев слепо сделал еще несколько гребков. Да, конечно, там же есть вторая лодка. Как же он ее не заметил! Вода залила рот, он закашлялся, погрузился, выплыл. Сейчас Соловейко отвязывает ее. Узел мокрый. Возится! Скорее бы надо! Скорее!.. Вот отвязал наконец.

Вода тянула его в себя, норовила слизнуть, спрятать. Карзеев хлопнул левой рукой и ненадолго ушел под воду.

Отвязал! Отвязал! Два весла — раз, два! раз, два! Скоро он подгонит ее сюда, и Карзеев схватится за борт.

Он вынырнул, выпучив глаза и содрогаясь в судорогах кашля, снова ушел под воду. Волна пробежалась по тому месту, где только что была его голова... Мама! Мама!.. Карзеев вынырнул, хватаясь руками за что попало. Лодка летела по озеру, подгоняемая мощными махами крепких весел. Вот сейчас он схватится за борт! Вот сейчас!.. Он вынырнул, ничего не видя. В глазах стояла зеленоватая муть. Вдохнул полной грудью. Вот он, борт! Карзеев крепко схватился за него — не оторвать! Вот он! Легкие вдыхали воздух. Светило солнце! Лодка снова летела вперед. Голова еще раз показалась на поверхности, высунулась рука. Карзеев содрогался, двигался, жил. Легкие вдыхали зеленоватую воду. Тело крючилось, пальцы свело на том, за что они схватились в последний момент, — это были водоросли.

Несколько вспышек в мозгу нарисовали перед ним напоследок картины будущей жизни.

6

Гришка сидит на корме, смотрит на озеро, и по глазам его видно, что думает он об утопленнике.

Черт его дернул вплавь за лодкой!

Озеро большое, Гришка этому озеру хозяин — взял у колхоза в аренду, рыбу разводит. Рыба в озере и так есть всякая, но у Гришки в питомничке малек зреет, воду клюет. Питомник маленький — тоже озеро, только совсем пустяковое. И пересыхает. Гришка насос арендовал, поставил на берегу, из большого озера воду качает.

В большом озере мальку было бы, конечно, привольней. Да сейчас его туда пускать — только судака попусту кормить. Вот подрастет малек — тогда уж Гришка его в большую воду пустит. А в питомник снова мальков...

И невод у Гришки есть — тоже арендованный. И лодка большая. И все хорошо и ладно, да только теперь лежит на дне утопленник.

Ветер был, лодку отвязали. Лодку понесло. А он, значит, вплавь за ней.

Зачем было чужую-то лодку отвязывать?!

Неприятно, когда в твоем озере утопленник. Того и гляди всплывет.

Вчера невод у Гришки взяли — его удить. Да решили обождать. Невод на берегу валяется, а на берегу ему не место. Взять-то взяли, а назад не привезли. Говорят, еще сегодня, может, или завтра заведут. Ни фига не заведут. Не на чем заводить. Лодка одна, одной лодкой не справиться. Значит, новая забота — машину найти, невод погрузить, на место отвезти. Тьфу!

Хоть бы уж всплыл скорее, что ли... Вот морока! Не всплывает — плохо, всплывет — еще хуже. Чует Гришкино сердце, что придется ему с ним возиться.

Прямо руки опускаются, как подумаешь.

Раньше Гришка воду с удовольствием нюхал — у воды здесь свой запах, особый, рыбой пахнет, тиной, свежестью. А теперь уж который день: как сетки проверять, так все глядит — рука за сетку не держит ли? Трепыхается там — это сазан или что? Блеснуло в глуби — это не глаза ли выпученные?

Уключины скрипят, весла хлюпают, лодка плывет между камышовым берегом и камышовым островом и чуть рыскнет, как залезает носом в камыш. Гришка щурится, а я оглядываюсь и начинаю сучить одним веслом. Камыш шуршит, клонится, лодка выбирается на простор. Весло, хлюпнув, погружается в зеленоватую воду, и вода смыкается вокруг, а потом бурлит и рождает правильную, узкую и глубокую воронку, отмеченную пузырьками и похожую на стебель растущего в воде и расцветающего к поверхности цветка; весло завершило свою работу и вот шумно взлетает на воздух, роняя сначала струи, а потом только капли; а воронка все живет, и лодка проходит мимо нее так же, как мимо камышей.

Гришка сидит на корме и щурится, озирая воду и прогалы в зарослях. Рожа у него то так скривится, то этак. Он вообще не красавец: курносый такой монголоид с мышиными глазками. Изредка он что-то бормочет, но поскольку уключины немилосердно скрипят (я время от времени поливаю их водой, но это мало помогает), а весла хлюпают, разобрать ни черта невозможно. Впрочем, я уверен, что если фраза будет содержательной, Гришка произнесет ее погромче.

КУДЫЧ

Мы знакомы с ним четвертый день, но его озабоченная худая физиономия кажется мне такой близкой, словно она была первым, что я разглядел, открыв глаза в колыбели. А всего четыре дня. Или три? Дни такие длинные, что устанешь разбираться.

— Гриш, я когда приехал? — спрашиваю я, перестав грести.

— Когда этот утоп, — говорит он, кивая на воду. — Вечером.

— Во вторник. А сегодня четверг. Или пятница. Гриш, сегодня пятница?

— Считай... Этот утоп в понедельник... — Он снова кивает на озеро.

— Нет, во вторник, — говорю я. — Я же во вторник приехал.

— А тогда, значит... Считай. Этот утоп во вторник...

В общем, не разберешься.

Вот он опять что-то бормочет, я не выдерживаю, сушу весла и переспрашиваю нарочно зычным голосом:

— Что?

Справа невдалеке шарахается что-то в камышах — то ли рыба, то ли птица.

— Арбуз, говорю, надо было с собой взять, — озабоченно повторяет он. — Приехал арбузы кушать, а не кушаешь!..

Огорченно цыкает и качает головой.

Я снова берусь за весла.

Арбуз! Тут не до арбузов...

Правда, уже на пятой минуте моего гостевания Джамиля завела меня в дом, по-казахски крикнув что-то сыну тонким, выпевающим конец фразы голо-

91

сом, и пока я мыл руки и смотрел в зеркало на свое ошалелое лицо, Гриша уже принес из сарая большой арбуз. Обоим хотелось узнать подробности о жизни некоего Кольки, брата Гриши, приславшего им недавно из Орджоникидзе письмо, я же, утирая губы и глотая свежую, какую-то даже чрезмерно сладкую мякоть, норовил рассказать им о прапорщике Шабко, но и этого сделать толком не мог, поскольку почти ничего о нем не знал, а то, что знал, было не вполне уместно. Тем не менее я, утираясь и чавкая, не жалел самых радужных красок, с беспокойством отмечая, что выбранная стезя может далеко меня завести. Но очень скоро стало совершенно не до арбузов. Появился какой-то кудрявый человек, мельком поздоровался со мной по-русски, а потом затараторил, размахивая руками. Все пришло в движение: Гришка стал хвататься за голову, Джамиля всплескивать руками, кудрявый человек, очень довольный произведенным эффектом, взялся за ручку двери; Джамиля что-то сказала ему, но он покачал головой и выразительно поклевал пальцем по циферблату наручных часов; Гришка вышел вместе с ним, а Джамиля сказала мне нараспев: «В ильмене механик утоп». Я горестно закивал и тоже принялся с набитым ртом качать головой, лихорадочно пытаясь сообразить, кем же приходится им этот несчастный механик, поехавший в Новгородскую область и ненароком утонувший в озере Ильмень. Однако Джамиля не рвала на себе волос, только пропела: «Как же это? Пьяный, видно, был...» — поэтому я немного ободрился и спросил, почему пусть и трагическое, но все же столь не близко происшедшее событие имеет здесь такое значение.

— Как же! — сказала она. — Ильмень-то Гришин!

— Ильмень? — переспросил я, сбитый с толку. — Что такое ильмень?

— Ильмень? — спела Джамиля. — А вон там ильмень, за сараями... И у Гриши нашего ильмень... Вода. — Она задумалась и проговорила, словно пробежала по трем тонким клавишам: — Озеро.

Если бы мне кто-нибудь сказал, что есть люди, способные за пять минут поставить на машину передние крылья, я бы не поверил. Однако когда, съев еще только один ломоть, вышел во двор, Гришка уже протирал стекло.

— Едешь, нет? — спросил он, отшвыривая тряпку.

Я понял, что период адаптации благополучно завершился, и едва успел плюхнуться на сиденье, как Гришка, уже успевший распахнуть ворота, бешено газуя, вылетел со двора и погнал, объезжая поселок...

В общем, тут не до арбузов.

Конечно, я ем их, эти арбузы. Джамиля следит за мной, и чуть зазеваешься, как она ставит перед тобой большущее блюдо сахарных ломтей. Происходит это утром, пока мы еще не уехали, и вечером, когда вернулись. Утром еще куда ни шло, а вечером, натрескавшись арбуза и повалившись спать, непременно просыпаешься в какое-то несуразное время, когда даже Цезарь по-мужичьи храпит, положив голову на лапы, — но тоже открывает глаза и в лунном свете сумрачно следит за тем, как я танцующей нервной походкой паралитика или официанта, стремящегося не пролить ни капли с полного подноса, семеню к сортиру. Как выдастся минутка, так и залучает меня Джамиля есть арбузы!

— Арбуз! — кричит она. — Арбуз забыл покушать!

Но тут разве до арбузов!..

Встаем рано, а все времени не хватает. Утром чаю попить, да сети высохшие потрясти, да за комбикормом для мальков съездить... Да еще какая-нибудь мелочь подвернется — труба вон водопроводная потекла, задний мост надо менять... Пока до озера доберемся — солнце высоко, двенадцатый час. Позавчера раковод из Краснодара на машине приехал — можно ли, говорит, раков наловить? — он их собирается с калмыцкими скрещивать, чтобы в Краснодаре новую породу вывести. Слово за слово, тут еще утопленник этот — все ведь интересуются: «Да как же? Да неужели? Пьяный был, наверное?» Раковод ражий мужик, энергичный, и шофер у него малый не промах — в два счета разбили бивак, выгрузили барахло, расположились на берегу у вагончика Гришкиного — будто век здесь жили. Драгу вынули, показали — такой драгой они раков ловят. За лодку цепляют, она по дну ползет, раки вспрыгивают да сослепу в мотню попадают. Полдня Гришка драгу их на моторе по озеру таскал — ни хрена не поймали. Больше рыбы в драгу попадает, чем раков. К вечеру они решили дальше ехать — мало, мол, раков здесь. Гришка обиделся — мало?! Приезжайте через пару дней, я вам пока наловлю! Только раков этих нам и не хватало. Мальков кормить некогда, а теперь Гришка штук сорок раколовок откуда-то приволок, рыбу мы теперь все больше в раколовки суем: ловим рыбу, на рыбу ловим раков. А раки не ловятся.

Пока все сетки проверишь, солнышко уже на закат. Гришка спохватывается: мальки-то! Едем на питомник, мешки с комбикормом переваливаем в лодочку — там у него тоже есть лодочка, без лодочки не обойдешься. Кружим по озерцу. Тут Гришка сам за весла садится.

КУДЫЧ

Лодочка маленькая, груженая, не слушается меня — куда хочет, туда и плывет. Гришку слушается. Он гребет, я помалу комбикорм за борт сыплю. Пыль от него, труха в глаза...

К вечеру нагребешься — руки не поднимаются. Машина бежит по дороге вокруг озера, край солнца торчит в степи, словно ломоть арбуза. И всегда на обратной дороге в одном и том же месте мы вспугиваем цаплю. Она не спеша бежит, взмахивая крыльями, и вот отрывается от воды или от земли — от отмели. И безмолвно, в абсолютной тишине, погасив первым взмахом все окрестные звуки и шорохи, улетает все дальше и дальше, дальше и дальше в сторону розового солнца, и ее белое перо тоже розовеет — низко, чуть только не задевая воду кончиками нежно пульсирующих крыльев. Длинную шею свою она изгибает строчным глаголом, укорачивает, а ноги в первую секунду полета торчат назад ненужными хворостинами, а потом тоже подбираются и пропадают. Так летит цапля над водой — плавно скользит она над поблескивающим стеклом, плавно и медленно взмахивает крыльями, низко и неторопливо улетает все дальше и дальше...

Но сейчас утро.

— Что? — переспрашиваю я.

— Здесь вот, говорю, сетку поставить можно... — задумчиво бормочет Гришка.

Понятно. Я снова хлопаю веслами. Сетку здесь можно поставить и там, и тут — всюду, в общем.

— И здесь бы вот надо было поставить, — бормочет Гришка. — Левей давай, левей, вон в том прогале ставили...

Как он их различает, прогалы эти, ума не приложу. Тут камыш, там камыш, вода одна и та же. Прогалов этих сотни. Заплывешь — и мыкаешься потом, никак на простор не выберешься.

— Стой, стой! Куда разогнался! — кричит Гришка. — Вот поплавок-то!..

Я послушно табаню. Гришка перегибается, хватает и подтягивает сеть. Теперь я могу сидеть спокойно. Сеть стоит давно, заилилась, запуталась, с ней долго придется возиться.

— Раков тоже бери, — говорю я. — Все прибыток.

Гришка сопит, трясет сеть. Лодка качается. Протряся кусок, он отпускает его, тянет лодку дальше по сети, снова трясет. Вот показывается запутавшийся в капроне совершенно тухлый судак. Рядом три больших рака. Раков Гришка, по чести сказать, не любит — то ли боится, то ли брезгует. Раками я занимаюсь. Глаза на ниточках. Гришка возится с судаком, распутывает сеть.

— Затлел совсем, — говорит он. — Каждый день проверять нужно...

— В раколовки пойдет, — успокаиваю его я.

Только освободишь клешню, как он норовит тебя этой клешней за палец цапнуть.

— Вот, ты, Гриша, говоришь — поганые... — бормочу я. Рак смотрит на меня так, как только и умеет — по-рачьи возмущенно. — А вот если бы этих зверей отвезти в Москву... да в пивняк какой... а, черт!.. Цены бы им не было!..

Гришка брезгливо бросает раздутого судака на дно, осмысленным строгим взглядом смотрит на рака, потом спрашивает деловито:

— Сколько стоит?

Я пожимаю плечами. Раки пятятся по дну лодки, пока есть возможность. Допятившись до упора, настороженно замирают. Зелено-коричневые, страшные.

— Ну, сколько... Копеек пятьдесят... Или рубль. Я, помню, лангустов ел, так три хвоста — шесть рублей. И это когда еще было!.. Наловил их мешка три, на машину — и айда. Сколько их в мешке? Штук триста. Вот считай — триста рублей мешок. Утром выехал — вечером в Москве. На другой день опять наловил — опять отвез...

— Ага, три дня уже ловим, сто штук никак не поймаем. Это разве ловля!

Он снова начинает трясти сеть. Брызги тревожат воду.

— Ничего, скоро их тут будет — не протолкнешься, — говорит он, хмуро озирая озеро.

Должно быть, представил себе, как они где-то облепляют сейчас мертвое тело.

Я молчу. Солнце сверкает на воде.

— Хоть бы уж всплыл скорее, что ли, — говорит Гриша.

Он зло трясет сеть. Вот мелькает что-то золотистое, серебряное. Сазан! Бьется, топорщит красное перо, разевает круглый губастый рот, глотая гибельный воздух. Замирает... Гришка быстрыми пальцами тянет ячеи, сдирает с него сеть вместе с чешуей. Швыряет на дно. Сазан падает на доски, прыгает, как пропеллер...

Мы проверили еще три или четыре сетки. В одной ничего не было. Гришка вытащил ее из воды, бросил мокрым слизистым комом. Мы входили в прогалы, где мелкие пичуги перелетали по тростнику со стебля на стебель, с неразумным птичьим любопытством следя за тем, как мы тревожим стоячую воду. Солнце жарило по-летнему, вода стеклисто покачивалась, голубела, отражая небо, и весло тоже успевало отразиться в ней, прежде чем расколоть. Говорить было незачем, потому что все было ясно без разговоров, и я греб молча, посматривая на пространство озера, на дальний его берег, желто-бурый, сгоревший за лето. Было странно представлять, что где-то под водой лежит, мягко опираясь о нежную подушку тины, какой-то незнакомый мне человек, и глаза его не могут увидеть этого серебра, этого золота, этой драгоценной эмали, усыпанной искрами. Я пытался представить себе, что он чувствовал напоследок, о чем думал...

Вечером того дня прошел слух, будто видели какого-то мужика, который шел от озера к поселку, не разбирая дороги, — там, где никто никогда не ходит. Поначалу сошлись на том, что это был механик Карзеев, не пропавший вовсе в глубине, а, как это свойственно пьяным, лихо переплывший водную гладь. Но то ли помстилось кому, то ли и впрямь ходил кто-то по косогорам — да только не механик, потому что механик и утром не объявился.

Я налегал на весла, прикидывая, не могло ли быть здесь со стороны механика специального умысла: поплыл, спрятался, все решили, что он потонул, а механик жив-здоров пошагал куда-то по степи, ведомый тайным своим планом — сказаться мертвым, уйти, поменять имя и жить где-то совсем иной жизнью, вовсе не имеющей отныне ничего общего с жизнью механика Карзеева. В конце концов мне просто хотелось, чтобы было именно так. Кой толк валяться в тине, когда можно шагать по степи, чувствуя свободу от всего — даже от самого себя!

И потом: что мы все знаем о жизни механиков? Может, действительно у механика была такая жизнь, что решил он с ней расстаться и завести другую? Черт его знает, что у него там стряслось. Долги? Любовь? Какие-то обязательства, от которых он хотел навсегда избавиться? И вот нырнул, отплыл, спрятался, вылез на берег, продрался сквозь камыш и шагает сейчас по степи и чувствует себя как никогда озорно и весело...

— Гриш, — сказал я. — А может, он и не утонул вовсе?

— А куда же делся? — буркнул Гришка.

— Точно я тебе говорю! — настаивал я, не переставая работать веслами. — Он уже всплыть должен был давно. По крайней мере вчера. А он не всплывает! Все всплывают, а он нет. Почему? Да потому, что нет его в озере-то, нету! Ты до второго пришествия ждать будешь! Говорили же, что видели кого-то! Кому тут еще было ходить? Кто от озера мог идти? Он и был, он!

— А!.. Кто видел, кто видел... Правей давай, правей.

Гришка махал куда-то рукой, я повернул лодку.

— Вон, видишь! Правей!

Я еще ничего не видел, но сердце ухнуло и заколотилось. Работая веслами, я одновременно выворачивал голову, чтобы увидеть то, на что он указывал.

— Стой, стой! Куда?!

Гришка перегнулся через борт и выхватил из воды маленький сигнальный поплавок. Он потянул шнур, и я увидел, как сразу заколыхалась вода на одной линии, как закачались, выныривая, налитые водой почти дополна закупоренные бутылки, державшие длинную сеть.

Возмущенно сопя, Гришка рвал из дна колья, тянул, складывая на дно лодки. Сеть была полна дохлых раков, тины и тухлятины.

— Давно стоит, — сказал Гришка. — Это я зна-а-а-аю, кто ставит, зна-а-аю!

Я молчал, подгребая немного, чтобы ему было удобнее.

— Это я знаю, — бормотал Гришка. — Помнишь, вчера на мотоцикле кто-то ездил? Я ему руки-то пооборываю... Все сотлело. Бутылок навязал, чтоб не видно... По башке ему этой бутылкой!

Он выбрал сеть до конца, свалил ее поверх нашей, встал на корме, оглядывая ближний берег.

— На резинке, наверное, ходит... Подъехал, резинку надул, сплавал — и только его и видели. Это я знаю кто, зна-а-аю... Без спроса!.. Не помнишь, какой вчера мотоцикл был?

— По звуку, что ли? — Я пожал плечами.

— «Ижак» был, «ижак», — пробормотал он. — Главное, без спроса! Ну, спросил бы — мне жалко, что ли?..

Ничего не высмотрев, он отнял ото лба руку, сел на банку и сказал решительно:

— Давай, поворачивай. Заедем к Шайдулле.

У мостков я привязал лодку.

Гришка взял мешок с рыбой, и мы пошли к машине.

7

Я не спрашивал, кто такой Шайдулла.

То и дело нам приходилось заезжать то туда, то сюда.

Заезжали к Ахату завезти два газовых баллона. Заезжали к Сереге закинуть мешок комбикорма. Серега в свою очередь заезжал к нам на огромном красном кормовозе, привозил арбузы. Все в Кудыче помогали друг другу, однако те, кому помогали, должны были помогать тем, кто помогал, — иначе могла оскудеть рука дающего. Вчера заезжали к какому-то старику, жившему на отшибе, почти на полдороге к озеру. Гришка отдал ему почти весь вчерашний улов. Они побеседовали минут десять. Старик все восклицал: «Нет, ну совсем сумасшедший — в воду бросаться!» На лице его отражался искренний ужас. Он качал головой и закатывал глаза. Я стоял у машины и смотрел на двух индюков. Первый защемил второму подбородок клювом, тот надрывно визжал и неловко пятился, не чая вырваться. Насильник деловито ступал за ним. На индюков никто не обращал внимания. Женщина посадила у дверей мальчика на горшок. Тут же появился второй. В руках у него была большая томная кошка. Он подошел к сидящему на горшке братику, подумал, потом стал совать ему в физиономию кошкину морду. Кошка жмурилась, мальчик в ужасе махал ручонками. Старший подумал еще, потом с усилием поднял кошку повыше и бросил ее братику на голову. Тот повалился вместе с горшком. Кошка обиделась и убежала. Маленький захныкал. Старший испугался, сел возле него, стал прилаживаться то так, то этак, намереваясь, видимо, восстановить прежний перпендикуляр. Вышла мать, ахнула, отвесила затрещину... Гришка стал прощаться. «Нет, ну совсем сумасшедший — бросаться в воду!» — сказал старик, пожимая мне руку. «Я у него лодку нанял, — сказал Гришка, когда мы отъехали. — Рыбой плачу. Видел маленькую лодку-то? Это его».

Гришка сел, захлопнул дверцу, поерзал на сиденье, усаживаясь. Секунду посидел неподвижно, словно раздумывая над чем-то. Вздохнул, выжал сцепление, повернул ключ.

«Волга» легко катилась по грунтовке.

— Хорошая все-таки машина, — сказал я. — Надежная.

Гришка быстро взглянул на меня. Он любил, когда хвалили его вещи — его лодку, невод, его озеро или его машину. Однако машина была старая, битая, видавшая виды, и даже самый тщательный уход не мог сделать ее совсем хорошей; за долгие годы жизни с нее давно осыпалась не только родная краска, но и все необязательные свойства, присущие новым автомобилям. Она не могла усладить пассажира музыкой, если не считать тот нервный дребезг, что сопровождал движение даже на гладком асфальте. Она не была способна сообщить водителю ни одного из тех важных известий, что появляются у других на приборном щитке. Все ненужное давно отвалилось, отстало где-то на одном из бесчисленных километров, она умела только ездить, ездить — и все; но ездить она умела хорошо.

— Хорошая, — согласился Гришка, не заметив на моем лице улыбки. — Такую машину еще поискать! Вот только крылья бы достать новые, а то уж одна шпаклевка осталась... Да коробку бы еще...

Я кивнул. Хорошо бы старой «Волге» новую коробку. Как-то я попросился сесть за руль. Гришка легко согласился, однако долго еще потом тянул резину, между делом выспрашивая, как у меня со зрением, да водил ли я когда-нибудь машину, да не было ли у меня в роду буйных сумасшедших... В конце концов нехотя уступил мне место. При попытке переключить передачу рычаг остался у меня в руке. Я растерялся и чуть не уехал в кювет. «Вот видишь, — бурчал Гриша. — А говоришь, ездил».

— Как бы нам поворот не проскочить, — сказал он.

Мы остановились на бугре, с которого озеро казалось большим овальным зеркалом. Гришка постоял у машины, глядя куда-то в степь, лежавшую перед нами мятым платком. Солнце висело на полпути к горизонту, и уже мелкая рябь фиолетовых теней начинала бежать по траве, по песку, по всему пространству бурой выжженной земли.

Шайдуллу мы увидели издалека: он стоял, как часто стоят пастухи, немного наклонившись, закинув руки на палку поперек поясницы. Заслышав машину, он повернулся в нашу сторону, а вслед за ним и все стадо повернуло головы, чтобы так же спокойно и пристально смотреть, как мы подъезжаем, поднимая пыль и дребезг.

Но как только машина остановилась и мы выбрались наружу, коровы отвернулись, а Шайдулла, напротив, расплылся в улыбке и принялся восторженно кивать, протягивая нам руки и посмеиваясь с такой радостью, словно последний человек, которого он видел в своей жизни, была повивальная бабка, принявшая его от матери.

Сколько я ни встречал пастухов, все они, переняв нечто неуловимое от своих подопечных, выглядят диковато. Слова говорят неясные, знают много такого, о чем простой человек и понятия не имеет: где какая трава растет, почему мух много. Зачем корове колоколец-ботало, в каких камнях линяют ядовитые змеи. Различают они и птичьи посвисты, и шорохи в траве, и, подозреваю, так же легко понимают баранье меканье, как мы — вывески на магазинах.

— Гриша, Гриша! — лепетал Шайдулла, посвистывая сквозь недостающие передние зубы.

Мы были одеты по-рабочему — в линялых, запачканных высохшей рыбьей слизью и чешуей штанах, в таких же тертых и засаленных куртках. Однако в сравнении с пиджаком, что лежал на плечах Шайдуллы, брюками, сквозь одну из прорех которых глядела темная коленка, и кепкой, из-под которой свисали длинные пряди волос, не знакомых, кажется, даже с пятерней, уж не говоря о расческе, — в сравнении со всем этим мы были одеты просто-таки по-царски и вообще являлись выходцами из баснословного мира, где по утрам чистят зубы и едят с тарелок.

Как-то по-особому приседая и не переставая кивать и посмеиваться, отчего тряслась его куцая монгольская бороденка, Шайдулла пожал нам руки, а меня вдобавок погладил по рукаву с выражением приязни и ласки: должно быть, это означало, что он рад со мной познакомиться.

— Ну что, Шайдулла, — сказал Гришка, усмехаясь. — Мы к тебе за коровой.

— Какой коровой? — спросил Шайдулла, радушно улыбаясь и переводя счастливый взгляд с Гришиного лица на мое.

— Гость приехал, — Гришка кивнул в мою сторону. — Угощать надо.

Шайдулла немного призадумался, но скоро просиял и ответил:

— Ай, гость! Какой гость! Нужна, нужна корова!

— Вот я и говорю, — сказал Гришка. — Дай одну корову.

КУДЫЧ

Шайдулла смотрел на него еще смеясь, но уже испуг начал появляться в его сощуренных радостью глазах.

— У Шайдуллы откуда корова? — спросил он, мирно улыбаясь и кивая так, словно Гриша и сам должен был вот-вот осознать свою ошибку.

— Так вон же сколько коров! — сказал Гришка и обвел стадо рукой. — Нам какую поплоше дай — и мы поедем. Гостя ведь надо угощать, а, Шайдулла?..

— Гриша, Гриша! — встревоженно сказал Шайдулла. — Это разве мои коровы? Это чужие коровы! — Он немножко посмеялся мне, качая головой, морщась, лучась глазами и вообще делая все, чтобы я тоже оценил Гришину шутку; однако испуг не покидал его — по-видимому, он боялся, что Гриша будет настаивать на своей просьбе.

— Э! Чужие, не чужие! Пасешь ведь ты их?

Шайдулла заколебался, беспомощно оглядываясь и начиная понемногу уступать. Вдруг он сунул руку в карман, вытащил горсть каких-то грязных корешков и, униженно улыбаясь, стал совать их Гришке.

— Гриша! Гриша! — посвистывал он. — Сладкие, сладкие!

Видимо, он надеялся, что Гришка увлечется сладкими корешками и забудет о корове.

— Ладно, — сказал Гришка, засмеявшись. — Я пошутил, пошутил! Не нужна мне твоя корова! Ты лучше скажи вот что...

Шайдулла тоже засмеялся, облегченно просветлев. У него было очень загорелое, темное лицо, гладкая кожа, натянутая на скулы так плотно, что глянцевито блестела на солнце. Что же касается возраста, я бы не решился определить его точнее чем между тридцатью и пятьюдесятью: глаза Шайдуллы были по-стариковски ясны и спокойны, а лицо совсем молодое. Он снова счастливо смеялся и кивал — по-видимому, с души свалился большой камень, и вот так-то, смеясь и кивая, сказал вдруг совершенно серьезно, так серьезно, что смех и кивки только подчеркивали эту серьезность:

— Недобрый ты, Гриша, недобрый... Нужно быть добрым, не нужно обманывать... Зачем обманывать?.. Зачем обманываешь?

Улыбаясь, Гришка сконфуженно пожал плечами. Он мог бы захохотать, или свойски хлопнуть его по плечу, или просто подмигнуть — мол, чудак, шуток не понимает! Но вместо всего этого он сконфуженно пожал плечами, и я понял, что Гришка чувствует себя немного виноватым; и что он знал о том, что его просьба будет воспринята Шайдуллой совершенно всерьез; и что Шайдулла боялся его настойчивости не потому, что ему пришлось бы сопротивляться и усиливаться, выдерживая натиск, а потому, что он не смог бы отказать.

Счастливый Шайдулла смеялся, ласково глядя на меня, глаза его светились, а я испугался, мне захотелось уйти или хотя бы отступить на шаг, и я так и сделал — отступил на шаг, чтобы пространство между нами немного увеличилось.

Счастливый Шайдулла кивал и улыбался, но мир вокруг нас оставался прежним; мир лежал вокруг, бросив нам под ноги свой самый, может быть, тихий, самый мирный и чистый лоскут. Но кто мог быть уверен, что в следующее мгновение он не расстелет иной ковер — со всей своей хищью, глупостью и обманом.

Шайдулла смеялся, а я еще немного отшагнул, прислонившись к машине: мир мог оставаться таким, каким он себя понимал, каким хотел быть и становился, мог жить по тем законам, что избрал для себя, но лично мне не хотелось быть здесь его проводником, а в том, что так не могло получиться, я убежден не был.

— Ты лучше вот что скажи, Шайдулла. Кто-то сетки ставит? — Гришка неопределенно махнул в сторону озера. — Ты не видел?

— Сетки? — Шайдулла поцокал языком. — Рыбу ловит?

— Без спросу! Ладно бы спросил — я б еще поглядел, разрешить или нет. Озеро-то мое! Я его арендовал, деньги за него плачу... ну, сейчас не плачу, так потом все сразу выдерут! За насос плачу, за невод... Невод когда еще нужен будет — а я уже за него плачу!.. Все знают — и на тебе: ставят сети без спросу...

— Ц-ц-ц! — цокал языком и качал головой Шайдулла. — Все знают, все знают. Тут воров-то раньше не было...

— Это если я буду разводить, а все станут сетки ставить — что получится?

— Да, да! — кивал Шайдулла. — Если ты будешь разводить, то это твоя рыба, твоя... Как же можно — без спросу!

— Я и говорю... И давно стоит. Заилилась вся, тиной поросла... Видно, и рыба-то ему не нужна — так, побаловаться поставил.

— Нехорошо, нехорошо... — твердил Шайдулла, морща лоб. — Надо, Гриша, всю рыбу выловить, написать на каждой: Гришина. И снова пустить...

Шайдулла посмеялся своей шутке, а Гришка насупился.

— И так все знают, что моя...

— Гриша, Гриша! — сказал Шайдулла извиняющимся тоном, сияя и улыбаясь. — Твоя еще в питомнике! Ты ее в ильмень не пускал! В ильмене рыба еще не знает, чья она!

— Ильмень-то я арендовал! — рассердился Гришка.

— Гриша, Гриша! — свистел свое Шайдулла. — Ты разве ильмень с рыбой арендовал? Ты ильмень арендовал, чтобы свою рыбу в нем выращивать. Вот мальки твои вырастут, пустишь их в ильмень, тогда каждая рыбка любому скажет: не лови меня, я Гришина!

Шайдулла залился приветливым смехом, протянул руку, коснулся Гришкиного плеча и несколько секунд стоял так, как бы придерживая его или в очередной раз выказывая крайнюю степень расположения.

Гриша отступил немного, и тогда пастух опустил руку.

— Ведь не все в ильмене — твое? — спросил Шайдулла, не ожидая, впрочем, ответа. — Коровы воду из ильменя пьют...

— При чем тут коровы, — буркнул Гришка, недовольно морщась. — Что ты со своими коровами! Пусть пьют, жалко, что ли...

— Завтра там буду пасти, — сказал Шайдулла. — Напьются коровы твоей воды... Вон их сколько!

Он махнул рукой, и стадо словно по команде медленно повернуло головы и посмотрело на пастуха.

— А, тебя не поймешь! — махнул рукой Гришка. — Да черт с ним, отдам я эту сетку, пусть дальше ставит. Чья сеть-то, Шайдулла?

— Не знаю, — сказал пастух. — Не видел. Спросит кто — тогда и отдашь...

— И так все одно к одному. Хоть бы этот скорее всплыл, что ли!..

Шайдулла стоял, опершись о свою палку, все так же как будто немного заискивающе посмеиваясь и кивая.

— Всплывет, всплывет...

— Когда всплывет? Пятый день пошел...

— Он сам знает, когда, — сказал Шайдулла. — Он сам знает...

Гришка сплюнул, сунул руки в карманы.

— Ты бы его поторопил, Шайдулла, — сказал он, усмехаясь. — Уж кончить бы с этим делом — и гора с плеч. А то вот калининградцы уедут, буду я тут с ним один возиться. Хоть бы при них всплыть успел, что ли...

— Успеет, успеет, — согласно кивал Шайдулла. — Завтра всплывет, завтра.

Гришка снова сплюнул.

— Завтра, завтра... Ты-то откуда знаешь? Может, всплыл уже, пока мы тут болтаем! Главное, его же забьет в камыш, он там и будет киснуть, ни хрена не увидишь. Если только птицы покажут.

— Нет, нет! — посмеивался Шайдулла, качая головой. — Сейчас не всплыл, не всплыл. Сейчас на дне. Завтра всплывет...

Он закинул голову, сощурился. Небо было почти чистым, только на западе стояли молочной пенкой несколько облаков да самолетный след отсекал с востока большую краюху.

— В это время и всплывет, — сказал Шайдулла.

— Эх, Шайдулла, Шайдулла, — Гришка повернулся к машине, открыл багажник. — Все-то ты знаешь. Даже про утопленников... Тебе в Сочи ехать надо, в преферанс играть будешь. Богатым приедешь... Ладно, на вот, держи.

Он достал из мешка двух больших сазанов.

Шайдулла принялся застенчиво перетаптываться: посох сунул под мышку, руки сложил на груди таким жестом, словно увидел что-то противоестественное.

— Все знаешь, а у самого-то рыбы нет! — съязвил Гришка.

Шайдулла выхватил из необъятного, отвисшего махровой пастью пиджачного кармана какую-то тряпицу, встряхнул, отчего ее комок развернулся, осыпав меня хлебными крошками, ловко постелил на ладони и принял рыбу.

— Рыбка вку-у-у-сная, — ворковал он, заворачивая тушки. — Гриша, Гриша! Это ты хорошо сделал, что рыбки мне привез. Я люблю... У меня картошка есть, Гриша!..

— Не может быть! — усмехнулся тот. — Ешь, ешь на здоровье.

Приплясывая от восторга, Шайдулла поднес сверток, из которого торчали рыбьи головы, к уху.

— Гриша, Гриша! — ликовал он. — Слышишь, они говорят: Гриша добрый! Слышишь, что они говорят?

— Нет, Шайдулла! Они говорят: хорошо, что в Гришину сеть попали, а не в чужую.

— Это тоже говорят, тоже!

Шайдулла захохотал.

Гришка захлопнул багажник.

— Ладно, Шайдулла... Нам еще мальков кормить ехать. Смотри за коровами, разбегутся.

— Куда разбегутся? — удивился Шайдулла. — Куда им от меня идти? Нет, не разбегутся...

Он повернулся к стаду и, смеясь, прокричал что-то по-казахски.

Гришка покачал головой.

— Говорит, не ходите никуда, я вам хорошую траву покажу...

— Хорошую, сладкую траву! — подхватил Шайдулла. — Сам бы я ел такую сладкую траву! Они знают, Шайдулла не обманывает!..

Он просто сиял, когда мы начали усаживаться в машину.

— Эй, Гриша! — крикнул Шайдулла, кланяясь. — Передай подружкам этих, — он потряс свертком, — что их души уже сегодня будут в раю! Пусть тоже идут в твою сеть!

Гришка завел мотор, и машина, завывая на задней передаче, стала разворачиваться.

8

Уже смеркалось, когда мы привязывали лодку и переодевались, а на полдороге догнала нас быстрая, легкая ночь, чуть только светлеющая там, где совсем недавно село солнце, и въезжали во двор мы уже в темноте.

— Цезарь, ворота! — крикнул Гришка. — Ворота, кому говорю! У, дармоед!..

Цезарь неохотно встал, потянулся в обе стороны — прежде на передние лапы, а потом, переступая и хрипло скуля, на задние. Лениво, словно делая одолжение, он потрусил к воротам, вспрыгнул, упершись лапами в створку, налег, скребя когтями. Когда створка закрылась, он постоял, нехотя подошел ко второй, снова поднялся — широкогрудый, мощный, с тяжелой головой и крепкими лапами, — захлопнул и вторую; тут же повеселел и отбежал в сторону.

— Если б еще открывать умел, цены б ему не было, — устало сказал Гришка, накладывая поперечину.

В доме светились окна, слышался гомон телевизора, и когда Гришка распахнул дверь, на нас обрушился запах бараньей лапши.

Джамиля спела свои не требующие ответов вопросы, я сел на стул, чувствуя, как горит лицо, а в кисти рук будто налилась горячая вода. Чужой язык пощелкивал в ушах, словно птичье пение.

— Не всплыл? — спросил наконец Хайрулла.

— Нет, — ответил отцу Гришка.

Хайрулла пожал плечами. Его тяжеловатое, к вечеру потемневшее от щетины и будто чуть съехавшее книзу лицо осталось невозмутимым. У него был спокойный, цепкий взгляд, будто Хайрулла всегда успевал оценить предмет прежде, чем на него посмотреть. Он был черноволос, и волосы, в которых только кое-где проглядывала седина, лежали плотно, завершая собой такую же плотную, невысокую фигуру сорокавосьмилетнего крепыша.

— Ну, ну! — сказал он. — Ужинать, ужинать!

— Сейчас, рыба еще...

Мы снова вышли во двор и в два ножа принялись за рыбу. В свете переноски рыбья кровь была краснее, чем на самом деле, слизь перламутрово сверкала на мешке и на лезвиях. Потом я взял ножи и, оттопырив руки, чтобы не перепачкаться, пошел к крану. Гришка сунул таз под струю, рыба зашевелилась, поплыла, словно была живой и хотела на волю.

Ветер к ночи посвежел, холодил плечи, пока мы умывались.

— Ну что, — сказал Хайрулла с особой, много говорящей задумчивостью. — Достань там, Гриша...

КУДЫЧ

Гришка вынул из шкафчика рюмки и початую вчера бутылку, поставил на стол, сумрачно проследил за тем, как отец разливает водку.

Скрипнула дверь. Худенькая Гришкина жена, простое и нежное лицо которой всегда хранило отчасти любопытствующее детское выражение, тихо вошла, с улыбкой помедлив у занавески: на руках у нее был ребенок — насупленная со сна девочка месяцев пяти.

Хайрулла взглянул, и на его каменном лице появилось что-то вроде улыбки.

Гришка тоже смотрел на них; лицо его сделалось немного удивленным, словно за день он успел забыть о том, что составляет его жизнь в пределах дома.

Женщины перебросились мягко стрекочущими фразами, и пока Джамиля подавала нам большие чаши с дымящейся лапшой, Марьям посадила дочь на палас, постояла над ней в задумчивости, с любопытством и тоже как будто с некоторым удивлением глядя, как она тянется к игрушкам и гукает, усмехнулась и снова бесшумно прошла мимо нас, на мгновение коснувшись своей ладонью ладони мужа.

— Ну что, — повторил Хайрулла.

Я поднес ложку ко рту, подул, чувствуя, как мутится в голове от запаха, потянул в себя, обжигаясь и хлюпая.

Ели молча, только раз Гришка буркнул что-то отцу, и Хайрулла так же неясно буркнул ему в ответ, а потом, потянувшись за хлебом, сказал раздельно:

— Четыре мешка выписал.

Гришка кивнул и больше не сказал ни слова.

Мы уже напились чаю, когда хлопнула калитка, взлаял и замолк Цезарь, видно, узнав знакомых, скрипнула дверь; кто-то возился в прихожей, снимая обувь.

— Кто там, эй! — негромко сказал Хайрулла. — Семен, что ли...

Вошли сразу двое — один был тем кудрявым, которого я видел несколько дней назад, второй — низенький, с золотым зубом, немного топыривший грудь и все время улыбающийся во весь рот: именно он был Семеном.

— Джамиля! — сказал Хайрулла.

— Э, не надо, не надо! — затряс головой Семен. — Минуту посидим, дальше пойдем...

Джамиля налила им лапши.

Оба были немного под хмельком и, усевшись за стол, сразу принялись вышучивать Хайруллу, упоминая какие-то всем, кроме меня, известные события, — видимо, они действительно были очень смешными, потому что кудрявый просто-таки заливался.

— Ну, ну, — говорил невозмутимый Хайрулла. — Ешьте, ешьте...

— А что не наливаешь? — спросил Семен.

— Ты поешь, поешь, а то пьяный станешь...

Хайрулла придвинул им рюмки, налил.

Было похоже, что они многое готовы простить друг другу. Наверное, именно поэтому кудрявый спросил, поболтав в лапше ложкой:

— Что, Хайрулла, ты и гостя лапшой кормишь?

— Да, — подхватил Семен, качая головой. — Гостя — лапшой?!

Оба засмеялись, переглянувшись с таким видом, словно Хайрулла прилюдно совершил нечто совершенно неприличное.

— Гостя — лапшой! — воскликнул кудрявый. — Да ты что, Хайрулла!

— Ешь, ешь, — сказал тот. — Стынет. Пей, еще налью...

— Гостя — лапшой! — повторил и Семен, сокрушенно качая головой, между тем выуживая из чашки большой кусок разваренной баранины и разламывая сустав.

— Ты, Хайрулла, наверное, забыл, как гостя принимают, — предположил кудрявый, улыбнувшись с таким видом, словно понимал, что забывчивость — грех не очень большой, поскольку свойствен всем; и что он ничуть не винит Хайруллу, а просто хочет напомнить ему всем известные вещи, по чистой случайности ускользнувшие из памяти.

— Лапшой! — повторил Семен, смачно сгрызая хрящ и облизывая пальцы. — Подумать только!..

— Ешьте, ешьте. Проголодались... Сейчас вам Джамиля еще нальет. Не доедите — вон собака есть... Лапши много, ешьте.

— Слышь, собаку лапшой кормит! — сказал кудрявому Семен. — Гостя — лапшой, собаку — лапшой. — Он снова покачал головой, а потом с хрустом сжал крупные зубы на молочной кости.

— Ты бешбармак сделать должен! — воскликнул кудрявый. — Голову перед гостем положить!

Я понимал, что речь идет о бараньей голове.

— Где голова? — с легким оттенком угрозы спросил кудрявый. — Где бешбармак?!

— Ешь, ешь, — сказал невозмутимый Хайрулла. — Лапши много, всем хватит. Не волнуйся. Джамиля, налей ему еще!

Он был невозмутим, спокоен, однако вдруг бросил на меня быстрый взгляд, и я понял, что дружеские шутки зашли дальше, чем ему хотелось бы. Я не претендовал ни на бешбармак, ни на баранью голову, однако этот мгновенный взгляд свидетельствовал, что Хайрулла чувствует себя неловко. Что, стало быть, шутка шуткой, но кудрявый и впрямь поддел его как следует; что, видно, по общему мнению, должен был Хайрулла положить передо мной баранью голову после бешбармака... Единственное, чем я мог ему сейчас помочь, это сделать вид, что так оно и было.

— Ну не каждый же день — бешбармак! — сказал я.

Хайрулла снова на меня взглянул; на этом лице трудно было что-нибудь прочесть, но мне показалось, что недовольства или растерянности на нем уже не было.

— Э, что ты пристал! — сказал Семен, кладя на стол кости. — Хайрулла — человек бедный, где он каждый день барана возьмет? Скажи спасибо, лапши налил.

— Спасибо! — с чувством сказал кудрявый. — Ракмет!

Хайрулла усмехнулся и сказал что-то по-казахски. Семен повалился от хохота на стол.

Кудрявый сразу как-то взъерошился. Он тоже посмеивался, но через силу.

Хайрулла еще что-то сказал, горестно качнув головой.

Семен и вовсе зашелся. Кудрявый стал распрямляться на стуле. Последние усилия задержать на лице хотя бы след улыбки привели к тому, что у него задрожали и побелели напряженные губы. Но вот глаза вспыхнули, он махнул рукой и ответил. Семен рвал на себе ворот рубахи. Хохотали все трое.

КУДЫЧ

* * *

Ночь лежала над поселком, ветер лениво трепал листву дерева у ворот. Я сел на ступеньку крыльца. Подошел Цезарь, положил морду мне на колени, а потом вздохнул и растянулся у ног. Ветер шумел в листве, в хлевах дремала скотина, прислушиваясь, должно быть, к этому шуму; рыба в озерах пристально глядела сквозь черную воду, звезды мерцали над головой, и время от времени проплывало по ним темное пятно облака — будто человек на время закрывал глаза ладонями.

Гришка вышел из большого дома, зажег свет в сарае, повозился там с чем-то; свет погас, он вышел, постоял у машины, думая, наверное, все о том же — о крыльях, о заднем мосте. Пнул колесо ногой, сунул руки в карманы, подошел и сел рядом.

— Завтра пораньше бы поехать, — сказал он расслабленным ночным голосом.

— Поедем, — кивнул я.

Гришка зевнул.

— Был я у вас там, — сказал он. — Когда из армии ехал, два дня жил. Билетов не было, так я ночевал на вокзале, а днем все ездил...

Я промычал что-то утвердительное.

— Смешно! — Он и впрямь тихо засмеялся. — Все бегут куда-то, бегут!.. Я раз в метро за одним пристроился. Думаю: куда же бежит, дай посмотрю. Он бежит, бежит, я за ним — еле успеваю, честно. Он бежит, руками машет, прямо как на пожар... Бежали, бежали, выбежали к поездам, он прыг в вагон, я за ним — прыг! Двери закрылись, он встал, книжку вынул — и читает! — Гришка засмеялся. — Куда бежал, если все равно стоять надо?

Я снова помычал — мол, действительно...

— Нет, ну а как вы там живете, а? — спросил вдруг он. — Вот мне просто интересно, как? А?

— Ну как, — я пожал плечами. — Так же вот и живем.

— Я бы не смог, — уверенно сказал Гришка.

И вдруг Москва стала наваливаться на меня, словно проступая из-под свежей побелки: я оцепенело сидел на ступеньках крыльца, а она шумела в голове, рябила в глазах, наплывая миллионом одновременно возникших, торопливых и перепутанных картин: промчался поезд метрополитена, потекла толпа, запрудили все кругом машины, нескончаемый ряд лиц двинулся на меня из электрических высверков, из мелких сполохов, сливавшихся в одно световое трепетание. Выпрыгнул и, заслоненный чем-то другим, мгновенно исчез подъезд моего дома, скользнули, словно резко брошенные чьей-то сильной рукой, пролетая перед глазами, какие-то ступени, автобусы, буквы, стены, руки, слова. Пахнуло тоской, ненавистью, любовью, счастьем и безысходностью; сорвался и исчез чей-то взгляд, и еще, и еще, и еще один: вспыхнуло смеющееся лицо Алевтины, запрокинутое, почти уродливое в этой гримасе восторга, и тут же уступило место клочьям дыма, вечно окружающим пасмурную физиономию Караванова; ахнул и оскорбленно закусил губу Больц. Слепяще возгорелись какие-то люстры, какие-то фонари и софиты; метнулись тени, сгрудились вокруг одной, корчащейся на асфальте; возникло губастое лицо Климова, хрипло читающего свои вирши, а вслед за ним побежало то, что было их содержанием. Два санитара подошли к человеку, лежавшему на мраморе, перевалили его в носилки и понесли; эскалатор полз наверх, нижний положил рукояти на плечи; мертвец прижимал к груди портфель, неловко всунутый одним из санитаров; крошки недоразжеванной таблетки белели на губах, и еще одна лежала под мертвым языком; эскалатор поднимался выше, выше, к иной толчее, к иной сумятице, он всплывал следом за бессмертной душой, наверняка уже нашедшей выход из подземелья и растворившейся в дождливом небе. Хлопнули и покатились голоса: фиолетовый, крупитчатый от прыщей человек выглянул и спросил гугняво: «По пятнашке будешь?», и тут же завопил кто-то: «По две в руки! По две в руки!...». И все, все — бестолочь магазинов, страх, топот, ораторы, деньги, дурман работы, гул и блеск, тепло, стон извивающейся в темноте женщины, злой телефонный звон, нервное ожидание, смех, беспричинная радость детского голоса; и все, все, что окружало меня и держало при себе, все, что я пытался понять, осмыслить, оправдать и, оправдав, найти ему в себе подходящее место, — все это, мгновенно соединившись в бессмысленный, сумбурный фильм, пролетело перед глазами, сведя душу резкой судорогой моей собственной жизни.

Я бросил окурок и повторил:

— Так вот и живем.

И снова пожал плечами.

— Ну да, — вздохнул Гришка. — Ты тоже, наверное, думаешь: как мы тут живем? Тоже так вот и живем... Все друг про друга думают, наверное: как они там живут? А они живут себе... — Он помолчал и спросил деловито, как спрашивал всегда, когда дело касалось денег: — А почем рыба в Москве?

— Кто ее знает, — сказал я. — Что, спать, что ли, идти?..

Гришка пошкрябал себя по щеке пальцами.

— Еще побриться надо. А то жена не пустит.

Он помолчал, потом сказал с усмешкой:

— А знаешь, я ведь ее украл!

— Жену?

— Ну да... Из армии пришел — ну, мы походили-походили, вроде жениться надо... А это целая история — свататься ездить, то-се, полгода пройдет. Ну, я ее посадил в машину, привез отцу, говорю: вот, жить у нас будет. Жена то есть...

— А он?

— А что он? — Гришка зевнул. — Пусть, говорит, живет. А сам утром к ее родителям. Уже ведь сбилось все, не поймешь — свататься, не свататься... Через две недели расписались.

Он довольно засмеялся.

Дверь маленького дома отворилась.

— Гриша! Гриша! — закричал кудрявый. — Куда луну дел? Ну-ка зажги, а то ничего не видно!

— Ничего, ничего, тебе много света не нужно, — заметил выходящий следом Хайрулла. — До первой канавы добредешь как-нибудь.

— Ему не до канавы, ему до забора надо, — сказал Семен, еще шаркая в прихожей обуваемыми туфлями. — Это аж на тот конец идти, к правлению.

— Я-то дойду, а ты смотри не упади, ишь лапшой-то налился! Хайрулла, дай ему костыль какой, что ли!..

— Гриша! Открывай ворота, Семен в калитку все равно не попадет.

Они еще постояли за воротами, куда вышел их проводить Хайрулла, поговорили о чем-то, а потом разошлись, и шаги поначалу были слышны, а потом пропали, словно оба поднялись над землей.

— Надо было отвезти, что ли, — сказал Гришка.
— Что за два дома везти! — Хайрулла покачал головой. — Дойдут. Ладно, все, спать пошел.

Гришка встал, я тоже поднялся.

Меня определили в большом доме, где жил Гришка с женой, и было еще довольно места, чтобы смогли, когда приедут, поселиться другие два брата — пусть даже и с женами и детьми. Я разулся, поставил туфли к стенке, по мягкому половику прошел зал, где было слышно только тиканье часов, зажег свет в своей комнате и сел на кровать. Это была комнатка, а не комната, — небольшая уютная комнатка: третья часть занята стопой одеял под самый потолок, другая треть — широкой кроватью, и еще одна оставалась свободной. Дом был большим, просторным, в пять комнат. Все они, впрочем, были по-азиатски проходными, с огромными проемами, и только одна, вот эта, могла называться совсем отдельной.

Я сел на кровать и вдруг почувствовал себя страшно усталым. Нужно было гасить свет и ложиться, а я сидел и недовольно разглядывал уже достаточно изученные цветочки обоев. Вот тебе и степняки-кочевники: осели, капусту растят, дом отгрохали о сорока стенах, вместо верблюдов рыбу разводят в ильмене... А у меня пращуры хлебопашцы, а я, значит, и есть перекатиполе — сорвался, приехал, на лодочке катаюсь... чувствую себя своим, а какой я, к аллаху, свой? Тут люди крепкие живут, не то что я — ни дома нет, ни рыбу я разводить не умею... ах!

Всегда так — если где нравится, то жаль, что не можешь себя почувствовать в доску своим.

Я вздохнул, разделся, откинул одеяло, погасил свет, лег, закинув руки за голову.

Хлопнула входная дверь, Гришка прошлепал босиком по паласу, постучал и заглянул ко мне.

— Слушай, ты же арбуз забыл покушать.

— Да поздно уже, Гриш. Какой арбуз!..

— Ладно, — он почесал нос. — Завтра с собой на ильмень возьмем. И утром поешь: не забудь.

— Ладно, что там... Арбуз! Тут не до арбузов...

Я ворочался, думал о себе, о тех людях, к которым мне скоро уже нужно было возвращаться, и жизнь казалась совершенно никчемной, путаной, бестолковой; и зачем жил раньше — было непонятно, и как жить дальше — тоже было непонятно; и сравнить себя ни с кем было нельзя, потому что у всех все, как у людей, а тут какая-то сплошная чепуха...

Потом я стал наконец засыпать, и перед глазами побежали всплески весел — плесь, плесь, плесь... Это было неприятно, я вздрагивал, смотрел в темноту, снова закрывал глаза, и опять — плесь, плесь!.. Скоро они стали как будто удаляться понемногу, превращаясь в посверкивающие пятна взбурленной воды. Я уже спал, я видел сон, но сон этот был отчетлив, как явь и, главное, повторял ее во всех деталях; сон, который повторяет явь, совершенно не нужен, поскольку в таком случае вполне достаточно чего-нибудь одного, и лично я предпочел бы явь; однако я видел сон, и в этом сне мы с Гришкой сидели в лодке — мы плыли по озеру, проверяя сети, и уже довольно рыбы билось о деревянное днище.

Сверкала вода, хлопали об нее весла, сияло небо, бежали облака. Мы молчали, потому что протрясли уже много сетей. И еще много сетей ждало нас впереди.

Все вокруг было красивым и ярким, но мы уже не смотрели на эту красоту: мои руки немели, поднимая весла, чтобы затем опустить их в воду и толкнуть лодку дальше, а его руки были красны от воды, и сочилась кровь из глубоких ссадин, нанесенных острыми плавниками.

А на дальнем берегу озера виднелось стадо, похожее на россыпь коричневых камней, и пастух Шайдулла стоял рядом, держа в руках свой неказистый посох.

Вот он сказал что-то коровам, и коровы двинулись за ним. «Вот сладкая трава!» — говорил Шайдулла, обращаясь к одной, и та послушно шла туда, куда он указывал, и кивала головой, довольная, и ела траву, что показал ей пастух. «Вот тоже сладкая трава!» — говорил он другой, и эта степенно приближалась и клонила голову к указанной траве. «Вот сладкая трава, — говорил он, неспешно шагая по берегу. — И вот сладкая трава... Ешьте, это хорошая трава!»

Потом он остановился, оглядывая озеро и берег. Он засмеялся, увидев нашу лодку, и приветственно поднял посох. Но какая-то забота была на его лице, и тогда он неторопливо пошел к воде. И не остановился там, где мелкая волна уже мыла корни растений, а двинулся дальше, ступив на волны, — и пошел по ним точно так же, как только что шагал по берегу.

Он шел, чему-то смеясь, и там, где он ставил ногу, радостно всплескивала рыба, пытаясь поцеловать его стопу. Белая цапля, нежно касаясь воды крылами, летела за ним, и водоросли стлались по воде, чтобы ему было мягче идти.

И вот он остановился, смеясь и протягивая руку тем беспрекословным жестом, которого никогда я не видел прежде; и тогда забурлили расступающиеся глубины, и медленно поднялось к солнцу мертвое тело... и вдруг зашевелилось!.. и взмахнуло руками!.. Шайдулла снова засмеялся, довольный своей удачей, повернулся и пошел назад. А механик Карзеев поплыл за ним, держась за посох, фыркая, когда в рот попадала вода, и в крайнем изумлении щурясь от яркого света.

9

Утро выдалось пасмурным, и когда я вышел умыться, то увидел, что в пыли остались редкие пуговичные следы минутного ночного дождя.

Машины во дворе не было — должно быть, Гришка унесся спозаранку по одной из своих бесчисленных надобностей.

Я знал, что в поселке где-то есть книжный магазинчик, но добраться до него все не хватало времени. Сейчас тоже, конечно, бежать туда было не с руки — приедет Гришка, будет меня ждать...

— Чай пей! — приветливо сказала Джамиля. — Гриша-то уже завтракал.

Я сел за стол, взял горячий баурсак.

— Куда он поехал? Я бы в книжный сбегал...

— В книжный магазин? — удивленно спела Джамиля. — Зачем?

Я пожал плечами.

— Ну, интересно... Купить что-нибудь.

— Книги купить? — еще более удивленно спросила она. — Так есть же книги! Нужно на шкафу посмотреть...

Я решил оставить свою затею. Джамиля поставила передо мной большую парящую пиалу.

— Пей вот, — сказала она. — С барсуками пей, с барсуками...

КУДЫЧ

В пасмурной теплой погоде есть нечто такое, что лично на меня действует как сильное успокоительное. Я сидел, пил чай с барсуками-баурсаками, косил глазом в комнату, где светился телевизор, — шло утреннее повторение очередной серии итальянского фильма о борьбе с мафией. Это была сильная серия — поминутно стреляли, потом кто-то принял яд и захрипел, оскалившись во весь экран. Джамиля и Марьям смотрели телевизор утром. Впрочем, они вместе со всеми смотрели его и вечером, но вечерний просмотр больше напоминал сеанс гипноза — намаявшись за длинный день, все, расположившись на паласах (я, впрочем, садился на стул), осовело смотрели в экран. Хайрулла минуты через три начинал похрапывать. Джамиля, которая вставала в пять часов, чтобы убрать скотину, клонила голову на грудь. Гришка тоже сопел, да и я пару раз чуть не падал на пол.

Баурсаки были с пылу с жару — в кухоньке потрескивал на огне котел, и, когда Джамиля кидала в масло очередную порцию, поднимался такой шум, словно все куски теста хотели немедленно оттуда выпрыгнуть. А через минуту она вытаскивала их, румяные и золотистые, старой шумовкой.

За воротами послышался вой автомобильного клаксона. Я сунул в рот последний кусок, вытер руки о полотенце и, дожевывая на ходу, выскочил во двор.

— Арбуз! — трагически закричала мне вслед Джамиля. — Арбуз забыл покушать!..

— Заскочим в одно место, — сказал Гришка, когда я плюхнулся на сиденье.

Мы просквозили поселок, нырнули в проулок за магазином. Какой-то толстый человек ждал Гришку у ворот своего дома. Гришка долго втолковывал ему что-то и даже рисовал на бумажке. Наконец пожал руку и вернулся.

— Сейчас еще в одно место заскочим, — сказал он.

Мы заскочили еще в одно место. Там нас встретила хмурая старушка. Пес во дворе лаял и рвался с цепи. Я с опаской смотрел на него, тем более что когда мы поволокли тот лист железа, за которым приехали, мне, разворачиваясь, пришлось оказаться в непосредственной близости от собаки. Этот зверь был еще почище Цезаря, и, скосив глаза и топчась в ожидании, пока Гришка просунет свой край в калитку, я видел, как в горле у него при каждом хрипе что-то хищно пульсирует.

Принайтовав лист к верхнему багажнику, мы отвезли его на другой конец поселка, где и отдали очкастому парню. Взамен Гришка получил двухсотлитровую стальную бочку. Он пнул ее ногой, удовлетворенно прислушиваясь к гулу, и предложил мне немедленно браться. Мы выволокли ее со двора (здесь тоже была собака, но такая, что не стоила и доброго слова — сявка и есть сявка) и сумели каким-то образом закинуть наверх. Гришка вынул моток веревки и стал с паучьей сноровкой опутывать. Все равно бочка ерзала по крыше и норовила скатиться. Но ехать нужно было не очень далеко — до фермы. На ферме мы бочку сгрузили. Ее укатил очень довольный человек в черном халате. Я ждал, что скоро он выкатит нам ее полной или, как минимум, даст что-нибудь взамен, однако Гришка отряс руки, сел за руль и, тоже очень довольный, сказал:

— Ну, все! Сейчас только заскочим в одно место...

Однако, посмотрев на часы, махнул рукой. И мы поехали на ильмень.

КУДЫЧ

Проглянуло солнце, а к полдороге и вовсе разъяснилось, и степь засверкала крупицами воды, разбросанной дождем.

— Плохой дождь, — сказал Гришка. — Маленький. Нужно бы побольше, а то скоро опять воду в питомник качать.

Два мешка корма лежали в багажнике, еще два — на заднем сиденье. Мы неторопливо переоделись, выволокли мешки. В сапогах хлюпала вчерашняя вода. Я спустился в лодку, Гришка, краснея и тужась, переваливал мешок, я принимал его на вытянутые руки и валился вместе с ним на дно. Лодка ходила ходуном, хоть и была привязана.

Последний мешок оказался развязанным, несколько горстей просыпалось в воду, и тут же вокруг крупиц прессованной травяной сечки замельтешили маленькие рыбки.

Гришка греб, лодка ерзала, не слушалась, шла то боком, то почти кормой, а он вдобавок норовил начать с вполне определенного места.

— Да увидят они твой корм! — не выдержал я.

— Нет, надо по-привычному! — сказал он, сопя.

Я присунул горловину к борту и стал, понемногу потряхивая, сыпать корм в воду.

— Ты комками-то не сыпь, не сыпь! — крикнул он.

— Что же, если он весь комками! — огрызнулся я.

Но все же поколотил по мешку кулаком, чтобы разбить комки. Корм пылил, я щурился, оберегая глаза.

— Ты сыпь, сыпь! — командовал Гришка. — Что ты не сыплешь?

— То комками, то сыпь, — отвечал я. — Сыплю!

Второй мешок, развязанный, уже и полегче был, да и комков в нем оказалось меньше. Зато третий едва целиком не перевалился за борт, когда я стал его пошевеливать.

Гришка греб, лодка шла по большому кругу, отмеченному плавающей трухой корма. Лодка теперь шла лучше, двух мешков уже не было.

Гришка бросил весла и принялся вычерпывать воду консервной банкой.

— Течет, сволочь! — зло сказал он. — Заделывал, заделывал — все равно течет!

Мы кружили и кружили в середине этого небольшого озерца, я сыпал и сыпал корм. Когда он кончился, Гришка быстро погнал лодку к берегу.

— Пустая не течет, — бормотал он между гребками. — А нагрузишь — течет!

Мы привязали лодку и постояли минуту возле машины: рыба клевала корм, и вода рябила.

— Ну что, — сказал он. — Давай сетки проверим. — Взглянул на солнце. — Если быстро управимся... мне бы надо в одно место заскочить.

Мы сели в машину и покатили по грунтовке вокруг большого озера.

Я покосился на Гришку. Лицо у него было сосредоточенное, неласковое. Я и сам чувствовал какое-то недовольство. Все кругом было прежним, машина бежала по берегу, ильмень блестел, проглядывая за камышом. Я попробовал осознать: что же не по мне? И не нашел причину беспокойства. И отогнал от себя мысль, которая его объясняла.

Гришка подрулил на обычное место и заглушил машину.

КУДЫЧ

Он бросил в лодку тяжелую охапку сети, которую вчера мыл и вешал сушить. Хватаясь за борт, пробрался на корму. Лодка качалась. Я тоже ступил на эту колеблющуюся твердь, сел, поставил весла.

— Отвязывать не будешь? — с ядовитым интересом спросил он.

Я чертыхнулся, встал, потянул за веревку; лодка стукнулась носом о деревянный брус; отвязал и оттолкнулся.

Когда солнце стоит в зените и совсем нет теней — да посреди озера откуда им и взяться? разве что от весла на воде, — кажется, что тебя специально осветили и рассматривают — как живешь? что делаешь? не шалишь ли? — точно как микроба на предметном стекле.

— Во!.. Тащится, — бурчит Гришка. — Коров моей водой поить...

Я оглядываюсь — и точно, россыпью небольших коричневых камней плетется стадо по отлогому склону к берегу.

— Правей, правей... В тот прогал...

Гришка вздыхает, хватает сеть и принимается за работу. Эта короткая, но стоит в хорошем месте. Вчера здесь штук пять сазанов было и здоровущий злой судак, колючий, как напильник.

Я подрабатываю немного веслами, хоть это и ни к чему. Гришка перебирает сеть руками, и лодка тянется вдоль нее.

— Да не плещи ты!

Лодка раскачивается. Он трясет сеть, бултыхает ею в воде, чтобы смыть насевший за сутки ил. Рыбы нету.

— Поймали два тайменя, — бодро говорю я. — Один с хрен, другой помене.

Я вывожу лодку на чистую воду, налегаю на весла. Отсюда видно — вон метрах в ста поплавки.

Снова Гришка качает лодку, снова поднимает из воды и шваркает сеть; поплавки прыгают, словно сеть полна рыбы, — да прыгают они только сейчас, а пока не трясли, лежали себе спокойно.

— Переставить бы надо, — говорит Гришка. — Что тут держать без толку...

— Вчера-то была рыба, — возражаю я. — Вчера здесь и рыба была, сазаны... и раки тоже.

— Раки, раки! Нужны эти раки... Давай-ка, где большая стоит. А потом эту где-нибудь поставим, что ли, — он пинает мягкий комок капрона.

Я налегаю на весла. До большой сетки неблизко. Однообразное поплескивание весел, однообразный мягкий шорох воды о борта и днище, однообразные движения рук и спины — согнулся, потянул, разогнулся, забросил... Вода блестит, ветер утих совершенно, и далеко бегут от лодки по глади озера прямые усы. Мне вдруг становится весело. Гришка хмуро смотрит мне в лицо. Я улыбаюсь, а он отворачивается.

— Не дольше, чем на моторе, а, Гриш! — говорю я. — Возились бы с ним сейчас...

— Вот я его в Нариман отвезу, — говорит он. — Там кореш у меня лодочник. Вот он ему кишки-то прочистит. Правей давай, куда заваливаешь!

Я оглядываюсь, немного поправляю лодку и снова — согнулся, потянул... разогнулся, забросил.

— О! — говорит Гриша через некоторое время. — Притоплена, что ли!..

Я присматриваюсь. Точно, сеть в самой середке немного притоплена. Ближе к нам виден поплавок, и с той стороны один или два. А середина провисла.

КУДЫЧ

Это значит, будет рыба. Обычно так сом притапливает сеть — залезет в ячеи, запутается, а потом все норовит утянуть ее на самое дно. Сом, сом! — уговариваю я себя.

— Тише, тише! Разогнался!.. — бурчит Гришка.

Я задерживаю весла в воде, делаю легкий гребок от себя. Лодка останавливается, поворачиваясь к сети боком. Гришка перегибается через борт, вытягивает руку — и не достает.

— Подожди, сейчас!

Я делаю мощный гребок левым веслом. Лодка поворачивается. Теперь обоими. И правым. Гришка хватает сеть, а лодка продолжает движение. Я делаю гребок навстречу — р-раз! Вот и все. Лодка бортом к сети, Гришка держит верхнюю тесьму.

— Давай, — говорю я. — Тряси! Уснул, что ли!.. Не все же ему меня погонять. Я свое дело сделал... Гришка сопит, перебирая сеть руками, подтягивает лодку. Здесь пусто.

— Заилилась! — бухтит он привычно.

И шварк, шварк сетью об воду — полощет. Дальше — тоже ничего. Да еще рано судить, сеть длинная, а Гришка метра четыре всего протряс. Уж в середке-то точно сидит сом, как пить дать. Вон как притопилась. Сом! Сом! — суеверно твержу я. Лезет же в голову черт знает что. А это обычный сом, здоровущий такой сом. Ведь не утопленник же!..

— Откуда здесь ила-то столько? Три дня постоит — и обратно мыть надо. Мы ее вчера смотрели?

— Нет, — отвечаю я. — Позавчера.

Я поднимаю со дна лодки короткую толстую дубинку. Сейчас Гришка доберется до сома, а я ему тотчас дубинку-то и протяну. Гришка сморщится, коротко примерится и два раза резко ударит по широкой плоской башке. Сом замрет, короткая дрожь пробежит по черной скользкой спине... Сом, сом!..

— А-а-а! — вскрикивает Гриша, отшвыривая от себя сеть стремительным движением человека, обнаружившего в руках змею или скорпиона. Вдобавок он разгибает коленки, вскакивая, — сумма движений приводит к тому, что тело начинает переходить ту мыслимую границу, за которой центр тяжести неминуемо должен увлечь его за борт; Гришка взмахивает руками, пытаясь сохранить равновесие, — глаза у него выпучены, рот раскрыт, а нога между тем запинается о поперечину, когда он хочет переступить.

И Гришка рушится в воду по другую сторону от лодки.

Я сижу как сидел, оторопело глядя то на притопленную сеть, то на него, фыркающего в метре от борта. Я тоже вскакиваю, и тоже слишком резко — лодка гуляет; успев присесть и схватиться за борт, я протягиваю ему руку. Должно быть, взгляд у меня оторопелый. Гришка отстраняет руку, хватается за борт.

— Там! — говорит он, отплевываясь. — Там!.. Сидит!..

— Залезай, залезай! — кричу я. — Что ты барахтаешься!

Он налегает на борт, и лодка угрожающе кренится. Лодчонка-то маленькая; я свисаю на другую сторону, чтобы он смог забраться, не перевернув наш утлый челн; я перегибаюсь, невольно оказавшись над самой сетью. И вижу сквозь зеленоватую, взбаламученную воду какое-то белесое пятно — длинное, очертаниями похожее на рыбу, но для рыбы слишком большое.

КУДЫЧ

Гришка валится на дно, в лужу, которую с утра никто из нас не удосужился вычерпать. Впрочем, повредить ему это уже не может.

— Давай! — кричит он. — Греби! Греби, мать-перемать!..

Он лежит на дне, норовя подняться, и все что-то никак не может это сделать — нога оскальзывает.

— Да погоди! — говорю я. — Погоди!

— Греби! — повторяет он. — Давай отсюда, давай!

Глаза шалые.

Но вот садится, приходя в себя.

— Что? — спрашиваю я. — Куда грести?

Гришка молчит, озираясь.

— Ну вот так и знал! — говорит он. — Так и чуял!

Лодка легко покачивается на воде, снова все гладко, тихо. Только сеть немного притоплена, и в том самом месте, где притоплена, виднеется, если приглядеться, продолговатое белесое пятно. Но я стараюсь туда не смотреть.

— Так, — говорит Гришка. — Сигареты-то есть?

Я протягиваю ему сигареты и чиркаю спичкой.

— Куда, куда, — бормочет он. — К машине, куда... Что теперь?.. Надо за ними ехать. Пусть вытаскивают... Доловились! Так я и знал...

Долго, с натугой снимает мокрую куртку, рубашку. Выжимает по очереди, влажными комками кладет на сухую сеть. Разувается, стягивает брюки.

— Гриша! Гриша! — издалека, с берега катится по воде.

Шайдулла размахивает руками и что-то еще кричит, но что именно, разобрать нельзя.

— Вот разорался...

Гришка швыряет окурок в воду, машет рукой.

— Ладно, погоди. Все равно им потом сюда таскаться... Еще лодку потопят, ну их к черту. К берегу оттащим... а там уж...

Я осторожно подгребаю к началу сети. Гришка раскачивает загнанный в дно кол, выдергивает. Кладет на дно лодки, наступает босой ногой на осклизлое дерево.

— Понемногу, понемногу...

Он напряженно следит за тем, как сеть, тянущаяся за лодкой, тревожит воду. Я подгребаю, лодка идет полукругом. Вот и притонувшая часть сети начинает двигаться. Лодка сразу замедляет ход. Я продолжаю грести. Лодка тянет сеть, и сеть, загибаясь кошелем, тащит груз. Я подгребаю к другому ее концу. Гришка качает второй кол, вытаскивает, кладет рядом с первым.

— Не выскочит? — спрашиваю я. — Потеряем...

— Не потеряем, — говорит он. — Я увижу...

Я разворачиваю лодку и, стараясь мерно, неторопливо работать веслами, гребу к берегу.

10

То ли не было на дне никаких коряг, то ли нам повезло и не задели мы волочащейся за кормой сетью ни одной коряги, но так или иначе через полчаса лодка ткнулась носом в брус, я выскочил на мостки и привязал ее. Гришка, свесившись с кормы, понемногу тянул и сваливал на дно лодки мокрое полотно сети. Он выбрал метров восемь, и то, что мы приволокли с собой к берегу, оказалось совсем рядом.

— Гриша! Гриша! — закричал Шайдулла. Он стоял неподалеку, поджидая, когда лодка причалит. — Рыбы много, Гриша?

Гришка перехватил сеть шнуром и привязал шнур к лодочной скамье.

— Теперь не сползет, — сказал он и, обернувшись, крикнул затем: — Иди, иди сюда! Навалом рыбы, навалом! Посмотришь, какую рыбу притащили! До сих пор руки дрожат!.. Мешок-то есть?

Шайдулла прошел по мосткам и встал рядом со мной. Несколько секунд он смотрел мне в глаза, по обыкновению кивая и посмеиваясь, потом немного согнулся и протянул руку.

— Шутит Гриша, — сказал он, улыбаясь. — Хочет снова обмануть Шайдуллу.

Он медленно подошел к лодке и остановился. Отсюда, сверху, было хорошо видно, что плавало метрах в трех от кормы.

— Нехорошая рыба, — сказал Шайдулла печально. Гришка уже одевался у машины.

— Эта рыба не для нас, — сказал Шайдулла. — Это рыба Бога.

Он стоял, опершись на палку, кивал и бормотал что-то вполголоса.

— Короче, я поехал, — сказал Гришка. — Ты тут побудь пока... вон, с Шайдуллой. Я скоро. Скажу этим... и к Припасенкову заеду.

— Давай.

— Где их искать сейчас, — говорил он, уже садясь. — И брезент нужен. Ладно, погнал!

Гришка захлопнул дверцу, несколько секунд посидел неподвижно, глядя перед собой, потом вздохнул и повернул ключ зажигания.

Я снял куртку, постелил на землю и лег, запрокинув голову. Пламенный диск солнца висел в небе, чуть перевалив за середину своего пути. Плыли небольшие, но пышные облака, похожие на комья ваты, растрепанной ветром. Высоко-высоко и немного правее скользил коршун, и оттого, что он был совершенно неподвижен и лишь свойства воздуха и тела несли его по выбранному кругу, казалось, что он кружит вместе с небом и облаками.

А там, в нескольких метрах от меня, запутавшись в мокрой холодной сети, лежит на отмели мертвый механик Карзеев. Заплыв его подошел к концу, и нечего было бояться, да и делать было нечего — нужно было смотреть в небо, следя за полетом коршуна, и ждать, когда приедет грузовик с калининградцами, а Гришка привезет капитана милиции Припасенкова.

Я приподнялся на локтях и посмотрел в сторону мостков. Шайдулла сидел на досках, скрестив ноги, посох лежал у него на коленях, и он немного раскачивался, словно напевая какую-то грустную песню.

Позавчера мы трясли эту сеть — и не нашли в ней никакого утопленника. А вчера был ветер, и вот, должно быть, мелкая волна потревожила его; и механик оторвал голову от мягкого ила — очень медленно оторвал голову... пристально, по-рыбьи посмотрел сквозь воду неподвижными глазами... и двинулся по озеру искать пристанища... И нашел.

Я вздрогнул, когда Шайдулла встал и посох его стукнул о доски.

Сев, я потер лицо ладонями.

Шайдулла постоял на мостках, потом сошел на берег, приблизился ко мне.

— Что, брат, — вопросительно сказал он, посмеиваясь. — Хватит ему пить? Уже напился. Вода здесь плохая, ее не пьют люди. Только мои коровы пьют эту воду. Людям нельзя...

Положил на землю палку, снял пиджак, скинул растоптанные башмаки без шнурков, в которые был обут. Босые ноги переступили по земле.

— Что, брат, — снова пробормотал он, все так же посмеиваясь, но глядя уже не на меня. — Сейчас, сейчас...

Он неспешно подошел к воде. Справа от мостков камыш подступал вплотную. Слева, где подходили на водопой коровы, оставался широкий прогал, а берег был вязок и илист.

Как был, в брюках и рубашке, качая головой и продолжая что-то бормотать, Шайдулла ступил в грязь, и ноги его погрузились выше щиколоток.

— Эй! — сказал я. — Шайдулла! Куда?

Он обернулся, смеясь, и сделал руками такой жест, словно брал на руки ребенка.

— Рыба пусть живет в воде, — сказал он. — Человеку нужно на землю. Ему лучше на земле.

Он сделал еще шаг, второй: было видно, что ноги вязнут. Брюки промокли уже до колен.

Держась руками за мостки, Шайдулла добрался до их края. Вода была ему чуть выше пояса. Он ступил дальше, но там уже начиналась глубина — Шайдулла попятился. Он толкнул лодку, чтобы она повернулась и он смог бы взяться за сеть. Лодка лишь закачалась попусту — нос был привязан, а корма отягчена сетью. Тогда Шайдулла взялся за борт и стал тянуть. Медленно, очень медленно поворачивалась лодка к мосткам; медленно тянулась за ней сеть, державшаяся на колыхающемся теле. Мокрая сеть сверкала, тело блестело.

Наконец Шайдулла смог, перехватывая руками, взяться за корму. Он отступил назад, лодка уперлась бортом в мостки и замерла. Шайдулла немного протолкнул ее от себя направо и теперь взялся за ту часть сети, что оставалась в воде. Он неторопливо тянул, приговаривая что-то умиротворяющее, словно должен был вот-вот коснуться чего-то такого, что могло повести себя враждебно или испуганно, и поэтому сначала следовало объяснить, что от него, Шайдуллы, не следует ждать никакого зла.

Он выбрал сеть, и тело оказалось у самых мостков.

Я стоял на берегу, оцепенело наблюдая за ним.

Шайдулла замер в раздумье. Должно быть, он не знал, как действовать дальше. Тело было опутано, он мог бы вытащить его вместе с сетью. Но почему-то этот способ действий не понравился ему.

Шайдулла притянул тело к себе и, придерживая за плечи, стал распутывать сеть.

Вода рябила, сверкала, снова поднимался ветер; озеро серебрилось, и только что круглое отражение солнца превратилось в слепящую рябь.

Он терпеливо возился, стоя по грудь в воде; вот оскользнул, схватился за мостки, снова взялся за свое.

Через несколько минут он сбросил последнюю захлестку, приобнял тело, обхватив его поперек живота, и двинулся к берегу.

Становилось мельче; он наклонился, подсунув ладонь под затылок механику.

Теперь я мог разглядеть утопленника целиком. Довольно полное тело. Живот был синим; к бокам разливалась желтизна; на лицо я старался не смотреть.

Шайдулла выпрямился. Он снова стоял в вязкой грязи. Выбрался на твердое, неспешно подошел ко мне.

— Хватит ему воды, — сказал он, улыбнувшись.

Поднял пиджак, брошенный на траву, и пошел назад.

Он снова ступил в грязь, потоптался, примериваясь. Приоттолкнул механика, отчего тот, заколыхавшись и заболтав руками, немного отплыл. Шайдулла постелил на воду пиджак, притопил его ногой. Пиджак пускал пузыри. Шайдулла снова просунул руку под затылок, потянул вперед; теперь тело лежало на пиджаке.

Шайдулла наклонился, охватил полы, захлестнул их вокруг и, напрягшись, вытащил все вместе на берег. Передохнув немного, он снова взялся и оттащил утопленника метров на шесть от воды.

— Вот, вот... — бормотал он. — Вот тут сухо, хорошо... Хватит воды... Хватит ила.

Он постоял минутку, присел на корточки, раскачиваясь и бормоча, провел рукой по его затылку, чтобы смахнуть ил. Опустился на колени, сделал то же самое тыльной стороной ладони.

— Нет, не хватит воды. Надо воды еще немного, потерпи...

Шайдулла поднялся, пошел на мостки, шагнул в лодку, взял жестянку. Зачерпнул, подошел к телу, присел и стал, понемногу поливая, отмывать лицо и волосы.

— Хватит ила, — бормотал он, улыбаясь и качая головой. — Пусть рыбы копаются в иле, раки пусть копаются в иле... Хватит, хватит.

Он не спешил и делал все как будто нарочито медленно. Еще два или три раза ходил он за водой, приносил полную жестянку и так, постепенно, сантиметр за сантиметром, обмыл покойника.

Потом Шайдулла сел возле него, скрестив ноги, положил руки на колени. Иногда он поднимал ладонь, отгоняя мух, но его бормотание не прерывалось ни на секунду.

Так мы сидели на этом берегу — он возле механика, я в некотором отдалении, и тени легких облаков порою пробегали по земле, отчего все кругом начинало покачиваться и трепетать. Ветер стих, опять поднялся и снова стих, и опять озеро лежало голубой, золотистой чашей; солнце незаметно двигалось, двигалось и его отражение, шевелился камыш, проносились какие-то пичуги, коршун пропал, а потом снова взялся откуда-то, но уже в паре; а может быть, это был не тот же коршун, а два других.

От фигуры Шайдуллы, склонившегося над обезображенным мертвецом и что-то с улыбкой нашептывающего ему, от его темного посмеивающегося лица, от его ладоней, время от времени касающихся мертвой плоти нежным, ласкающим движением, исходил ток теплой, умиротворяющей силы.

Может быть, сиди я чуть дальше, это струение, эти волны покоя и радости могли бы меня и не коснуться. Но я был рядом, я смотрел и постепенно начинал видеть.

То, что еще недавно было слизистым комком распухшего мяса, лишь отдаленно напоминающим формы, свойственные нам, сидевшим на берегу, становилось в моих глазах телом человеческим, телом, разделившим плачевную судьбу всех тел — судьбу, которую раньше или позднее должны будут разделить и все другие тела.

КУДЫЧ

Я смотрел в оцепенении мучительного, блаженного внимания.

Шайдулла проводил ладонью по лицу, несколько дней назад живому и розовому, и всякий раз это движение вызывало во мне мгновенное сжатие души, которой приходилось сейчас понимать нечто огромное, великое, не способное быть выраженным человеческим языком.

Мы сидели под голубой линзой неба, сидели на голом берегу — маленькие, почти невидимые с той высоты, откуда даже большое озеро кажется малой росинкой, случайно не высохшей под шелестящим напором ветра, — и любое сомнение казалось детским, не требующим разъяснений или уговоров, ведь пройдет еще совсем немного времени, и ребенок все поймет сам.

Шайдулла бормотал и наклонялся, и пространство наконец-то становилось слитным, единственно настоящим, в котором невозможно отделить предмет от предмета, тело от тела, поскольку все соединено, спаяно и живо; Шайдулла бормотал, и мне казалось, что его тихие, недовыговоренные слова отчетливо слышны сейчас не только мне, но и во всех пределах этого пространства, и как сейчас я, говорящий на ином языке, без труда и напряжения понимаю их удивительный смысл, так и все, до кого они доносятся, понимают их и соглашаются с ними...

Должно быть, мы сидели так довольно долго, потому что, когда я очнулся, солнце заметно продвинулось к западу.

Шайдулла поднялся, взял палку, постоял опершись, оглядывая озеро.

— Коровы зовут, — сказал он, засмеявшись. — Говорят: где Шайдулла?

Он подошел ко мне и покивал, не то прощаясь, не то утвердительно отвечая на какой-то вопрос.

— Он теперь далеко, — сказал Шайдулла, морщась улыбкой. — Уплыл!

Он еще больше сморщился, мелко засмеялся, глядя на меня так, словно я мог выругать его или замахнуться.

— Его не жалко, — добавил он, словно поясняя. — Его не жалей. Он далеко, далеко уплыл...

Шайдулла неопределенно махнул рукой, и взмах этот охватил не только озеро и часть берега, но и ясное небо.

Кланяясь и по-прежнему посмеиваясь, Шайдулла осторожно протянул мне руку, коснулся ладони и тут же отступил, кивая и радостно щурясь.

— Ты теперь не спеши... Его уже не догоним.

Он перехватил палку, положив ее поперек поясницы, закинул на нее руки и побрел по склону вверх, где стояло стадо.

Отойдя от мостков метров на сорок, крикнул что-то, и коровы повернули головы, дружно на него посмотрев.

* * *

Машины показались минут через двадцать. По тому участку дороги, что лежал через пологий холм, катилась, поднимая пыль, Гришкина «Волга», а за ней — грузовой «КамАЗ».

Гришка подъехал к самым мосткам. Рядом с ним сидел капитан милиции. Он вылез из машины, оказавшись седоватым, осанистым, гладко бритым и вообще, видно, холеным мужиком. Подойдя к телу, обошел кругом, постоял, разглядывая, повернулся и снова сел в машину, положив планшетку на колени.

КУДЫЧ

Из кузова «КамАЗа» высыпалось человек восемь парней, а из кабины вслед за шофером и каким-то толстым, вытирающим лоб платком и отдувающимся человеком выбралась невысокая женщина лет сорока, одетая в блузку и зеленые вельветовые брюки. Брюки туго обтягивали широкие бедра, а на выпирающем животе их крепко держал красный капроновый ремень.

Спустившись на землю, она шагнула было к мосткам, но, бросив взгляд на то, что лежало на траве, попятилась, уперлась головой в железо капота и негромко заплакала.

Гришка сел рядом со мной.

— Вот, — сказал он. — Привез.

— Брезент давай! — орал кто-то в сторону «КамАЗа».

Из кузова вылетел бурый комок скомканного брезента, хлопнулся на песок, подняв пыль.

Люди, подойдя к телу, стояли возле него не больше минуты. Постояв, отходили подальше.

Капитан высунул голову в приоткрытую дверь и крикнул, прокашлявшись:

— Соловейко! Прокшина! Слышите?

— Петро! — крикнул кто-то, услышавший этот зов. — Служба зовет!

Соловейко подошел к «Волге», наклонился.

— Садитесь, подпишем, — сказал капитан. — Прокшину позовите.

— Прокшина! — громко сказал Соловейко. — Хватит реветь, иди, тут дело!

Она подняла голову, замотала, отказываясь.

Соловейко чертыхнулся, подошел к ней, что-то проговорил. Прокшина все мотала головой.

— Может, туда пойдем? — спросил он у капитана, вернувшись. — Не хочет сюда подходить. Боится.

— Что бояться! — сказал капитан. — Теперь уж бояться нечего...

Соловейко пожал плечами.

— Гриша! — крикнул капитан. — Можно, отъеду немного?

Завел машину, тронулся задом, развернулся и выехал на дорогу. Соловейко побрел туда.

На полпути он остановился, махнул рукой.

— Прокшина! Пошли!..

Женщина тоже двинулась к машине, как-то неуверенно шагая и вытирая лицо.

— Сейчас погрузят, — сказал Гришка, ковыряя спичкой песок. — Домой поедем.

Двое постелили рядом с телом брезент. Потоптались, покрутили головами, отошли в сторону, закуривая.

— Сетку разобрать... — задумчиво сказал Гришка.

Вздохнул, поднялся, пошел к лодке.

Мы выкинули запутанную сеть на мостки. Гришка стал теребить ее, расправляя, и складывать возле лодки.

Люди возле тела стояли кучно. Было видно, что никому из них не хочется приниматься за главное. Почти все курили, двое то и дело поправляли брезент. Еще двое уже стояли в кузове, видимо, ожидая, когда нужно будет принять груз.

— Нет, не могу! — сказал Гришка, зло пнув мокрую кучу сети. — Пошли, ладно! Нам еще вон сколько проверить нужно!

Он уже отвязывал лодку.

— Петрович! — заорал он. — Мы поедем, что тут!.. Еще вон сколько работы!

Капитан пожал плечами.

— Садись, садись! — заторопился Гришка. — Давай! Нечего!..

Он пробирался на корму.

Мы вернулись часа через два, и к тому времени берег был пуст, Шайдулла увел своих коров, а его пиджак, брошенный кем-то на доски, почти высох.

11

Обратный билет у меня был на понедельник, и оставшиеся дни прокатились быстро. Я уже сжился с озером, с Гришкой, мне нравилось кормить мальков и трясти сети, мне нравилось грести и возвращаться вечером усталым, чувствуя, как тяжелы и непослушны руки.

Должно быть, я вел себя хорошо — в том смысле, что не чурался работы, не строил из себя отдыхающего, ничему не удивлялся и не искал себе здесь, в Кудыче, места под солнцем. Как-то уже стало забываться понемногу, что я приезжий, и, видимо, именно поэтому однажды Хайрулла, строго проследив за тем, как я вешаю для просушки сеть, поманил пальцем и сказал голосом хозяина, обращенного к батраку: «Завтра с утра картошку копать». Я кивнул, и только после этого он, помедлив, добавил: «Если хочешь, конечно...»

А отчего мне было не хотеть? Полдня мы копали картошку, извлекая ее из легкой рассыпчатой супеси, таскали ведра, насыпали мешки; огороды лежали за ближним ильменем, и отсюда, с пригорка, был виден за неширокой водой двор, и даже Цезаря мне подчас удавалось разглядеть. Приехал грузовик, мы закинули девятнадцать мешков, отвезли и сгрузили под навесом, а двор к тому времени снова был наполнен запахом бараньей лапши — и здесь было бы уместно спеть, наконец, гимн бараньим супам вообще и бараньей лапше в частности, однако бутербродный век давно растерял необходимые слова… Вечером пятницы поднялась необыкновенная даже для нашей суматошной жизни суматоха — приехал сварщик, привез кислородный баллон и ацетиленовый бак, все вместе мы разобрали машину буквально по досточкам и до глубокой ночи возились, варя днище, крылья, жгли пальцы о раскаленное железо. Зато спозаранку погрузились в обновленный автомобиль, Хайрулла сам сел за руль, и мы понеслись черт знает куда — в сторону Астрахани, которая замаячила перед нами часа через полтора, а потом и за нее, дальше, в Нариман — именно в тот Нариман, о котором грезил я в самолете… Нет, напрасно упрекал я казахов Акашевых в том, что они растеряли присущие им свойства степняков-кочевников! Напрасно! Ибо только степняк, все имущество которого помещается на верблюде, только человек, способный вечером раскинуть юрту, а утром сняться и пойти дальше, озирая из-под ладони бугристую степь, ни в одном из уголков которой нет его дома, поскольку вся она — его дом; да, ибо только кочевник может пролететь сто пятьдесят километров туда и столько же обратно, чтобы, побродив по большому гладкому полю, уставленному какими-то передвижными лавками, наспех раскинутыми ненадолго киосками и магазинами на колесах, с восторгом приобрести килограмм несъедобной пастилы, большой деревянный сундук и медную пепельницу; только степняк способен день-деньской сидеть там на земле перед сделанной наспех эстрадой, слушая концерт самодеятельности; и только степняк будет так реветь, напирая на ограждение, когда начнутся скачки и всадники погонят коней, скалясь, визжа и догоняя друг друга... Пять кругов, огромных кругов неслись кони, пыля и вытягивая шеи! А потом все шарахнулись, отступили, потому что появились запряженные в квадратные тележки верблюды; они кивали головами; хитрый человек тянул поводья, а верблюд стонал и вращал глазами. Удила держали их за ноздри, ибо именно так взнуздывают верблюдов — за нежные ноздри, сосущие воздух!.. С шахматным стуком летели они по степи, едва не пробивая ее насквозь своими тяжелыми лапами; тележки бойко катились за ними, и первая была расписана золотыми огурцами, вторая — малиновыми, а третья и вовсе выглядела фантастически красиво! Да и верблюды были покрыты цветными тканями и, должно быть, понимали, как они прекрасны и величественны, как страшны и пугающи в своем титаническом беге!.. Один из них орал на бегу, и я думал, что в конце концов он вырвется, налетит на толпу и пожрет всех нас своей пламенной пастью, — но все обошлось, только двое пьянчуг сцепились отчего-то неподалеку и покатились в пыль, матерясь и восклицая...

А утром в понедельник я собрал вещички, и на ильмень мы уже не поехали, только покормили мальков в питомнике. Самолет был вечером, часа в два нужно было уезжать, и каким-то образом слух, что Хайрулла с сыном повезут гостя в Астрахань к самолету, пролетел по Кудычу, потому что появился кудрявый и о чем-то стал просить Гришку; оказалось в конце концов, что у свата Хайруллы тоже кто-то гостит и хорошо бы их куда-то там закинуть по дороге.

Обед отчего-то затянулся, я немного нервничал, поскольку до самолета еще нужно было добраться. Но вот пришло время, мы сказали необходимые слова, я потрепал Цезаря по загривку, а он лизнул мне напоследок руку, Гришка сел за руль, Хайрулла рядом, я умостился на заднее сиденье и...

— Арбуз! — закричала Джамиля. — Арбуз возьми!..

— Да какой арбуз, — вяло отбивался я, поглядывая на часы. — Уже не до арбузов!

— Пойдем, пойдем, — сказал Гришка.

Мы пошли в сарай, и он стал пинать по очереди арбузы, приговаривая:

— Вот этот возьми... и этот хороший... и вот этот...

Я хорошо помнил, что человек в силу своей конституции не может поднять три арбуза разом; поэтому, потоптавшись, решил взять один, но большой. Это был действительно большой арбуз — килограммов на пятнадцать. Я едва-едва засунул его в сумку.

Мы окончательно простились, и машина выехала за ворота.

— Сейчас в одно место только заскочим, — сказал Гришка.

Действительно, мы заскочили только в одно место — но попали как раз к обеду. Хайрулла стал обниматься с теми людьми, которых мы должны были везти. Их было двое — смуглый, какой-то уж очень черный, просто смоляной муж и белая-белая жена, смотревшая на него с простодушным умилением.

Нас посадили за стол.

И поставили тарелки.

Я знал, что отказываться бесполезно: если человек зашел в дом, его накормят непременно, даже если он сразу после этого умрет от заворота кишок.

КУДЫЧ

Разговор за столом шел довольно оживленный. В какой-то момент мне показалось, что уместно и мне вставить словечко, и я заговорил, упирая в основном на то, что самолет ждать не будет. Присутствующие встретили мою речь плохо скрытым осуждением. Я махнул рукой и фаталистически решил про себя, что действительно, если нет большей роскоши, чем роскошь человеческого общения, то будет более или менее справедливо, если в крайнем случае я опоздаю.

Говорили между тем обо всем подряд — о болезни свата, о деньгах, о задних мостах, об аренде, обо мне (я вступил в терминологический спор с черным мужем; он утверждал, что в русском языке есть два слова — шурин и шуряк, и что обозначают они совершенно разные вещи; я же, глядя на часы, твердил, что шуряк — это что-то вроде уменьшительного от шурина. «Нет!» — сказал он. «Ладно, — сказал я. — Приеду — в словаре посмотрю». Он фыркнул и протянул: «В словаре-е-е-е... Где ж такой словарь найти?»), о Грише, об утопленнике и еще много о чем-то таком, чего я не понимал, поскольку говорили по-казахски.

Наконец Хайрулла сам посмотрел на часы, сложил губы бантиком и заметил, что можно ехать.

Все понемногу зашевелились. Первым, разумеется, вскочил я.

Сватья, искоса поглядывая на меня, заговорила о чем-то с Хайруллой.

— Слушай, — сказал он мне, покачав головой. — Сват у меня болеет... поговорить с тобой хочет.

— Поговорить?

— Поговорить, да. Лекарство там какое-то...

Я разозлился. До рейса оставалось два часа. У меня еще была слабая надежда, что мы успеем. Если бы мы успели — то успели впритык, к черте, как говорится. Лекарство! Я хорошо понимал, что человек из Москвы выглядит здесь волшебником — ведь он может, если надо, достать лекарство!

— Перестройка, Хайрулла... — вяло сказал я. — Какие лекарства!.. Где взять?

Он кивнул.

— Все равно, все равно... Пойдем, поговоришь.

Он повел меня в дальнюю комнату.

Хайрулла приотворил дверь.

— О! — послышался слабый голос. — Заходите!..

Я остановился у порога. В комнате стоял небольшой столик и кровать; столик выглядел так, как только и мог он выглядеть в комнате тяжело больного человека: рецепты, коробочки, чашка с чаем, еще одна чашка — видимо, с травяным отваром.

Запах, стоявший в комнате, неопровержимо свидетельствовал о том, что ее жилец умирает. Этот запах, пожалуй, не был бы неприятен сам по себе, но он наводил на мысль о скорой смерти, и я почувствовал, как перехватило на секунду дыхание.

— Садитесь... — слабо сказал сват.

Хайрулла примостился на стул у двери, я сел возле постели.

— Приезжали к нам, да? — тихо спросил больной. Он попытался улыбнуться, но ничего не вышло — в глазах стояла близкая тьма, и поэтому улыбка гасла, не начавшись.

— Да, спасибо... — сказал я. — Как вы себя чувствуете?

Он подумал и осторожно махнул рукой.

— Плохо...

Помолчал.

— Пищевод...

Слова шелестели, как листья, падающие на уже мертвую, убитую морозом землю.

Я качал головой.

— Операцию делали... а!

Он снова осторожно махнул рукой.

— Вот, Хайрулла меня возил... Хайрулла!

Хайрулла встал и сделал шаг к кровати.

— Вот он, он меня возил... — сказал умирающий. — Ты садись, садись. Стул там есть, у двери... Садись.

Я мучительно долго искал слова.

— Ну, может быть... — сказал я. — Может быть, еще...

— Травы пью. Лекарства.

— Может быть, я что-нибудь... в Москве?

Он помотал головой, потом повернулся на бок. С усилием подтянул ноги, свесил их с кровати. Ноги были худые. Он схватился за спинку и сделал попытку сесть. Я привстал, поддержав. Он сел, опустив голову, перевел дух. Было видно, что он не может глубоко вздохнуть.

Минуту или полторы он сидел так, мелко дыша.

— Плохо, — сказал он тихо.

Хайрулла заскрипел стулом.

— Как... отды... хали? — спросил сват с расстановкой.

Я развел руками.

— Спасибо, спасибо. Все хорошо...

Он копил силы, чтобы сказать что-то.

— Я слышал... ты болеешь... мне жена... говорила...

Я пожал плечами.

— Да нет... Вот арбузы здесь у вас ел...

— Я тебе скажу адрес... — сказал он. — В Нальчике... Старик один... Травник... Поедешь к нему... вылечит...

Я молчал.

— Ручка есть? — спросил он. — Возьми там... ручку... Пиши...

Я вынул из кармана блокнот.

— Нальчик... от вокзала десятый... автобус. Подожди, лягу...

Он стал клониться назад.

Я написал в блокноте: «Нальчик. Десятый автобус».

— Там пешком... спросишь... Автобус до конца... Зуриев фамилия. Спросишь, скажут... Его все знают. Травник он...

Я записал. Я знал, что не поеду в Нальчик.

— Он недорого берет... Поезжай. Вылечит. Он меня... лечил. Не... вылечил...

Хайрулла покашлял.

— Хорошо, — сказал я. — Поеду. Обязательно поеду. Спасибо вам. Спасибо.

— Ну, — решительно сказал Хайрулла, упирая руки в колени и поднимаясь. — Пора!

— До свидания, — сказал я.

И подумал: до какого свидания?

— Езжайте... до свидания...

— До свидания, — повторил я, осторожно притворяя дверь.

Гришка уже сидел в машине и неподвижно смотрел сквозь стекло.

— Поспеши, Гриша, — буркнул Хайрулла. — Сколько там осталось?

— Час двадцать, — ответил я.

На мой взгляд, можно было уже не торопиться. С другой стороны, проветриться тоже не мешало.

Но мы успели.

Правда, я бегом бежал к стойке регистрации, и арбуз бил меня по ногам. Последнее прощание было скомкано ревом динамиков, сообщавших, что посадка заканчивается. Я пожал руку Хайрулле, потом Гришке.

— Приезжай, — сказал Хайрулла.

Через десять минут самолет уже гудел, арбуз катался под ногами, все кругом тряслось и дрожало.

Потом я волок его через всю Москву. Я перекладывал сумку из руки в руку. Ладони стали рубчатыми и болели.

Он, конечно, был большим. Он и там-то был большим, но на фоне степи, на фоне озер и дорог арбуз этот был просто арбузом — ну, чуть больше, может быть, чем все остальные.

Но здесь!..

Я привез его тем людям, которым он предназначался, и водрузил на кухонный стол. Арбуз занял его полностью.

— Арбу-у-уз?! — восхищенно-недоверчиво сказала девочка Маша. Должно быть, поначалу она решила, что это просто надутая резина.

Горделиво посмеиваясь, я взял острый ножик и снял ему голову.

Вопреки ожиданиям проглянула розовая, как младенческая кожа, мякоть.

Я похолодел.

Он оказался плохим, этот замечательный арбуз! Он оказался ужасным! Он не шел ни в какое сравнение с теми, что я ел в Кудыче! Он был бледный, огуречного вкуса, весь пророс какими-то белыми волокнами!..

Однако никто этого не понял. Когда я пытался объяснить, меня успокаивали. Когда рассказывал про Кудыч, пожимали плечами. Я жарко толковал про Гришку и Шайдуллу — они только сплевывали косточки. Что ты, мол, расстраиваешься. Мол, арбуз — он и есть арбуз.

В общем, меня не слушали.

Только ели да нахваливали.

А я молча отрезал им все новые и новые ломти — и думал, что и впрямь ничего ниоткуда нельзя привезти.

Ничего, кроме воспоминаний.

ИЗ ЖИЗНИ
ОДНОГЛАВОГО

1

По дороге к директорскому кабинету успеваю схватить обрывок телефонного разговора.

Это Наталья Павловна. Прикрываясь ладонью, она говорит свистящим полушепотом:

— Только что пришел... да, пьяный... часа полтора, наверное... хорошо.

До странностей ее поведения мне дела нет. Да и странности эти разгадываются чрезвычайно легко: из-за неплотно прикрытой двери директорского кабинета слышен хриплый голос Красовского, и голову наотруб, что Наталья Павловна звонила его жене.

Такое бывает: время от времени Красовский со всеми ссорится, в том числе и с благоверной. Тогда для нее настает час вытаскивать мужа буквально клещами, со скрипом, как ржавый гвоздь из трухлявой доски. И обычно именно отсюда, из библиотеки.

Но, положив трубку, Наталья Павловна почему-то воровски озирается. И вид у нее какой-то пришибленный: сутулится и втягивает голову в плечи, будто вот-вот снова дадут по затылку.

Вообще-то это высокая, полная и если не столь уж молодая, то успешно молодящаяся женщина. Пожалуй, не дашь больше сорока. Ну или чуть больше. А между тем уже через несколько дней ей стукнет пятьдесят пять. Она смертельно боится пенсии. Видите ли, мысль о заслуженном отдыхе вселяет в такое чувство, будто ее должны положить в могильный склеп.

Это можно понять. Она одиноко живет в коммуналке где-то неподалеку — говорит, из окна видна библиотека. Что ей делать, когда выйдет на пенсию, совершенно непонятно.

Сотрудники на ее обреченные жалобы реагируют по-разному. Калинина, например, с мужем и детьми размещается в «хрущобной» трешке. Младший сын не окончил школу: хоть и двоечник, а все-таки при подоле. Зато со старшим несчастье: привел иногороднюю, уже беременна, и Калинина опасается, как бы не двойня. Поэтому она твердит, что пенсия — великое счастье, пускай Наталья Павловна не придуривается. И что если б ей самой предложили, она бы так кинулась, что на радостях и ноги бы переломала: потому что у нее дома целый колхоз и попробуй за всем уследи, если сидишь тут с утра до ночи как пришитая.

Калабаров старается пенсионных жалоб избегать, а если все же невзначай попадается, отвечает примерно в таком духе: «Дорогая моя Наталья Павловна, одна из ваших навязчивых идей была тайной, а ныне час от часу становится явней. Дай бог, чтоб и все прочие оказались столь же безобидны».

Наталья Павловна только ахает, томно заводит глаза и прижимает пальцы к вискам: «Ах, Юрий Петрович, что вы такое говорите!.. Ах, Юрий Петрович!..»

Но если без шуток, то, насколько мне известно, персонал библиотеки уже готовится к торжеству по поводу ее дня рождения.

ИЗ ЖИЗНИ ОДНОГЛАВОГО

Обычно именинник покупает торт, а ему дарят цветы и какую-нибудь никчемную вещь, призванную загромождать квартиру и собирать пыль, — фиолетового пингвина, пудовую строгалку для плодов манго, крошкособиратель величиной с хлебницу или какую-нибудь другую, столь же практичную и нужную в быту штуковину.

На этот раз штатный перечень праздничных событий по всеобщему согласию решили дополнить плакатом в половину ватманского листа с большой фотографией юбиляра и подписью «Поздравляем!». В праздничный день его с самого утра выставят в холле. У завхоза Клавдии Валерьевны на то есть специальная тренога вроде подрамника. Обычно ее используют в случае чьей-нибудь безвременной кончины, но тогда под фотографией пишут не «поздравляем», а что-нибудь вроде «глубоко скорбим».

Не обошлось и без небольшого скандала: Катя Зонтикова заявила, что скидываться на колбасорезку для Натальи Павловны считает не только расточительным, но и аморальным, поскольку ее собственный оклад даже самой колбасы не позволяет.

Возможно, в другом месте она постыдилась бы делать такого рода заявления — оклад окладом, колбаса колбасой, но ведь надо и сотрудницу на пенсию проводить. Однако в женском коллективе, насколько я понимаю, само понятие стыда носит столь специфический характер, что можно не брать его в расчет.

Кроме того, Зонтикова с Натальей Павловной с давних пор на ножках. У Зонтиковой достаточная выслуга лет, чтобы сделать долгожданный шаг по карьерной лестнице, то есть получить должность старшего библиотекаря и положенную при этом мизерную прибавку к жалованью. Однако свободной ставки нет. И она уверена, что Наталья Павловна нарочно заедает ее век из зависти к молодости и красоте.

Наталья Павловна, в свою очередь, убеждена, что Зонтикова ждет не дождется, когда ее выгонят на пенсию. Это, как я уже сказал, не лишено оснований. Однако вдобавок Наталья Павловна почему-то уверена, что костлявая Зонтикова жизнь отдаст, только бы стать такой же рослой и полной, как она. А кроме того, смертельно завидует сумочке, какую в прошлом году Наталье Павловне привезли из Германии. В общем, отношения у них сложные.

Такого рода мелкие дрязги и волнения возникают у нас поминутно. Но бывают и настоящие ураганы — они налетают примерно раз в квартал, и следующие месяца полтора те, кто попал в его стихийные вихри, друг с другом не разговаривают. Отголоски последнего еще погуливают. Тогда началось с подачи замдиректора Екатерины Семеновны: она выступила против того, чтобы положенный ей по статусу кабинет убирала некультурная женщина-таджичка по имени Мехри. Свой бунт Екатерина Семеновна мотивировала тем, что великая Россия вечно кормила всяких захребетников, а теперь в ней, в России, самим русским не хватает работы.

Сотрудники разделились на две примерно равные группы, и библиотеку охватила обычно несвойственная ей атмосфера чего-то вроде подготовки к вооруженному восстанию.

Одну партию возглавляла Екатерина Семеновна, ее правой рукой была Катя Зонтикова, а рядовыми партийцами выступал преимущественно низший и средний персонал. В качестве краеугольного камня важнейших аргументов представители этого отряда выдвигали утверждение, что Россия встала с колен, а также настаивали на всемирно-историческом значении поучительной русской мысли.

Другая часть сплотившегося вокруг своих собственных лидеров персонала (главного вождя не было, но важную роль играли Наталья Павловна, Коган и Зина из коллектора) стояла на том, что если Россия и встала с колен, то на корточки, русская же мысль очевидным образом свелась к одной: наворовать как можно больше и построить седьмой по счету дворец где-нибудь там на Антигуа, а при чем тут женщина-таджичка, она, то есть вторая партия, вообще не понимает.

Поскольку дело решительным образом уперлось в женщину-таджичку, на одном из стихийных собраний было решено вызвать ее саму (по мысли одних — для окончательного уяснения захватнической сущности гастарбайтерства, по идее других — чтобы предоставить ей возможность выказать человеческое достоинство и настоять на всеобщем равенстве). Однако случилось примерно то, что подробно описано в трагедии А. С. Пушкина «Каменный гость»: не успели стихнуть звуки горячего спора, как Мехри, заслышав из-за двери, что ее то и дело поминают, ворвалась без стука, держа швабру на манер багинета. Почти не пользуясь склонениями (а о спряжениях, судя по всему, вообще не имея понятия), она совершила краткий исторический экскурс, из коего следовало, что, когда никаких русских и в помине не было, праотцы Мехри воевали с Александром Македонским, но и это почти не в счет, поскольку задолго до того они натворили множество куда более славных дел.

Завершая речь, Мехри сообщила, что и вообще им, толстым теткам, смешно о чем бы то ни было рассуждать, пока не восстановился Советский Союз. Восстановится Союз — будет разговор, сказала она, а не восстановится — так и разговора никакого не будет.

Последнее ее заявление, сколь ни мало оно относилось к делу, партию «сколенников» привело в восторг, партию же «корточников» поставило в тупик и было единодушно признано идиотским.

Тут в зал осторожно заглянул Калабаров. Уяснив суть дела, он, посмеиваясь и тем самым как бы отмечая несерьезность происходящего, напомнил, что древние персы, одним из племен которых являются таджики, и впрямь в свое время завоевывали Египет и Грецию; что же касается злосчастного кабинета, то эту фанерную выгородку под лестницей убирать вовсе не следует, поскольку при известной ему чистоплотности Екатерины Семеновны никакой грязи там нет и впредь появиться не может.

И с показным простодушием развел руками.

Ему немало лет, лицо сухое, как деревяшка, морщины — будто древоточец потрудился, особенно на лбу и справа-слева от носа. Шевелюра совершенно седая, но не белая, а сивая. Всегда извиняющаяся улыбка на тонких губах. Неизменная щетина: бреется через два дня на третий, находя этому какие-то мудреные этические оправдания.

Когда-то он работал в Ленинке. Подписал письмо в защиту Сахарова, его уволили, а потом и дельце завели. Но клеилось оно уже в начале восьмидесятых, веяли новые ветры, так что Калабаров отсидел всего три года и вышел по амнистии. Некоторое время был куда как востребован, занимался библиотечным делом на высокой службе, однако с переломом века, в годы, когда, по его же словам, вольнодумство уже не поощрялось, но еще было терпимо, снова съехал на низовку. Теперь директорствует здесь, а опять взлетать на полагающуюся ему, по его-то уму и эрудиции, жердочку и в мыслях не держит: дескать, пообрезали крылья в свое время, да и охота прошла.

* * *

Скоро я оказываюсь в кабинете.

— О! — говорит Калабаров. — Соломон Богданович! Садитесь.

Я сажусь.

Мельком кивнув, Красовский продолжает свою речь. Первые несколько мгновений я почти не улавливаю смысла, потому что пристально рассматриваю его красную физиономию. И прихожу к заключению, что хоть Красовский, действительно, и шлепает толстыми губами, брызгает слюной и таращит глаза, но если, говоря «пьяный», Наталья Павловна имела в виду именно его, то сильно преувеличила: Красовский вовсе не пьян. Пьян он будет позже, и неминуемо: времени всего одиннадцать, ресурс разгона велик. Сейчас же он всего лишь, что называется, под хмельком.

— Так вот, — говорит Красовский. — Что тут толковать? Злейший враг писателя — другой писатель. Это Сэлинджер так сказал. Дай, пожалуйста, рюмку.

Калабаров послушно раскрыл нижнюю глухую дверцу стоящего справа от стола шкафа и выставил на стол рюмку и блюдечко с дольками лимона. Красовский тем временем вынул из портфеля бутылку коньяку, рюмку наполнил, бутылку убрал, чинно выпил, выдохнул и сообщил, жуя лимон и морщась:

— Все-таки сладит, собака.

— Продолжай, — сказал Калабаров, убирая со стола обратно в шкаф. — Ты про Сэлинджера начал. Который сделал античеловеческое заявление.

— Вовсе не античеловеческое, — возражает Красовский. — Он мог бы и круче выразиться. Но не додумал. Быть может, почва у него под ногами не та... вырос не там. Вот и не сумел осмыслить. Между тем у писателя есть еще один враг, и гораздо худший.

— Кто же?

— Издатель. Писатель по крайней мере на собрате своем нажиться не норовит. Он его, конечно, ненавидит, спору нет. Завидует до зубовного скрежета. Если собрата пусть даже в самой дрянной газетенке пропечатают, да еще, не приведи господи, сообщат при этом, что, например, он чего-нибудь там певец и вообще несусветно талантлив, у писателя непременно сердечный приступ. А уж если другой книжку издаст или какую-никакую премиюшку получит — вообще беда: хорошо, если «Скорая» поспеет. Уж можешь поверить — по себе знаю. И с этим ничего не поделаешь. Потому что если писатель до глупости, до жути и до отрицания очевидного хотя бы в самой глубине души не уверен, что он — самый лучший баран в этом стаде, то какой вообще из него баран? То есть писатель, хочу сказать.

— Да знаю, знаю, — вздохнул Калабаров. — Я ведь и сам в некотором роде...

Красовский не то чтобы вздрогнул, но, как минимум, внутренне содрогнулся: печень у него, вероятно, дернулась, селезенка и прочая требуха ерзнула. Кроме того, отпала нижняя губа, а поскольку и без того ее нельзя было назвать тонкой, создалось впечатление, что она прямо-таки выкатилась — примерно как выкатываются ковровые дорожки, только в отличие от дорожек по мере выкатывания еще и утолщаясь. Глаза — прежде настолько ясные, насколько могли они быть ясными в его состоянии, — сощурились, и стало невозможно понять, замутились они чем-то вроде ненависти или просто свет так нехорошо падает. Голову Красовский гордо вознес: не приподнял, а именно вознес, будто уже в следующую минуту готовился стать памятником.

После чего протянул с непередаваемым выражением чего-то среднего между презрением и превосходством:

— Да-а-а-а!..

И вдруг все поехало обратно: губу подобрал, голову опустил, раскрыл глаза, моргнул и вновь принял свой обыкновенный, более или менее человеческий вид.

Я догадался: какой ужас! Это ведь он на одно только мгновение всерьез слова Калабарова принял. А ведь знакомы сто лет, друзья неразлучные!.. знает, что ничего серьезного Калабаров не пишет и что никакой он ему не конкурент!..

Выходит, и впрямь это чувство сильнее разума. Услышал «и сам в некотором роде», рефлекторно продолжил до «писатель», и вот тебе инстинкт: подобрался, как лев перед прыжком, зачугунел хуже Гоголя на бульваре и готов на самое худшее.

Честно сказать, меня передернуло.

— Да ладно, — снисходительно улыбаясь, Красовский махнул рукой. — Тоже мне писака.

— А поэма «Судьба унитаза»? — Заговорив о своем, Калабаров потерял присущую ему ироническую солидность и сделался по-мальчишески запальчив. — В анналы войдет, уж поверь. «Скажи, скажи мне, милый унитаз, судьба какая ждет в Отчизне нас?..»

— Ишь раздухарился! — пробурчал Красовский.

— «Ты мне собрат по жизни и судьбе: что дарят мне, то я дарю тебе!» — продекламировал Юрий Петрович, а потом, обретая обычную сдержанность, со вздохом заметил: — Дальше там еще лучше... Между прочим, мог бы потратить пять минут, чтобы убедиться.

— Спешить некуда, — ободрил Красовский. — Впереди вечность. Достань, пожалуйста, рюмку.

* * *

Он уже осторожно поднес горлышко к стопке — и в эту самую минуту дверь кабинета с треском распахнулась.

Оба моих друга застыли в немом изумлении, оборотившись ко входу.

Я тоже вздрогнул, однако хватило мгновения, чтобы уяснить: появившиеся на пороге фигуры давно мне знакомы. Поэтому я следил преимущественно за бутылкой: стоило ей накрениться в руке Красовского еще на долю градуса, чтобы коньяк потек сначала в рюмашку, а затем и на стол.

— Добрый день, Юрий Петрович! — сказала Махрушкина с интонацией более издевательски-иезуитской, чем приветливой.

При этом она так неестественно и по-людоедски улыбалась, что ее физиономией можно было бы, наверное, отгонять злых духов: толстый слой пудры придавал ноздреватой коже мертвенную белизну, среди которой страшно чернели огромные очи — точнее, дьявольски зачерненные веки. Левый глаз маленько потек; поскольку дождя за окном не наблюдалось, это можно было объяснить только чрезмерной потливостью.

ИЗ ЖИЗНИ ОДНОГЛАВОГО

— Здрасьти, — пробормотал выглядывавший из-за плеча начальницы Панфутьев. То ли, черт бы его побрал, Пафнутьев — никогда не мог толком запомнить.

Взгляд Махрушкиной застыл на рюмке.

Явно преодолевая охватившее его окаменение, Красовский оторвал от нее, так и не наполнившейся, горлышко бутылки и стал нервно навинчивать крышку.

— А что ж вы так, — умильно сказала Махрушкина, уставляя руки в боки, отчего вся сразу стала похожа на матрешку: живот вперед, влажная грудь бешено рвет постромки и, пересилив сбрую, тестом выпирает в прямоугольный вырез пунцового платья. Только белокурый бастион на голове, которому для пущей грозности не хватало лишь окутаться пушечным дымом, да клоунски набеленная физиономия несколько противоречили распространенному простонародному образу. — Что ж вы прерываетесь? Вы продолжайте. Как говорится, на здоровьичко.

— Злоупотребляют, — сказал Панфутьев-Пафнутьев — как железом по стеклу. — В рабочее время.

В противовес начальнице худой и низкорослый Панфутьев-Пафнутьев был совершенно не накрашен и одет по положению: коричневый костюм-тройка, синий в молнию галстук, такая же синяя после утреннего бритья челюсть, аккуратный пробор на костистой лысине, в левой руке сумочка-визитка. Единственное, что в нем было клоунского, это глянцевые туфли на высоком каблуке клинышком.

— Здесь! — подхватила Махрушкина в полный голос. Для небольшого помещения, где все мы находились, его было, пожалуй, многовато. — В святилище культуры! В храме книгообеспечения! — Она надулась и вдруг воскликнула: — А это что? Что это?!

При этом она указывала на меня фиолетовым, длинным, будто у покойника, ногтем и содрогалась то ли от гнева, то ли от показной брезгливости.

«Вот сволочь! — подумал я. — Ведь сколько раз прежде встречались! Еще в иные времена и сюсюкала».

— Простите, Марфа Семеновна, — сказал вполне пришедший в себя Калабаров. Он уже поднялся из кресла и стоял у стола, приглашающе ведя рукой от двери к окну: мол, проходите, дорогие гости, что же вы там топчетесь. — Простите, но правила русского языка в данном случае требуют, с вашего разрешения, местоимения «кто».

— Тут! — крикнула Махрушкина будто совершенно вне себя, в новом ужасе прикладывая мужицкие ладони к набеленным щекам, и я заметил, как стремительно потек у нее второй глаз. Насурьмленные очи моргали с частотой телевизионного кадра. — В капище разума!.. Куда весь российский народ!.. Зоопарк развели!.. Зверинец!.. Он ведь гадит куда ни попадя!

Это уже было слишком. Зря она так. Кто такое вынесет?

Если бы она, эта чертова Махрушкина, начальник отдела Департамента, не довела меня своим хамством до белого каления, я, может быть, холодно сказал бы ей примерно следующее: «Дорогая Марфа Семеновна! Напрасно вы намекаете на мою нечистоплотность. По вашему разумению, я могу сделать то, что вы, по всей видимости, имеете в виду, в некотором не совсем подходящем для дел такого рода месте. Уверяю вас, дражайшая Марфа Семеновна, вы ошибаетесь. Вероятно, вы, несмотря на свойственную вам горячность и склонность к поспешным оргвыводам, замечали в читальном зале большую кадку. Она стоит у второго окна, и в ней благополучно произрастает Ficus altissima. Он огромен, зелен, сочен и, несмотря на груз быстролетящих лет, прекрасно себя чувствует. Я тешу себя не весьма скромной надеждой, что его крепкое здоровье и бодрый вид являются в некотором смысле результатом и моих посильных стараний. Видите ли, когда я чувствую приближение того момента, который вы, вероятно, имеете в виду, я тут же мчусь к этой кадке, а гуано, как вам, уверен, в силу вашей глубокой образованности и широкого кругозора отлично известно, является лучшим удобрением».

Но чувства вскипели мощнее, чем мог бы сдержать холодный разум.

Я расправил крылья во всю ширь и гаркнул что было мочи:

— Дур-р-р-ра ты пр-р-р-роклятая!

* * *

Эмоциональная буря оказалась слишком сильной, и все дальнейшее я видел как в тумане.

Идиотка Махрушкина взбесилась и, покраснев, как огнетушитель, завопила, что уже сколько раз просила Калабарова подать заявление по собственному желанию, а вместо того ее травят попугаями.

Напряженно улыбаясь, Калабаров ответил, что ему его работа по-прежнему нравится, сколько бы попугаев с ней ни было связано; и, мол, напрасно вы, дорогая Марфа Семеновна, так стараетесь меня ее лишить — все равно не получится.

А Махрушкина, уже совсем вне себя, возьми и проколись: завизжала, что есть другие, и гораздо более уважаемые люди, которым работа Калабарова тоже нравится, и нечего ему тут, когда они такие заслуженные.

Калабаров сделался лицом в цвет своей шевелюры, но все же холодно и брезгливо ответил, что если этим уважаемым людям по душе столь прибыльная работа, так пусть возьмут на себя библиотеку в каком-нибудь новом районе, позанимаются ею лет пятнадцать не покладая рук и сделают то, что он, Калабаров, сделал из своей. И вообще, добавил он, пора ему, пожалуй, к Николаю Федоровичу заглянуть — чайку попить, посоветоваться.

Тут Махрушкина совсем будто с цепи сорвалась и злорадно выложила (думаю, это было тайной): сколько он, Калабаров, ни потратит времени, шляясь по этажам департамента, толку все равно не будет: позавчера приказ подписан, чтобы самого Николая Федоровича с первого числа со всем уважением на пенсию, а то слишком уж засиделся, проходу от него никакого и всем дыркам затычка.

Я прямо съежился весь: эх, думаю, елки-палки, это же не просто подстроено, это подстроено на многих уровнях. Вроде войсковой операции: танковый полк выдвигается с севера, в то время как три батальона пехоты наступают с востока при поддержке двух эскадрилий, налетающих с юга...

Калабаров хотел слово вставить, да куда там: Махрушкина — ураган. Если, голосит, опять по собственному не хочешь, так она весь департамент на ноги поднимет, до самого верха дойдет, а своего добьется — вылетит Калабаров по статье, да по такой, что потом вообще никогда на работу не устроится. И Панфутьев-Пафнутьев ей в том порукой: не зря они оба своими глазами видели, что Калабаров в рабочее время злоупотребляет. Вместо того чтобы высить авторитет молитвища буквочитания у тщетно рвущихся в него россиян.

А Калабаров отвечает металлическим голосом: не кипятитесь так, Марфа Семеновна, вас сейчас удар хватит, и вся ваша неизбывная прелесть растеряется на больничных койках. Что же касается статьи, то дерзайте. Добьетесь своего — так в суде встретимся. Для меня дело привычное, а Григорию Адамовичу будет любопытно узнать, что прокуроры да адвокаты полощут на каждом углу славное имя префектуры. Вот уж порадуется…

Насчет привычного дела — чистая правда. Калабаров через день в суде, потому что на библиотеку беспрестанные покушения. То на здание, то на место. То «Главнефть» норовит вселиться, то «Главгаз». То нанотехнологическую заправку хотят вместо библиотеки возвести, то аквапарк. Пока удавалось отбиться. А если и впрямь его уйдут, кто будет щит держать и мечом отмахиваться?

Но Григорий Адамович — префект. И на пенсию ему не скоро. Может, защитит?

А Махрушкина в ответ:

— Ах, в суде?! Да может и в суде! Только знаешь, в каком суде?! В Басманном суде — вот в каком. Еще увидишь — Григорий Адамович сам придет на тебя показывать. А я добьюсь, чтоб за твои художества еще и статью припаяли, — снова поедешь тихой скоростью под снежком баланду хлебать.

А Калабаров, зеленея и совсем уже бессильно скрежеща: «Что-то я не помню, золотая Марфа Семеновна, чтобы мы с вами на брудершафт!..»

Ну да этот выстрел у него вхолостую пропал: она уже дверь за собой захлопнула — с таким треском, что едва окно не вылетело. А Панфутьев-Пафнутьев еще раньше упятился, знал небось заранее, подонок, чем дело кончится.

2

Меня не хотели брать на кладбище. Но потом Наталья Павловна настояла: дескать, Юрий Петрович так любил Соломон Богдановича, так любил!.. как можно?.. И опять чуть ли не в слезы.

Надо сказать, все эти дни она была совершенно не в себе. Глаза на мокром месте. Раз я застал ее у окна: вцепилась в подоконник, уставилась в стекло и шепчет: «Что же я наделала!.. что же я наделала!..»

На мой взгляд, она преувеличивала свою вину. Конечно, это свинство и подлость — так поступить: взять и фактически выдать Калабарова. Это ведь как на войне: все равно что пойти к фашистам и сказать, где прячется отряд. И тогда они примчатся на своих мотоциклетах и всех поубивают.

И как посмотришь с этой стороны существования, так и скажешь: да, друзья, воля ваша, но человеческая природа явно требует радикального улучшения. Приличная женщина, скоро на пенсию, а она вон чего: Махрушкиной звонит, чтобы та ни минутой раньше, ни минутой позже, а именно что как коршун на этих цыплят... И понятно, какого рода сребреники ей обещаны: чтобы на пенсию не выгоняли, а дали тут сидеть, пока окончательно не облезет. Решилась, а не понимает, что такого рода договоренности пишут вилами на воде, забываются они скоро: месяц посидит, другой, полгода, а потом та же Катя Зонтикова продастся Махрушкиной за другие тридцать сребреников — и полетит Наталья Павловна, как та курица с насеста.

А с другой стороны, с чего ей взбрело, что именно ее проступок погубил Калабарова? Чушь собачья! Лет ему настучало немало, а жизнь была такая, что явление Махрушкиной со всеми ее обещаниями было в ней далеко не самым нервным делом.

Между прочим, если бы сердце выдержало, Калабаров еще, глядишь, и в суде бы от Махрушкиной отбился. Бывает ведь и такое: пришла бы потом Махрушкина, хоть и скрежеща зубами, да все же с извинениями и с не выплаченной за время вынужденного прогула зарплатой...

В общем, зря Наталья Павловна так убивалась. Но спасибо, что настояла: посадила меня в клетку, и с ней, большой, как самовар, совершенно не стесняясь недоуменных взглядов (ведь не только свои библиотечные собрались), полезла в автобус.

К моему удивлению, в автобусе оказалась и еще одна залетная птичка — Светлана Полевых.

Я потом узнал: пришла утром, стала сковано объяснять: мол, она знает о несчастье, очень уважала Юрия Петровича, для нее большая потеря. И пусть ей позволят присутствовать на похоронах. Заплакала. Тетки сбежались, стали щебетать наперебой, утешая. Понятно, что взяли...

Честно говоря, мне было странно все это слышать: ни разу не замечал, чтобы она с Калабаровым хотя бы словом перемолвилась. Ни он к ней не подходил, ни она в кабинет не совалась — да и с чего бы?

По дороге на Домодедовское безучастно смотрела в автобусное окно. Во время прощания большой сильный Красовский вдруг жалко хлюпнул, не смог завершить речь и только бессильно махнул рукой, отходя к стене. Растерянно топтались у могилы, дожидаясь, пока мужики в робах и сапогах опустят гроб, накидают земли и порубят цветы лопатой.

Она, одиноко встав в сторонке, неотрывно смотрела, и по румяным щекам безостановочно катились слезы, а глаза стали большими, черными и страшными, как у Натальи Павловны, когда она говорит о пенсии. Потом я на что-то отвлекся, а когда оглянулся, ее уже не было.

Я так и не понял, что их связывало.

И связывало ли вообще.

* * *

Надо сказать, я ее давно приметил. Да и трудно было не приметить.

С одной стороны, самая обычная читательница. Приходила по вторникам и субботам ближе к вечеру — должно быть, после занятий в институте. В учебном заведении наверняка есть своя библиотека, но институтские фонды — это всегда что-то специализированное. И если речь идет не о филфаке, в тамошних хранилищах могло и не оказаться того, что она заказывала: Достоевского, Бунина, Шолохова, Замятина. И им подобных. Не столь уж частое предпочтение по нашим временам.

Выбирает стол у окна. Могла бы и другой — ведь у нас почти всегда пусто. Справа самописка, слева — тетрадь. На обложке круглым девическим почерком: «Светлана Полевых».

И тихо сидит, погрузившись в «Идиота» или «Окаянные дни» и совершенно не стараясь обратить на себя внимание.

Но не обратить на нее внимания просто невозможно.

У нее правильное, милое лицо, которому изначально (вероятно, с самого рождения) свойственно выражение доброты и затаенной ласковости. Большие карие глаза, румянец на щеках, каштановые волосы забраны в короткий хвост... Казалось бы, ничего особенного, а вот поди ж ты: складываясь воедино, все это порождает то, что всегда так загадочно и всегда так манит к себе: красоту.

При этом назвать ее облик прекрасным было бы серьезным преувеличением. Иногда, тайком на нее посматривая, я думаю: конечно, если ей доведется попасть в руки какого-нибудь визажиста из тех, что побездушнее, он сумеет добавить в ее живое очарование остроту ледяного холода, и тогда ее станут фотографировать для глянцевых обложек.

Но лично мне эта девушка милее такая, какая есть: когда лучше всего писать акварелью, без конца удивляя шероховатую бумагу теплыми тонами переливчатых мазков.

Однако не в этом дело. По-настоящему я обратил на нее внимание при следующих обстоятельствах.

Я уже говорил, что обычно у нас почти пусто. Раз в год по обещанию заглянет какая-нибудь пигалица: позарез ей пособие по макраме — вынь да положь. Или бабушка — этой дай справочник садовода: на даче завелись свекловичные блошки, и на склоне дней она проводит ночи в страстных грезах о погублении их рода...

Зал более или менее наполняется, только когда да РОНО организует встречу с каким-нибудь ветераном.

Андрей ВОЛОС

Я наблюдаю за ветеранами давно и внимательно. Ветеранская масса отчетливо делится на два класса. Представители первого — плотные пузатые старики в обвислых пиджаках с орденскими планками. Насупленные, решительные, бровастые, с гидрографическими картами кровяных прожилок на румяных щеках. Многие похожи на филинов — потому что супятся и таращат глаза. Мало того, что многословны, так еще надсаживаются изо всех сил. Может быть, все они туги на ухо, что и неудивительно в таком возрасте. Так или иначе, любой мог бы переорать птичий базар где-нибудь на Камчатке. А если есть палка (многие с палками), ветеран так колотит ею в пол, будто поставил целью проломить паркет. И вообще все тут разнести. Короче говоря, гвоздят клюками и ревут, как на пожаре, краснея от натуги и переживаемых чувств. Я так понимаю: от гордости — когда толкуют о минувшем, от гнева и ярости — если о настоящем.

Судя по всему, они провели свой век на каких-то командных постах. Им приходилось руководить, направлять и погонять, а какой из человека командир, если он не в состоянии выразиться не только ясно, но громко? То есть сама жизнь заставляла их разрабатывать легкие и тренировать голосовые связки...

Ветеранов второго типа приглашают гораздо реже. Они тоже похожи друг на друга и напрасно тщились бы скрыть привычки и характерные черты своего поведения.

Во-первых, довольно плохо одеты — если пиджачки, то совсем пропащие, тертые, подчас с заплатками на локтях. Кое у кого одежонка совсем уж никуда: тянутые джемперки, кофтенки, чуть ли не кацавейки какие-то. Понятно, что ни орденов, ни планок, только иногда прямо на застиранной рубашке сиротски болтается ветеранская медаль.

Во-вторых, начиная говорить, едва шепчут. Даже если сидишь в ближнем ряду, ничего не понять. Через три минуты невнятного блекотания детишки поднимают сдержанный гомон. Еще через пять — болтовня, грозящая перейти в столь свойственный им гвалт. Тогда учителка грозно лупит ладонью по столу и вежливо просит ветерана возвысить голос. Ветеран честно силится это сделать. Обычно ему не удается: в лучшем случае возвышает до невнятного бормотания, мало чем отличающегося от шепота.

Наблюдая за ними, я пришел к мысли, что вторые — это как раз те, кем командовали и руководили первые. Даже, возможно, охраняли...

Школьники заполняют зал и поначалу так галдят, что лично я вообще не выпускал бы их из вольера. Однако когда дают слово гостю, то, если это ветеран первого типа, в сравнении с тем, как горланит он, недавний детский гвалт — просто милое чириканье.

В тот раз выступал именно ветеран первого типа. Как обычно, орал во всю мочь: про нефтепроводы, тайгу и суверенитет страны. Вероятно, понятное волнение, охватившее старика, когда он оказался нос к носу с представителями нового поколения (да плюс еще собственный рев и грохот костыля), привело к тому, что у него в голове перемкнулись какие-то нервные окончания. И он съехал с нефтепроводов и суверенитета, принявшись вместо того невнятно и сбивчиво выкрикивать совсем другое: что сначала пешкодралом, а потом уж конвоиром, и что хрен убежишь — пуля догонит, а коли, паче чаяния, промажет, так все равно конец один: закон — тайга, прокурор — медведь. И что все силы на борьбу и корчевание, а он давил и будет давить, потому что для них, сволочей, высшая мера — как сметаной по губам. И что не нужно понижать градус суверенитета никчемными мораториями, а его завет простой: безжалостно и до последнего вздоха, потому что сам он сорок лет на важных постах и по служебной лестнице, и сколько подписано — сам не знает, знает только, что подписано во благо Родины.

В общем, он нес с Дону с моря, и все это было бы смешно, когда бы уже к середине его речи все в зале не помертвело: нагнал ветеран страху, дети прижухнулись, бросая друг на друга испуганные взгляды, тетка из РОНО вытаращилась и раскрыла рот, а классная руководительница пошла пятнами, стала часто моргать, и очки съехали на самый кончик ее длинного носа.

Тут-то Светлана Полевых и привлекла к себе не только мое, но и всеобщее внимание.

Она поднялась из-за стола с шумом, какой всегда производят выведенные из себя женщины, и с хлопаньем сложила стопку своих книг. Бормоча что-то вроде «Нет, ну вы только послушайте!», недовольно фыркая и так качая головой, будто не могла скрыть того гневного изумления, в какое привело ее происходящее, она стремительно направилась к выходу. Проходя мимо ветерана, глядящего на нее в пока еще немом недовольстве человека, чья речь была перебита в самом интересном и захватывающем месте, она замедлила шаг, чтобы громко и язвительно осведомиться:

— Вы о чем-нибудь человеческом можете говорить?!

После чего еще раз фыркнула, как обозленная кошка, и покинула помещение. Последнее, что я видел перед тем, как дверь с треском захлопнулась, это как она яростно сдувает прядь волос с разрумянившегося лица.

3

Кажется, только женщина-таджичка Мехри равнодушно ждала скорого появления нового начальника (ну и правда, какие перемены ей грозили? — разве что свежая швабра), а у всех остальных было чувство, как в очереди к зубному: уж если будут мучить, то пусть бы скорее.

Но прошло две с лишним недели, а место по-прежнему пустовало.

День рождения Натальи Павловны скомкался по совокупности причин. Плакат с портретом и поздравлениями оказалось некуда ставить: треногу заняла фотография смеющегося Калабарова с черной креповой лентой поперек угла. Ее решили не убирать до сороковин, второй треноги не было, да и вообще вся затея несколько потеряла звучание.

Ввиду новых обстоятельств Наталья Павловна хотела и вовсе отменить торжество, отговаривала: «Девочки, давайте не будем!»

Но девочки настояли на своем: хоть и без особой помпы, но подарили колбасорезку, съели торт, всем коллективом выпили бутылку шампанского и ужасно, ну просто ужасно опьянели.

А зато к вечеру, когда уже и посуду помыли, поступило из департамента специальное распоряжение: оставить Наталью Павловну как опытного работника на прежней ставке с окладом в соответствии с занимаемой должностью. Кое-кто удивился, но в массе расценили как подарок судьбы и искренне поздравляли.

Только Катя Зонтикова рвала и метала, распространяя непроверенные слухи насчет того, что бессовестная Наталья Павловна дала в департаменте взятку, а теперь и в ус не дует. Что же касается совести, по которой многим честным женщинам давно уж пора сделаться старшими библиотекарями, а они вместо того бьются как рыбы об лед, — то откуда у нее, толстомясой, совесть?

По поводу взятки все в общем соглашались — в том смысле, что в департамент для того и идут, чтобы на лапу брать. А чуть закрепившись, тянут сватьев-братьев-племянников, и тут уж неважно, чем те прежде занимались — варили мыло или торговали готовым. Что же касается самой Натальи Павловны, многие сомневались, указывая на свойственную имениннице робость, — в том смысле, что еще неизвестно, посмела бы она на такое беззаконие пуститься или кишка тонка.

Один я знал, что все так и было, только взятка не денежная. Правда, скоро мне пришло в голову, что и вообще все могло выглядеть иначе. Например, пуганула ее Махрушкина как следует: мол, закон есть закон, как исполнится, лишнего дня не проработаешь! — вот она и заробела. А теперь что ж: заказывали? — получите.

(Позже выяснилось, что я на этот счет генерально ошибался, и даже устыдился тогдашних своих мыслей. Но что греха таить — в ту пору именно так и думал.)

Так или иначе, войдя в прежнюю колею, жизнь двигалась более или менее по-старому. К девяти являлась только Екатерина Семеновна, замдиректора. Оставив сумку и раздевшись, она вставала у дверей с остро заточенным карандашом и таким выражением лица, будто намеревалась безжалостно протыкать им каждого, кто переступит порог позже назначенного срока. Отбыв минут сорок и выполнив мыслимый ею долг, Екатерина Семеновна покидала свой пост; тогда являлись самые хитрые из опоздавших. Часам к двенадцати утренние заботы вовсе утрачивали актуальность, и персонал разбивался на сообщества по три-четыре человека, чтобы совместно пить чай и закусывать.

Наталья Павловна близка к компании Калининой, Плотниковой и Коган. Когда мне выпала сиротская доля, она взяла надо мной шефство: наливает воду и сыплет пшено. Поэтому и я автоматически стал принадлежать к этой шайке-лейке.

Пока чайник не закипел, женщины щебечут насухую.

То есть щебечет преимущественно Плотникова — с того самого дня, как случилось несчастье, Валентина Федоровна никому слова не дает сказать.

Обычно ей не много уделяют внимания — женщина она простоватая, даром что когда-то училась в институте культуры. Внешне — точная копия Надежды Константиновны Крупской, где в круглых очках над газетой.

Но ныне настал ее звездный час.

Потому что именно Плотникова все знает в самых подробностях: в роковой момент она случайно оказалась у кабинета и ненароком услышала. Даже кое-что увидела — ведь дверь была нараспашку.

Честно сказать, некоторые акценты я бы расставил иначе. Не «случайно оказалась», а тайком подкралась. И не «услышала ненароком», а нарочно подслушала.

Сам я тысячу раз заставал ее за этим милым занятием. Сотрудниц она боится и в случае чего делает вид, будто уронила скрепку. А на меня внимания не обращает. По ее мнению, я — бессловесная тварь. Каково? Уж я с ней и так толковал, и этак. Не помогает: похоже, и в могилу унесет это нелепое заблуждение.

— Я ж вот этими ушами сама слышала! — в сто тысяч первый раз восклицает она, показывая на уши. — Надулась, как гусыня, шею жирную вытянула, аж затрещала вся. И перстнем бриллиантовым в него так и тычет: «Почему безобразите, такие-сякие?!» А Соломон Богданыч послушал-послушал, да как рявкнет. У меня аж душа в пятки. Дура ты, говорит. Идиотка ты, говорит, проклятая! Пробу, говорит, на тебе ставить негде! У тебя, говорит, небось, и родня такая же безмозглая! Чтоб разорвало тебя пополам, говорит, вместе с твоим департаментом! Да по матушке ее! Да по матушке!

— Неужели?! — изумляется Калинина.

— А то! И таким ее боком, и этаким! И с одной стороны, и с другой!..

— Ой, Валентина Федоровна, ну перестаньте же эти гадкие подробности! — восклицает Наталья Павловна, брезгливо морщась.

— Правда, Валя, хватит вам, — поддерживает Коган. — При чем тут Соломон Богданыч? Разве он виноват?

— Все равно уж ничего не вернешь, — говорит Калинина.

Они на минуту замолкают, и каждая недвижно смотрит на что-нибудь блестящее: на отражение лампы в чашке или чайной ложке...

— Вообще-то странно, — вздыхает Наталья Павловна. — Соломон Богданович — такая интеллигентная птица. Иногда нарочно книжку какую-нибудь раскрою, позову. Садится рядом, клювиком страницы перелистывает. И ведь что интересно: никогда не перепутает, с какой стороны сесть. Всегда чтобы книжка перед ним правильно лежала, а не вверх ногами.

ИЗ ЖИЗНИ ОДНОГЛАВОГО

Вот тебе раз. Интересное дело. Что же она думает, я просто так перелистываю? Не ждал я от нее такого...

Вся моя жизнь прошла здесь, в библиотеке, среди книг. Все, что я знаю, дали мне книги. Такие разные и такие живые, в каждой из которых бьется бессмертное сердце ее создателя — пусть иногда глупое, пусть подчас даже черное и злое сердце, — именно они вылепили мою личность.

Ну и Калабаров, конечно, приложил руку. Я всегда тянулся за ним. Может быть, тщетно тянулся: ведь я мог только мечтать о том, чтобы достичь его высот. И все-таки я старался, я видел маяк, указывавший мне верную дорогу. Мы редко говорили по душам, но, даже когда молча сидели в кабинете, его молчание так много значило для меня... Теперь его нет, мне не за кем следовать. И ныне, думая о нем, чувствую горькую пустоту — черный сгусток небытия.

А Наталья Павловна, оказывается, уверена, что это, как в цирке. Вроде аттракциона, когда морской лев на носу мячик держит: научили его штукарить, вот и изгаляется всем на потеху. Ну не смешно?..

— Но все-таки иногда мне кажется, что Соломон Богданович и на самом деле читает, — добавляет она. — А иначе отчего он такой умный?

Господи, какое счастье: прямо камень с души.

— Вот-вот, — говорит Калинина со смехом. — Главное, чтобы нового директора с порога дураком не подарил.

— Да уж, — вздыхает Коган. — Вот и жди у моря погоды... Может, такой зверь придет, что небо с овчинку покажется.

— А может, и ничего? — предполагает Плотникова. — Со всякими уживаются...

Все возмущенно на нее смотрят: понимают, что она имеет в виду, но не понимают, как могла такое ляпнуть: все хотят сохранить верность Калабарову, а тут такое.

Надо сказать, несколько дней назад снова заезжала Махрушкина. Как бы между делом. Собрала коллектив, толковала, что с новым начальником дело пойдет куда как весело. Кричала, хохоча: «Что вы! Что вы! Виктор Сергеевич такой роскошный мужчина!»

Никто в ответ не улыбался. Даже замдиректора Екатерина Семеновна сидела с поджатыми губами. Хотя ей, по ее должности, если бы Махрушкина сочла, что Екатерина Семеновна могла бы и ярче проявить преданность начальству, могло бы перепасть горячего…

«Как говорится, настоящий полковник! — горланила Махрушкина. — Девочки, держите хвост пистолетом, он еще вас всех полюбит! То есть, хочу сказать, вы все его полюбите!»

В конце концов Геля Хабибулина вскочила, чуть не плача крикнула: «Да как вы можете! У нас траур, а вы такое!..» — и выбежала из зала.

А Махрушкиной, понятное дело, все божья роса. Пожала плечами независимо и сообщила, что она, между прочим, скорбит не меньше других, да только траур трауром, а нужно и дело делать. И что некоторые библиотекари (явно намекая на Гелю) целят в старшие, но увы: у них ни опыта, ни квалификации, чтобы справиться с такой ответственной работой. Так что ждать им повышения до морковкина заговенья.

В общем, испортила всем настроение — и тут же смылась от греха подальше.

— Ну уж не знаю! — горячо сказала Калинина.

ИЗ ЖИЗНИ ОДНОГЛАВОГО

В этот момент хлопнула в холле входная дверь, все вскинулись, стали оторопело смотреть друг на друга, и в глазах читалось одно и то же.

Но оказалось, это вовсе не новый директор, а всего лишь Владик, сын Плотниковой — огромного роста и веса жирный мужчина в джинсовом костюме. Поверх джинсовой же рубашки золотая цепь — и золотой крест на ней.

— Добрый день, — неожиданно писклявым для его комплекции голосом говорит он.

Плотникова вскакивает и отходит с ним к дверям. Недолго толкуют, после чего Владик вручает матери три пустые матерчатые сумки, вежливо прощается (так же пискляво) и пропадает.

Все понятно. Сейчас Плотникова допьет чай и пойдет к Екатерине Семеновне отпрашиваться.

С благословения не то епархии, не то Патриархии Владик издает церковную литературу. Я склонен относиться к этому с определенным уважением: как ни крути, а человек делом занят. К тому же все вот этими, как говорится, руками: сам готовит тексты (по сообщению Плотниковой, скачивает из мировой паутины), сам в типографию, сам потом развозит тиражи по магазинам. До Белинского и Гоголя руки не доходят, но молитвенники и жития разлетаются как горячие пирожки. Иногда, запарившись, он, как сейчас, просит мать заняться сбором выручки. Отпросившись на полдня, Плотникова заваливается к вечеру совершенно без сил и едва таща сумки, битком набитые деньгами.

Сейчас она садится на свое место у чайного стола, смотрит на часы и говорит недовольно, но с затаенной гордостью:

— Совсем обалдел. Я говорила? Опять в долгах по самые уши.

Все давно знают, в какие долги влезает Владик и по какому поводу. Но почему-то не прочь послушать еще раз. Наверное, слушательниц греет мысль, что кто-то еще, кроме них самих, влезает в долги.

— Умом нерастяжимо, — горестно кивает Плотникова. — Мало ему все, мало. Теперь вилла эта, будь она трижды проклята. Уж боюсь спрашивать, сколько стоит. В Москве шесть квартир, в Черногории четыре. Говорю: Владик, да ты бы здесь дачку присмотрел. «Нет, мамочка, — отвечает. — Мне на границе Франции с Италией как-то спокойней». Подумать только! Опять гонит мать-старуху по магазинам мотаться! Разве ему растолкуешь, — она безнадежно машет рукой. — Как об стенку горох.

Чайник закипел.

— Ужас, — соглашается Коган и приступает к разливанию кипятка.

Чай, понятное дело, из пакетиков. Калабаров был последним в библиотеке (а может, и в природе) человеком, который пользовался заварочным чайником. Чашки разнокалиберные. Женщины называют их то стаканами, то бокалами; на мой взгляд, ни то, ни другое не может быть правильным, ибо стакан — он и есть стакан: граненый или чайный, а бокал — это нечто возвышенно-винное. Должно быть, эту посуду, громоздкую и тяжелую, как из чугуна, следует называть кружками.

Калинина принесла кулек с домашним печевом, Коган высыпала магазинные баранки, Наталья Павловна тоже разложила какие-то пакетики. Мармелад в кульке остался с прошлого раза. Или даже с позапрошлого.

Потому что все, независимо от возраста, следят за фигурой, сладкого не едят и беспрестанно толкуют о том, как бы похудеть. Но как ни стараются, женщина-таджичка Мехри все равно права относительно «толстых» теток. А сама она комплекцией примерно как рукоять своего производственного инструмента, то есть швабры.

Кстати сказать (меня там не было, знаю по рассказам), несколько лет назад подружки зашли навестить Ниночку Уголькову, сидевшую дома с растяжением, — шлепнулась на гололеде. Как положено, принесли торт с пирожными, все съели, напились чаю и принялись рассуждать о диетах. А еще живая тогда бабушка Ниночки слушала их слушала, а потом и говорит со вздохом: «Ой, не знаю, девочки. У нас в бараке толстых не было...»

— А можно мне на дорожку сушечку? — льстиво спрашивает Плотникова.

— Да ради бога, — пожимает плечами Наталья Павловна. И так же сухо, как сами сушки, предлагает: — Мармелад берите...

Плотникова набивает рот, хрустит и произносит невнятно, но с достоинством:

— Вы уж простите, девочки, что я нынче ничего не принесла. У меня ведь дома даже хлеба ни крошечки.

Сегодня! — усмехаюсь я про себя. Ладно у меня ничего нет — ни печений, ни плюшек; это и понятно — в магазин одного не пускают. Но и у Плотниковой вечно шаром покати. Вот все толкуют о нашем брате, о птицах: дескать, не прядут, не ткут. Честное слово, обидно: лучше бы на библиотекаря Плотникову посмотрели.

Калинина, Коган и Наталья Павловна привычно переглядываются. Калинина сухо спрашивает:

— Валентина Федоровна, как же так! Позавчера же была зарплата.

— А я ее всю на карточку положила, — доверчиво поясняет Плотникова. — Мне самой-то ведь и не нужно ничего. Владику надо помогать. Я возьму печеньица?..

— Владику, — скорбно поджимая губы, кивает Анна Павловна. — Разумеется.

— Неразумный он у меня, — невнятно толкует Плотникова, хищно косясь на мармелад. — В долгу как в шелку. Все на последнее. Разве ему объяснишь? Ну все, вот плюшечку только скушаю — и побежала!..

* * *

В начале третьего снова крякнула входная дверь, снова все вскинулись, и снова попусту: Петя Серебров.

— Юрий Петрович у себя?

На самом нелюбимом библиотекарями месте — за конторкой у входной двери, которая прежде никак не называлась, а в последнее время Махрушкина велит звать ее «рысепшын» — сидела Катя Зонтикова.

— Нет его, — сказала Катя, нехотя поднимая взгляд от иронического детектива Дарьи Донцовой «Гений страшной красоты».

— А когда?

— Никогда! — каркнула Катя и снова уперлась в книжку: должно быть, на героиню только что напал человекоядный монстр, и ей не хотелось отрываться.

— То есть как это — никогда? — удивился Петя. Катя все-таки оторвалась и досадливо объяснила. Петя раскрыл рот.

Худой, чернявый, длинноволосый, с тонкими очками на тонком носу. Птенячий пух на подбородке.

В штанах с мотней до колен. (Честно сказать, я этой моды не понимаю.) В кроссовках. Приглядишься — так и есть, на босу ногу. Теперь еще и голова поникла.

Опять заныла пружина входной двери, а Серебров опомнился, закрыл рот и тупо спросил:

— То есть семинара не будет?

И тут же в ответ ему раздался незнакомый голос.

— То есть как это не будет семинара? — громко, властно и даже грозно спросил вошедший.

Вроде: а ну-ка отчитайтесь, почему такое безобразие!

Мужчина лет сорока пяти, невысокий, но в отлично сидящем сером костюме и чудных светло-коричневых туфлях-мокасинах, наверняка приобретенных где-нибудь за границей.

В левой руке портфель... или, точнее, сумка... или, если еще точнее, что-то среднее между сумкой и портфелем — кожаное, мягкое, явно чрезвычайно удобное и на ремне. Правую между тем вскинул, чтобы провести по волосам, приглаживая бобрик над глубокими залысинами — впоследствии оказалось, что это был привычный для него жест, он то и дело свой бобрик приглаживал, хотя, казалось бы, зачем? — коротко стриженные седоватые волосы, хоть и немного их было, придавали владельцу здоровый спортивный вид.

Лицо открытое, приветливое, на левой щеке — шрам в полспички, нос с горбинкой, глаза не то голубые, не то серо-синие и сощуренные: будто их обладатель знает нечто такое, о чем другие не могут и догадываться... ну или собирается узнать в самое ближайшее время. На узких губах улыбка... то есть вроде как улыбка... хочется сказать: змеится улыбка по узким губам... да ну, вовсе никакая не улыбка — какая же улыбка, когда губы в ниточку? Или все-таки улыбка? — а иначе откуда выражение общей приветливости, что я сразу отметил. Ну и зубы, конечно, — плотные, хорошо сидящие ровные зубы, какими проволоку перекусывать, и лишь едва заметный фиолетовый отлив наводит на мысль, что они, должно быть, искусственные.

В общем, это было такое лицо, что чуть его подправь, и можно лить на медалях: честное, мужественное, по-мужски красивое и выразительное. Однако если бы речь зашла об изображении в полный рост, явившийся вряд ли подошел бы на роль модели: он был широк в бедрах, но плоскозад, а ноги переставлял чуть врастопырку, как если бы шарнир между ними был взят не по размеру.

— Здрасьти, почему! — недоуменно и даже с некоторым возмущением ответил Серебров, бросив на пришельца взгляд, в котором ясно читалось: да кто ты такой, чтобы в наши скорбные дела лезть! — Калабаров-то... того.

— Это большое несчастье, — сказал гость, ставя свою сумку-портфель на кушетку рядом с Серебровым. Скорбно покивав, он заметил философски: — Да ведь жизнь не остановишь. Семинар-то не умер. Разве один только Калабаров мог его вести?

— Кто ж еще? — буркнул Серебров.

— Меня в расчет не берете? — простодушно спросил тот и развел руками: мол, не сочтите за выскочку, но все же, как смолчать, если вопреки справедливости не берут в расчет. — Тогда позвольте для начала представиться. Виктор Сергеевич Милосадов. Новый директор библиотеки.

Катя Зонтикова вскочила, уронив стул. Прежде она просто молчала, а теперь, судя по всему, онемела.

— Вы? — недоверчиво спросил Петя. — Вести поэтический семинар вместо Калабарова?

Между прочим, меня не покидало ощущение, что явившийся минуту назад и понятия не имел ни о каком семинаре, но так ловко построил разговор, что простодушный Петя с первых фраз самую суть ему и выложил.

— Почему же нет? — смеясь, Милосадов развел руками. — Я и в департаменте этот вопрос поднимал. Пусть противники наши отнекиваются. Нет таких высот, которые не покорили бы... как там дальше? — спросил он, глядя на Петю с заинтересованным прищуром.

— Не знаю, — недоуменно ответил тот. — Подождите, какие противники? Вы ЛитО Раскопаева имеете в виду?

— Минуточку! Не будем спешить. Нужно для начала собраться. После этого и ответим на все насущные вопросы.

И Милосадов дружески похлопал собеседника по плечу: с одной стороны, явно выражая свою приязнь, с другой — показывая, что он человек занятой и до вечера торчать в дверях не собирается.

— Тогда давайте по вторникам, как раньше, — просительно сказал Петя.

— По вторникам? — Виктор Сергеевич озабоченно задумался, но тут же махнул рукой, идя на уступку: — Ну что с вами делать... По вторникам, так по вторникам.

Петя просветлел.

— А вот Юрий Петрович перед каникулами говорил, что в новом сезоне обсуждения как-то по-новому хочет проводить. И обещал писателя Красовского привести...

— Вас как зовут, простите? — уже совсем холодно улыбаясь, поинтересовался Милосадов. — Так вот, Петя, вы не волнуйтесь ни о чем. Обзвоните всех и подтягивайтесь. В смысле приходите.

Тут он повернулся, и его серо-синий взгляд наконец-то упал на меня.

Я невольно приосанился, но Милосадов сказал совсем не то, что представлялось бы мне уместным.

Прижав ладони к щекам, он по-бабьи ахнул и дурашливо воскликнул:

— Боже мой! Пингвин!

* * *

Все знают этот дурацкий анекдот. Я, во всяком случае, отлично знаю. Суть такова. Попугай надоел своими воплями, и его посадили в холодильник. На другой день кто-то открывает дверцу: «Ой, кто это?» А попугай, весь в сосульках и изморози, отвечает хрипло: «Пингвин, твою мать!»

Но Кате Зонтиковой, вероятно, не доводилось слышать сей идиотской истории. Поэтому она кокетливо объяснила:

— Виктор Сергеевич, какой же это пингвин? Скажете тоже, правда. Это библиотечный попугай.

— Библиотечный, — хмыкнул Милосадов. — Это что же, порода такая?

— Ах, ах, ах! — сказала Катя Зонтикова, выгибаясь. — Ах, Виктор Сергеевич, вы шутите!

— Ну а что не пошутить, пока молоденький? — удивился Милосадов, одновременно охватив ее всю одним цепким взглядом. — А зовут как?

— Соломон Богданыч.

— Господи! — снова изумился Милосадов. — Что за дурацкое имя!

Не хотелось с самого начала портить отношения, а то бы я ему, конечно, врезал.

Лично я своим именем горжусь. И появилось оно не просто так, а, как все в мире, имеет свою историю.

Тыщу лет назад, то есть буквально на другой день после того, как Калабаров завел себе двух молоденьких птичек (одна — моя незабвенная Лидушка, другая — ваш покорный слуга), он пошел в баню. И в парилке познакомился с голым человеком без опознавательных знаков. Человек назвался Николаем Ивановичем, а когда стали одеваться, он, к изумлению Калабарова, извлек из шкафчика мундир майора внутренних войск — форму, чрезвычайно хорошо Юрию Петровичу знакомую по временам недавно завершившейся отсидки.

Но это не помешало их банному приятельству. За пивом разговор вился прихотливо и забрел на ономастику. Калабаров поведал малоосведомленному майору, что есть имена славянского происхождения — Славомир, например, и Владимир. Много греческих — Василий, скажем, равно как и Андрей. Встречаются советского извода ранних годов: Порес, что расшифровывается как «Помни решения съезда»; Лелюд — «Ленин любит детей» или даже Кукуцаполь, что вопреки явно мексиканской форме сохраняет яркое социалистическое содержание: «Кукуруза — царица полей».

«А остальные преимущественно библейского происхождения, — заключил Калабаров. — Что, еще по одной?»

«Это как же вы говорите — библейского?» — настороженно спросил майор внутренней службы Николай Иванович.

«Ну как. Из Библии».

«А Библию кто написал?» — совсем уж враждебно скрупулезничал майор.

«Библию создавали на протяжении многих веков», — завел было Калабаров, но тот перебил:

«Не надо крутить. Евреи ведь писали, да? Мне бабушка говорила».

«Ну разумеется, — недоуменно кивнул Калабаров. — Если Библия в своей основе — это история еврейского народа, то кто, спрашивается, мог еще ее написать?»

«И какие же это имена?»

«Пашка да Венька. Захар да Михаил. Иван да Марья. Ну и еще миллион».

Его слова произвели на майора самое неприятное впечатление. Он совсем закаменел и спросил сипло: «Ты что ж это хочешь сказать? Что Иван — еврейское имя?»

«Еврейского происхождения», — поправил Калабаров.

«Мое имя — еврейское?!» — бушевал майор, стуча по столу воблой.

В итоге Калабаров был вынужден отбиваться кружкой и, по его словам, если б не лагерные уроки, пришлось бы туго.

Вот из какой истории родилось мое имя.

«Еврейского в тебе ровно столько же, сколько во мне, — рассуждал Калабаров. — Но назло глупым антисемитам нарекаю тебя Соломоном Богдановичем. Да сольются в тебе два духа народных, и будешь ты, по сравнению с теми, в ком один, умнее вдвое!..»

ИЗ ЖИЗНИ ОДНОГЛАВОГО

* * *

— Вот уж нашли, — покачал головой директор. — Ерунда какая-то! Могли бы Зорькой, например. Или, скажем, Звездочкой...

— Это же птичка, а не лошадь, — кокетливо урезонила его Катя, перебирая ключи. — И как же Звездочкой, когда это мужчина? Пожалуйста, Виктор Сергеевич. Вот ваш кабинет.

— Богадельней попахивает, — заметил Милосадов, поводя носом. — Ничего, мы эту казенщину поправим... Вы, Катя, вот что. Обегите всех. Надо же и дело начинать. В половине пятого общее собрание трудового коллектива. Подождите, а попугай-то ваш...

— Соломон Богданыч, — уточнила Зонтикова.

— Вот-вот, Богданыч... Ему в кабинет можно?

— А как же! — удивилась она. — Тут его самое место было. Когда с Юрием Петровичем случилось, после похорон кое-какие вещи жена с дочкой забрали: пепельницу, старую трубку, книги, бумаги, еще что-то по мелочи. Хотели и Соломон Богданыча увезти, но мы...

— Да, да, — нетерпеливо оборвал Милосадов. — Молодцы. Но куда ж он здесь, простите... как бы точнее выразиться...

И пошевелил пальцами, подыскивая подходящее слово.

Однако Зонтикова уже поняла суть вопроса и рассказала ему про Ficus altissima.

— Ишь ты! — удивился Милосадов. — Какой разумник.

— Прежде у Соломон Богданыча еще подружка была, — щебетала Зонтикова. — Сколько лет не разлей вода! Бывало, сядут друг против друга на стеллаж — уж и тю-тю-тю, и сю-сю-сю, и головками прижимаются, и целуются, и перышки друг другу чистят. А года три назад недоглядели. Калабаров зашел в кабинет — и прикрыл дверь. Не слышал, что Лидушка за ним во весь дух мчится. Ну и не успела отвернуть — со всего разлета об филенку.

— И что?

— Да что, — вздохнула Зонтикова. — Они ведь нежные. В руки возьмешь — господи, в чем душа-то держится. Что им надо: чуть стукнулась, и готово.

— Елки-палки! — сказал Милосадов. — Что ж такое у вас: куда ни сунешься, всюду покойники.

Катя Зонтикова развела руками и вышла, напоследок с улыбкой оглянувшись.

* * *

Ровно в половине пятого Милосадов вошел в читальный зал, где, по его разумению, должен был собраться коллектив вверенного ему учреждения.

Он еще не знал, но на самом деле общие собрания происходили в другом помещении: чтобы неизбежный шум-гам не препятствовал отважным читателям бороздить книжные моря; а комната хоть и меньше зала, но все прекрасно рассаживались.

Каково же было удивление Виктора Сергеевича, обнаружившего зал почти пустым: только за одним из столов сидела девушка над книгой.

— Что за безобразие! — громко сказал Милосадов. — Где же остальные?

Девушка подняла на него взгляд карих глаз и ответила растерянно:

— Я не знаю.

— Ах, вы не знаете! — иронично воскликнул Милосадов. — Фамилия!

— Полевых, — пролепетала девушка. — Светлана Полевых. Но я...

— Немедленно пригласите всех работников библиотеки! — отчеканил Милосадов. — Я не потерплю такого разгильдяйства. Сказано в половине пятого, значит, в половине пятого — и ни минутой позже!

Но когда она поднялась, прижимая к груди руки и испуганно на него глядя, Милосадов переспросил совсем другим тоном:

— Как, вы сказали, вас зовут?..

И смотрел вслед, пока она поспешно выходила со своим неожиданным для нее поручением.

4

Я проснулся под утро — с тем тревожным чувством, что возникает, если не можешь понять причин своего пробуждения.

Было темно, только в щель между неплотно задернутыми шторами проникал фонарный свет, оставляя на стене что-то вроде известкового потека.

Легкий гул — это машины шумят на Третьем кольце. Шелест — листва двух тополей под окном. Какой-то едва слышный звон, легкое потрескивание — они всегда обнаружатся, если напрячь слух в пустой комнате.

И вдруг:

— Кхе-кхе!

Я чуть не свалился с жердочки: в кресле сидел Калабаров.

— Соломон Богданович, бога ради, если пугаетесь, то будьте добры, не так театрально, — сказал он со снисходительным смешком. — Это всего лишь я.

— Да, — пролепетал я. — Но...

— Тихо, тихо! — оборвал он. — Не стоит хлопать крыльями. Не хочу вас обидеть, однако мне более или менее известно, что вы собираетесь сказать. Дескать, своими глазами видели, как в могилу сыпалась земля. Верно?

Вообще-то в этой, мягко говоря, экстраординарной ситуации угадать было нетрудно. Я пожал плечами и буркнул:

— Очень надо.

— Не обижайтесь, я понимаю ваши чувства, — ядовито сказал он. — Люди тратят массу времени, чтобы в стотысячный раз жарко потолковать о том, что всем известно. В то время как я, бесчувственный человек, не позволяю вам высказаться насчет того, что не известно никому.

— Ох, Юрий Петрович! — ответил я с укором. — Вам бы все язвить. Уже и удивиться нельзя. Сами посудите: ведь не каждый день такое.

— Это вам только кажется, что не каждый день, — загадочно сказал он. — Ладно, что мы о глупостях... Расскажите-ка лучше, как тут у вас.

— Да как у нас... — Я вздохнул. — Помните, песенку напевали?

— Я разные напевал...

— Одну из неприличных: «Но встретились ей мальчики, лихие атаманчики...»

— «И жизнь ее по-новому пошла», — хмуро закончил Калабаров.

— Именно. Вот и у нас примерно так же.

— А что? Милосадов чудит?

— Вы и фамилию знаете?

— Я теперь, Соломон Богданович, много чего знаю такого, что и не снилось вашим мудрецам, — усмехнулся он.

— И про телевизор знаете?

— Про телевизор? Что нового можно знать про телевизор? Этому изобретению сто лет в обед.

— Нового ничего, — ответил я, решив взять такой же тон: иронический и холодный. — Но всем известное старое прежде к нам было неприменимо.

— В каком смысле?

— В таком, что у вас в кабинете телевизора не было. А теперь Милосадов сделал ремонт, поменял мебель. Шелковые обои, диван, мягкие кресла. Бар черного дерева. Не кабинет, а прямо-таки будуарчик. Если не хуже. И плазменную панель повесил — восемь на семь. Вот она целыми днями и орет как бешеная.

— А на каком канале? — поинтересовался Калабаров.

— На первом.

— Странно...

— Что странно?

— Что па первом.

— Почему?

— Ему же вставать приходится поминутно.

Я молчал, размышляя о том, что, вероятно, законы нашего мира не вполне применимы к миру загробному. Равно как и наоборот. Очень может быть, что чувство юмора, блестящее там, здесь может показаться довольно тусклым.

— Он же полковник, — с усмешкой пояснил Калабаров. — И если на экране президент, полковник должен встать и вытянуться во фрунт: ведь бывших разведчиков не бывает. Или, по-вашему, не должен?

— Полковник? — оторопело переспросил я.

— Полковник, — повторил Калабаров. — Старый службист. Карьеру сделал в Управлении по кадрам.

— По кадрам?.. — опять, как попка, отозвался я.

— Соломон Богданович, что с вами? Плохо слышите? Да, по кадрам. С одной стороны, работка невидная, канцелярская, с другой — верой и правдой от звонка до звонка. Ныне вышел в отставку и брошен на гуманитарный фронт. С весьма возможными продолжениями, — Калабаров всмотрелся в меня и сказал: — Да ладно вам. Мало ли кругом полковников...

— С какими продолжениями? — спросил я.

— Административно-финансового характера, — скучно пояснил он.

— А именно?

— Этого я сказать не могу. — Он сделал губами что-то вроде «пупс». — Это, к сожалению, дело будущего. А дела будущего, они... гм...

Тут и вовсе закашлялся, поднес кулак ко рту, пожал плечами и вообще сделал все, чтобы я понял: говорить о будущем он решительно отказывается.

— То есть вам запрещают, — сделал я вывод.

Он поморщился.

— Да не то чтобы запрещают... Но поймите, Соломон Богданович, есть некоторые понятия об этике... вот они-то и препятствуют. И потом, вообразите: если все мы оттуда начнем трендеть вам в оба уха о будущем, знаете что тут начнется?

Я помолчал, взвешивая его слова.

— Ну хорошо... А сами-то вы как?

— Да как сказать... Нормально.

— Понятно.

Он поморщился.

— Вы не обижайтесь... Трудно мне рассказать. Даже намекнуть трудно. О таких вещах речь, что...

За окном дворничиха изо всей силы шмякнула пустым ведром по мусорному баку, я вздрогнул и невольно обернулся к светлеющему проему.

А когда через мгновение перевел взгляд обратно, Калабарова уже не было.

* * *

Большую часть дня я провел под впечатлением нашей встречи: то и дело возвращался к ней, ища в словах Калабарова тайный смысл и пытаясь разгадать щедро рассыпанные загадки.

Должно быть, отрешенность была заметна: за обедом Плотникова обратила внимание на мое состояние и брякнула во всеуслышание:

— Чтой-то Соломон Богданыч сёдни какой-то трехнутый.

Женщины отнеслись к ее замечанию безразлично, если не считать Натальи Павловны, которая, являясь моей шефиней и приняв, вероятно, ее слова в некоторой мере на свой счет, неожиданно резко возразила, заявив, что это и неудивительно: после всего случившегося состояние задумчивости и ее саму посещает довольно часто. И что события последнего времени любого человека способны побудить к глубоким размышлениям. И что, дескать, только пустые, бессодержательные люди, заменяющие религиозность, то есть напряженный и неустанный поиск Абсолюта, бездумным отправлением того или иного культа или даже, чего доброго...

Тут она с усилием остановилась, сделав такое движение горлом, будто проглотила слишком большой кусок, едва при этом не подавившись; после чего закончила более или менее миролюбиво:

— Могут усмотреть в этом что-либо странное.

Понятно, что финальная попытка примиренчества не могла никого обмануть и, судя по тому, как Плотникова поставила чашку, отложила дармовую сушку и уперла в бок левую руку, подготавливая возможность гневно протянуть правую, она собиралась немедленно ответить на это ничем не мотивированное и неожиданное оскорбление.

Тогда я, чувствуя определенную ответственность — ведь, как ни крути, снова из-за меня вот-вот грозил разгореться сыр-бор, — пару раз оглушительно гаркнул, чтобы разрядить обстановку, и шумно встряхнулся, норовя при этом выметнуть из клетки как можно больше пуха и трухи.

Все принялись ворчать и отряхиваться, Плотникова потеряла интерес к наметившейся теме, и разговор перешел на что-то другое.

Ближе к вечеру я переместился в кабинет директора.

Милосадов встретил мое появление довольно приветливо. Он разбирался с какими-то бумагами, не имевшими, как я понял, никакого отношения ни к библиотечной, ни, говоря шире, культурной деятельности, и время от времени рассеянно обращался ко мне, называя при этом исключительно по отчеству — Богданычем: «Вот так, Богданыч... Что скажешь, Богданыч?.. Такие дела, Богданыч...»

Плазменная панель беспрестанно вещала глупости или, пуще того, громыхала какой-то разухабистой музычкой. Судя по всему, Милосадову она совершенно не мешала, а я изнывал, как от зубной боли. Лучше всего было бы заткнуть уши или вовсе убраться из кабинета подобру-поздорову: но ни того ни другого я сделать не мог, потому что теперь, услышав все то, что, хоть отчасти и загадочно, поведал мне Калабаров, я поставил себе задачей понять, чем занят Милосадов.

Материала хватало, подслушать можно было много чего: то и дело звонил телефон, а когда молчал, Милосадов сам набирал номера, извлекаемые из пухлого, на кожаной застежке, ежедневника.

Все разговоры начинались одинаково бодро, с преувеличенной живостью, которая, вероятно, должна была означать приветливость. Собеседников Милосадов, как правило, тоже звал по отчеству: «Здорово, Михалыч! Как сам-то, Петрович? Да ладно тебе, Никодимыч, какие наши годы!..» Все они в моем воображении представали седоватыми крепкими мужиками с военной выправкой и здоровым румянцем на гладких щеках.

Воды в ступе не толкли, турусов на колесах не разводили: обменявшись парой-другой приветственных фраз, переходили к конкретике.

Тематика представлялась чрезвычайно обширной, а схватить суть дела, вокруг которого все это должно было вертеться, мне не удавалось. Временами возникало впечатление, что на повестку дня выходят вопросы искусства или, по крайней мере, архитектуры, и тогда я встрепетывался, предполагая принять посильное участие в обсуждении. Но следующие фразы сворачивали разговор на малопонятное: ассортименты, коэффициенты, фокус-группы и черт знает что еще. Зачастую разговор становился и вовсе не пролазным, увязал в дебрях не то законотворчества, не то администрирования: подробно рассуждали о документах, необходимых не то для ввода чего-то куда-то, не то, напротив, для вывода откуда-то бог весть чего, — и я окончательно скисал, с отчаянием понимая, что мое прилежное подслушивание и попытки проникнуть в существо деятельности, которой занят Милосадов, не могут дать никакого толку, поскольку в оглашаемых предметах я, увы, не смыслю ни аза.

А Милосадов, равно как и его собеседник на другом конце провода, судя по крепким и осмысленным репликам, чувствовал себя в сих загадочных сферах не хуже, чем гуппи в библиотечном аквариуме, когда туда наливают свежую воду.

Положив трубку, он поднимал взгляд и говорил мне веско и весело:

— Вот так, Богданыч, вот так. Два удара — восемь дырок.

Только в одном случае я более или менее вник в проблематику, но этот разговор резко отличался от прочих и погоды не делал.

Позвонила женщина. Пока обменивались незначащими фразами, голос Милосадова временами несколько умасливался, из чего я сделал вывод, что собеседников связывают не только деловые, но и какие-то личные отношения.

Перейдя к делу, она пожаловалась на директора ресторана «Мангал»: ей нужно заказать банкет, а он ломит несусветные цены.

— Прямо уж несусветные? — покивал Милосадов. — Откуда же он берет такие цены?

— Ну откуда! — ответила она. — Из меню, откуда ж еще.

— Без скидки? — уточнил он.

— Почему это без скидки? — обиделась женщина. — Двадцать пять процентов за массовость.

Милосадов крякнул и посмотрел на меня, подняв брови. Судя по всему, он не совсем понимал, чего она от него хочет. Мне тоже это показалось странным: четверть уже уступили, чего ж еще? — и я едва не пожал плечами в ответ, но вовремя сдержался.

— Я хочу пятьдесят, — капризно сказала собеседница, как будто прочитав наши мысли. — Можешь позвонить ему и договориться?

— Всего пятьдесят? — изумленно-весело переспросил он. — А даром не хочешь?

— Не надо глумиться, — обиделась она. — Такими вещами не шутят, Милосадов!

— Ладно, ладно... А благоверный почему не позвонит?

— Благоверный в Канаде, — хмуро ответила женщина. — Стала бы я перед тобой унижаться...

— Что с тобой делать, Катерина, — вздохнул он. — Помяни мое слово, доведет тебя экономия до греха. Если не до ручки. А то и до баланды.

— Не болтай! — отрезала она. — Телефон пиши. Рахманов его фамилия.

Что ни говори, а собранности Милосадова можно было позавидовать: он не стал откладывать дела в долгий ящик и тут же набрал номер.

— Рахманова, — хмуро и даже угрожающе сказал он вместо «здрасьти».

Судя по всему, ответивший был как раз искомый Рахманов.

— Милосадов, — совсем уж мрачно сообщил Милосадов. — Полковник. Сказать, каких служб или и так въехал?.. Вот и хорошо. А раз въехал, то слушай. Есть к тебе, Рахманов, небольшое дельце. Гримасникову знаешь?.. Ты не крути, Рахманов. Как же не знаешь, когда она у тебя банкет заказывает?.. То-то же. Сделаешь ей пятидесятипроцентную скидку... Я же сказал тебе русским языком: Милосадов!.. Подъехать? Слушай, Рахманов, не дури. Я смотрю, ты на свою черную жопу приключений ищешь. Если подъеду, тебе же хуже... Как почему? Потому что мне бесплатно разъезжать некогда, мой приезд тебе в штуку баксов обойдется... Факсом удостоверение? Да не смеши ты меня, Рахманов. Но как хочешь. Факсом могу. Это и дешевле выйдет — пятьсот. Бабки до конца дня привезешь... И так веришь? Ну вот видишь. Правильно. Верить надо людям, верить. Если люди друг другу верить не будут, Земля остановится. Факс у тебя, стало быть, есть. Вот и воспользуйся: когда Гримасниковой счет выпишешь, мне копию отправишь. Смотри не забудь. Писать умеешь или тебя только счету учили? Отлично. Тогда запиши номер...

Затем перезвонил ей и сказал:

— Катерина? Я договорился, можешь ехать. Да посчитай все как следует. Доверяй, но проверяй, сама знаешь. Всех благ.

А положив трубку, снова подмигнул мне:

— Такие дела, Богданыч, такие дела. Восемь сбоку — ваших нет.

Честно сказать, я не мог ему ответить, потому что был охвачен неприятной оторопью. Даже, можно сказать, пребывал в остолбенении.

ИЗ ЖИЗНИ ОДНОГЛАВОГО

* * *

Потом Милосадов снова кому-то названивал, и ему трезвонили, и без конца они тределали как заведенные, толкуя рублеными мужицкими фразами о чем-то важном, а я, как и прежде, мучился, что даже на гулькин хвост не разбираю дела. Ну и известная вещь: если понимаешь, становится все интереснее, а если болван болваном ушами хлопаешь, такая отчаянная скука берет, просто сил нет.

Вот и мне становилось все скучнее. Я силился побороть сон, прятал раздираемый зевотой клюв в крыло, изо всех сил пялился на Милосадова, то и дело моргал, — но в конце концов все ж задремал на своей жердочке.

Буквально на минутку задремал. Ну или уснул на какие-нибудь полчасика.

И мне приснилась Лидушка. Как я был этому рад! Будто летаем мы с ней бок о бок в каком-то саду. Кругом цветы, плоды на ветках, мелкие птахи заливаются, бабочки порхают, солнышко лучится сквозь листву... ну прямо библейская благодать. И она у меня спрашивает: «Соломон Богданович, скучаешь ли ты без меня?» Я отвечаю — да с таким сердцем, что слезы на глаза наворачиваются: «Скучаю, Лидушка, конечно же, скучаю, как мне по тебе не скучать». А она почему-то в ответ: «Ну и скучай, так тебе и надо». И вдруг со смехом срывается с ветки: все выше, выше — и растворяется в облаке, а я опять остаюсь один...

Странный сон, но я и такому был рад. Я редко вижу ее во сне. Сны ведь не закажешь, верно? Если б можно было заказывать, так меня от того прилавка силой бы не оторвали: «Лидушку, пожалуйста!.. Еще раз, будьте добры!..»

Ничего подобного. Я порой специально о ней целыми днями думаю, надеюсь, что мои мысли и в сон пролезут. Ведь не зря ученые говорят, что человек своими осознанными мыслями только подсознание загружает, а потом, когда отвлекается или даже засыпает, оно уж само работает и решает за него поставленную задачу... А на деле как? Думаешь о ней целый день, надеешься потом и во сне увидеть — бац! — а приснилась тебе вовсе не Лидушка, а какая-нибудь унылая чертовня: про то, например, как перед библиотекой асфальт кладут: рев, чад, катки ездят, таджики в оранжевых жилетах лопатами машут... Зачем мне эти таджики? Какую задачу решило таким образом мое подсознание?.. У Калабарова был один приятель-художник, приносил время от времени свои странные картины, благо они в портфель помещались. Одна называлась «Тадж-махал» и полностью отвечала своему названию: на ней таджик махал метлой. А другая — «Туркменмаши»: тоже с метлой, но, как и следовало из названия, это был туркмен.

Это я к тому, что в итоге этим снам только диву даешься: ничего осознанного.

А после Лидушки — Калабаров. И если Лидушка явилась в моем кратком сне хоть и загадочно, хоть и с непонятной насмешкой, но все-таки приветливо, то Калабаров, напротив, неожиданно мрачно и даже угрожающе. Или, точнее, предостерегающе.

Будто оказываемся мы с ним в кабинете — кабинет старый, без кожаного дивана и проклятой плазменной панели. Калабаров сидит в кресле, опустив голову. «Что же вы молчите, Юрий Петрович?» — говорю я.

А он отвечает: «Что толку говорить, Соломон Богданович, если за финансовыми потоками следите не вы». Я озадачен. Задаю следующий вопрос: «А кто же следит за финансовыми потоками?». Калабаров поднимает на меня взор и отвечает с горькой усмешкой: «Милосадов!» Меня пробирает дрожь, я все понимаю (ведь во сне то и дело кажется, что все понял, потом проснешься — нет ничего). «Ну и пусть, — говорю я. — Что вы меня пугаете, нам-то какое дело? Нам главное, чтобы библиотека была, а там хоть трава не расти. Нас никакие финансовые потоки не касаются, сами знаете». А Калабаров откидывается в кресле и мрачно смеется: «Ха-ха-ха!..» А потом вдруг и говорит: «Ну, как хотите. Мое дело предупредить. Я сколько сил положил, чтобы библиотека сохранилась... Теперь уж сами».

Проснулся я в полном очумении. Мало того, что ночью явился, так еще и средь бела дня пригрезился!..

В общем, я бы еще долго крутил спросонья растревоженной своей головой, если б наконец не осознал, что Милосадова в кабинете нет.

Кроме того, я чувствовал настоятельную потребность порхнуть под стыдливые ветви Ficus altissima.

В общем, кое-как пригладил перышки и помчался на розыски.

* * *

Не знаю, с чего начались их отношения, но когда в начале седьмого я оказался в читальном зале, мне показалось, что они, эти отношения, успели далеко продвинуться.

Милосадов сидел на столе, обхватив левое колено ладонями (что само по себе представляло собой картину не вполне заурядную для того, по выражению Махрушкиной, капища разума, каким, несомненно, является читальный зал), и вид у него был столь же залихватский, сколь и романтический.

Стол соседствовал — через проход — с тем, за которым расположилась Светлана Полевых.

Она отодвинула книгу и смотрела на директора библиотеки со вполне объяснимым выражением уважения к должности и возрасту — все-таки он был раза в два, как минимум, старше. Кроме того, время от времени по лицу пробегала тень того чисто женского лукавства, что так легко принимается мужчинами за увлеченность. Думаю, это выражение являлось на ее милом лице совершенно неосознанно, даже, можно сказать, инстинктивно. Но если бы вдобавок на щеках играл легкий румянец и она часто взмахивала густыми ресницами, я бы поклялся, что речи Милосадова попадают точно в цель — в качестве каковой, судя по всему, директор выбрал юное сердце Светланы Полевых.

— Видите ли, Светочка, — говорил он проникновенно и покровительственно, — бывают такие минуты. Бывают. Когда, например, лежишь на вершине бархана с пистолетом бесшумного боя в руке. И знаешь, что скоро появится вражеский караван. Силуэты верблюдов заслонят вечные звезды. Начнется битва. И еще неизвестно, чем она кончится. Может быть, жестокий враг будет повержен. Или, наоборот, с первыми лучами солнца черепахи и змеи сползутся к твоему холодному трупу... В такие минуты в сердце начинает биться мелодия, губы сами складывают слова.

Он наклонился к ней и действительно негромко, довольно верно и мелодично запел приятным баритоном:

ИЗ ЖИЗНИ ОДНОГЛАВОГО

> Забота у нас простая,
> Забота наша такая...

Светлана Полевых слушала его. По губам скользила смущенная улыбка.

> Жила бы страна родная,—
> И нету других забот.

— Да, вот так, Светлана, — сказал Милосадов, обрывая себя и вновь переходя на презренную прозу. — Поверите ли, в такие мгновения вся твоя жизнь озаряется новым светом. Невольно вспоминаешь этапы большого пути. Был ли ты честен? — был. Не предавал ли ты своих отважных товарищей, готовых разделить с тобой всю тяжесть сражения? — нет, не предавал. Проявлял ли ты образцы храбрости и мужества? — еще как. Заслуживал ли одобрение начальства? — конечно, и много раз. Имеешь ли поощрения и награды? — так точно. А встречалась ли в твоей жизни настоящая любовь?

Милосадов горько усмехнулся и, опустив голову, вздохнул.

И снова невесело запел:

> И так же, как в жизни каждый,
> Любовь ты встретишь однажды...

Замолчал, не поднимая взгляда и как будто размышляя над чем-то очень важным.

— Это ваша песня? — тихо спросила Светлана Полевых.

— Моя, — стыдливо признался Милосадов.

Я чуть не упал с жердочки. Ничего себе! Даже желторотым птенцам известно, что это «Песня о тревожной молодости» Пахмутовой на стихи Ошанина. А он глазом не моргнув говорит, что его.

Светлана Полевых покивала с загадочно-мечтательной улыбкой и сказала:

— Здорово... Наверное, вы много написали?

— Достаточно, — сдержанно отозвался Милосадов.

— И, должно быть, все песни такие хорошие?

Милосадов насторожился.

— Что вы имеете в виду? — вкрадчиво спросил он.

— «В лесу родилась елочка...» — тоже ваша?

Я чуть не захлопал крыльями от восторга.

Светлана продолжала чарующе улыбаться. Не знаю, какой оборот получили бы события, но в эту минуту в зал заглянул Петя Серебров.

— Здравствуйте, Виктор Сергеевич, — сказал он. — Мы собрались.

— Отлично! — весело и живо ответил Милосадов, резко поворачиваясь к нему. Появление Пети он расценил как счастливую соломинку, за которую тут же схватился. При этом я буквально видел, как под костями его черепа шевелятся извилины: схватиться-то схватился, но, похоже, не мог сообразить, кто ему протянул эту соломинку и чего он хочет. Однако, как всегда, нашел вопрос, ответ на который, сам по себе не имеющий никакого значения, помог бы определить собственное место в происходящем: — Давно?

— Зачем давно? — удивленно переспросил Серебров. — Семинар же в семь?

— Ну, разумеется, в семь, — сказал Милосадов, овладевая ситуацией. — То есть все готовы?

— Готовы, — кивнул Серебров. — Одиннадцать поэтов. Есть, правда, пара-другая прозаиков. Но Калабаров не возражал — они тоже иногда пишут стихи.

Физиономия Милосадова окончательно просветлела.

— Светлана, вы ведь тоже любите поэзию? — спросил он как ни в чем не бывало. — Приглашаю вас на поэтический семинар.

Между тем Светлана Полевых во все глаза смотрела на долговязого поэта Сереброва, и разрази меня гром, если в это мгновение мне не почудился какой-то мелодичный звон — как будто кто-то невзначай коснулся серебряного колокольчика.

* * *

Расселись там же, где всегда, — в маленьком зале. Почти всех я знал. Валерий Малышев, Оля Клочкова, Аркаша Бингус, Николай Дворак, Вася Складочников, Вероника Ртищева... Был и незнакомец — круглощекий юноша в замшевой куртке, с папочкой в одной руке и авторучкой в другой, что делало его похожим на продавца канцтоваров.

— Здравствуйте, здравствуйте, — сказал Милосадов, садясь. — Думаю, мне следует сказать несколько слов о себе. Милосадов Виктор Сергеевич. Кандидат филологии. — Я буквально подпрыгнул от возмущения, но все-таки решил дождаться завершения этой лживой речи. — Стихи пишу, разумеется... Какой русский интеллигент не пишет стихи? Это же просто смешно, если интеллигент не пишет стихи.

Серебров и Бингус недоуменно переглянулись: должно быть, оба ждали родительного падежа. Но не дождались.

— Если интеллигент не пишет стихи, это вообще не интеллигент, — заключил Милосадов, хмурясь. — Ну и хватит пока, давайте к делу. Как вы строили работу?

— Вообще-то должны были Витю Бакланова обсуждать, — сказал Петя. — А тут такое... Но мы приготовились. Оппоненты рукопись прочли, да и так она по рукам походила. Ты сколько экземпляров раздал? — спросил он, поворачиваясь к Бакланову.

— Шесть... или семь даже, не помню, — ответил Бакланов тем низким и глухим голосом, какой обычно называют замогильным. — Навалом было экземпляров, всем хватило.

— Все прочли? — уточнил Петя, озираясь.

— Все! — загалдели семинаристы.

Светлана Полевых, нашедшая себе местечко на стуле у двери, заинтересованно озиралась. Я отметил, что Милосадову ее интерес явно не нравился — он недовольно сморщился и отвернулся.

— Так вот я и говорю, — сказал Петя, обращаясь к Милосадову. — Может быть, так и сделаем? Обсудим Бакланова, если уж собирались... Только знаете что. — Он сутуло поднялся во весь свой немалый рост. — Давайте сначала почтим память Юрия Петровича Калабарова. И пусть наш семинар будет ему памятником.

Загремели стулья, семинаристы поднялись, опустив головы. Встал и Милосадов. Было слышно, как тренькает под потолком люминесцентная лампа.

— Вечная ему память, — сказал Петя Серебров. — Прошу садиться...

Сели.

— Ну хорошо, — пожал плечами Милосадов. — А в какой форме вы проводите обсуждения? Я в каких только семинарах ни участвовал — и у всех, знаете ли, по-своему.

— У нас просто, — начал разъяснять Петя. — Сначала автор говорит два слова о себе и читает корпус (я заметил, что у Милосадова дрогнули брови; но, как всегда, не подал виду, что поплыл). Потом выступают оппоненты. Их два. Они самым внимательным образом изучили корпус представленных стихотворений (Милосадов снова двинул бровями: поймал, стало быть, смысл незнакомого прежде слова и теперь уж покатит его направо-налево, не остановишь). Излагают свои позиции. После этого семинаристы высказываются. Кое-кто ведь, если не удалось помолоть языком, считает день потраченным впустую...

— Ты сам поговорить мастак, — обиженно сказал златоуст Фима Крокус, признав тем самым, что камушек летел в его огород.

— Ладно, ладно, какие счеты... В общем, обычно у нас все хотят сказать. Потом руководитель — вы то есть — подводит итог. А уж самым последним слово опять получает автор. — Петя взглянул на угрюмо глядящего в пол Бакланова и решил для верности разъяснить: — Уже не читать, конечно, а просто чтобы поблагодарить за внимание. Реверансы всякие сделать... а никого ни в коем случае не ругать и правоту свою поэтическую не отстаивать... Да, Витюш?

— Да, — утробно продудел Бакланов.

— Ну что ж, — покивал Милосадов. — Тогда прошу.

Бакланов вышел на середину.

— О себе... да что о себе, все обо мне знают...
Однажды в поезде ехал... мужик один. Как, говорит,
фамилия. Я говорю: Бакланов. Поэт? Да, отвечаю, поэт. Он чуть с полки не упал. Зарылся в подушку, всю
дорогу причитал: «Сам Бакланов! Сам Бакланов!..»
В общем, о себе мне говорить — только время тратить.
Лучше читать буду...

И стал читать.

Невысокого роста, сутулый, он смотрел исподлобья,
что в сочетании с кривым вислым носом оставляло довольно мрачное впечатление. При завершениях строк
Бакланов производил неприятные громкие завывания
наподобие волчьих и вращал глазами, а многие звуки
вылетали из него скорее чавкающими, нежели шипящими. Вдобавок он то и дело совершал неожиданные
и резкие жесты, каждый из которых вызывал тревожные мысли насчет того, не вопьется ли он сейчас крючковатыми пальцами в горло кому-нибудь из ценителей
поэзии, слушавших его с явной опаской.

Я хорошо помнил эффект, неизменно производимый
его стихотворением «Змеи». Речь в пиесе шла насчет
того, что лирический герой, предаваясь в весеннем лесу
мечтаниям любви, едва не свалился в яму с гадюками. Сила искусства поэта Бакланова была такова, что
всякий раз какой-нибудь девушке становилось плохо.

В этот раз все обошлось, только Светлана Полевых,
я видел, несколько позеленела и стала обмахиваться
ладошкой.

В заключение поэт Бакланов прочел «Стихи о клинической смерти». Мне запомнились строки «Ты не
взяла меня, косая!» и «Твои фальшивые туннели!..».

Когда чтение завершилось, слово перешло к первому оппоненту. Это был Фима Крокус, и на протяжении его речи я сполна получил то удовольствие, к которому заранее приготовился.

Не говоря худого слова, Фима Крокус выявил в представленных опусах массу неисправимых пороков и подверг резкой критике всю художественную систему автора. Скрупулезному и жесткому разбору подверглись как принципы построения стихотворений в целом, так и отдельные их художественные составляющие. Качество рифмовки было признано совершенно неудовлетворительным, сравнения — натянутыми. Приличный эпитет, как заявил оппонент Фима, в стихах Бакланова и не ночевал. Кажется, то же самое он был готов высказать и обо всех прочих тропах, независимо от того, использовал их поэт Бакланов или нет.

Единственным, на его взгляд, отрадным исключением являлось стихотворение, в котором автор описывал обстоятельства пережитой им некогда клинической смерти. Фима Крокус счел необходимым отметить, что и здесь можно обнаружить отдельные недостатки, однако разбирать их значило бы заниматься пустыми придирками, ибо ни один из имеющихся огрехов не может повредить высокой правдивости, коей текст дышит от начала до конца. Несомненным доказательством этого, на его взгляд, являлся тот факт, что когда он сам переживал клиническую смерть, то видел точь-в-точь то же самое.

Фима поблагодарил слушателей за внимание и сел.

Поднялся Вася Складочников.

— Говорить о поэзии трудно! — воскликнул он. — Но это не значит, что о ней нужно говорить одни только глупости!..

В целом его высказывание носило характер, принципиально отличный от речи предыдущего оратора.

Андрей ВОЛОС

Вася отметил композиционные завоевания поэта Бакланова, тем более значительные, что они стоят на базе свежего взгляда и душевной чуткости, и заявил, что, с одной стороны, их поддерживает богатство и даже роскошь образной системы, с другой — виртуозное использование рифмы (часто составной, а в некоторых случаях каламбурной). Не желая показаться голословным, оппонент привел многочисленные примеры как первого, так и второго. Завершая речь, Вася Складочников посулил поэту Бакланову мощное развитие его несомненного дарования, обещавшего в ближайшее время вывести автора в ряд крупнейших величин мировой поэзии, а также выразил твердую уверенность, что его произведения ждет ракетный взлет популярности и издательского интереса.

Не обошлось, конечно, и без капли дегтя. Ею стало исследование стихотворения, посвященного клинической смерти. Подробно разобрав вещицу, оппонент заключил, что свойственная автору мастеровитость достойна не только одобрения, но и самых горячих похвал. Однако при всей формальной виртуозности стишок все же грешит неточностями и даже откровенным враньем, о чем он вправе судить как человек, которого в свое время клиническая смерть тоже не обошла стороной.

Последовавшие далее высказывания простых семинаристов обнаружили, что аудитория разделилась примерно поровну. Все ораторы, с большим или меньшим вниманием пройдясь по творчеству автора, обращали затем внимание на стихотворение о клинической смерти. Но одни полагали сей труд главным завоеванием поэта и не находили похвал, достойных его правдивости, поскольку на собственном опыте знали, что при клинической смерти все происходит именно так. Другие же, во всем второстепенном зачастую не расходясь с первыми, гневно осуждали стихотворение как образец безответственной фальши: увы, их личный опыт показывал, что во время клинической смерти все происходит совершенно иначе.

Сел последний выступавший.

Петя вопросительно посмотрел на Милосадова.

— Гм, — произнес Милосадов. — Что ж. Мы выслушали чрезвычайно интересные мнения. Так сказать, весь спектр. Ораторы верно отметили несомненные достоинства, в полной мере присущие творчеству поэта Бакланова. С другой стороны, многие из них справедливо указали на очевидные недостатки, пока еще свойственные отдельным его произведениям. Подводя черту, нужно сказать, что все мы уверены в том, что поэт Бакланов находится в начале своего пути и сумеет указанные недостатки побороть... Вот в таком, собственно говоря, разрезе.

— Виктор Сергеевич, а про последнее стихотворение вы что думаете? — спросил Петя.

— Про последнее? Ну, знаете... Я смотрю, оно вызвало в среде семинаристов прямо-таки раскол. Но советовал бы воздержаться от скоропалительных выводов. Лично я переживал клиническую смерть дважды: в первый раз все выглядело именно так, как описывает автор, а во второй — совершенно иначе.

Повисло молчание. Мне оно показалось несколько испуганным.

— Имеет ли поэт Бакланов что-либо сказать высокому суду? — едва не прыснув, торжественно спросил Серебров.

— Да что я, — снова сгорбился Бакланов, упершись руками в спинку впереди стоящего стула. — Спасибо, что ж... о себе мне говорить без толку... Змеи весной — они у-у-у!.. Постараюсь, ага, чего там.

В этот момент новичок, сидевший за Серебровым, наклонился к нему и дрожаще просвистел в ухо:

— Скажите, пожалуйста, здесь все, что ли, после клинической смерти?

Петя обернулся.

— А! — сказал он вместо ответа. — Виктор Сергеевич, у нас тут, между прочим, новенький.

— И что? — недоуменно спросил Милосадов.

— Ну как что... обычно мы просим почитать, а потом голосуем — принять в семинар или не принимать.

Верно, именно так все и происходило. Только я не упомню, чтобы кого-нибудь не принимали: всегда находился маломальский повод кинуть одинокому человеку спасательный круг.

— Представьтесь, пожалуйста, — попросил Милосадов.

— Викентий Карацупа, студент Литературного института, — сообщил новичок, несколько свысока оглядывая притихших семинаристов. — Четвертый курс, скоро на диплом.

— Карацупа? — переспросил Милосадов, как будто что-то припоминая.

— Это, короче, псевдоним. Я, короче, тему собак широко поднимаю, — сказал Карацупа. — Короче, про собак пишу. И про их, короче, пограничников. То есть, короче, наоборот... ну неважно. Вот и выбрал по тематике. А что, короче, плохо?

— Отчего же? — Милосадов пожал плечами. — Наоборот. Очень даже. И коротко. И патриотическое воспитание молодежи... Что ж, короче, почитайте что-нибудь.

Действительно, про собак оказалось много. Так много, что пограничники, тоже имевшие место, совершенно терялись на их фоне. «Ты смотришь умными глазами, // Ты лапу дружбы подаешь! — рубил Карацупа. — Пойдем с тобой за чудесами, // По жизни братство не пропьешь!» Потом было еще что-то про теплую будку (рифмовалась, надо сказать, неплохо: *побудку*) и верность присяге. Заговаривая о задушевном, автор переходил с калечного хорея прямиком на шамкающий выбитыми стопами амфибрахий. Я отключился. Вспомнилось, как вел заседания Калабаров. Память у него была удивительная. Он мог позволить себе воистину океанические блуждания по пространствам метрической речи, увлекая семинаристов в *иные области*: в области точного и звонкого высказывания. Кстати о собаках: как-то раз прочел есенинское «Собаке Качалова». Семинар замер, осмысляя услышанное, потом кто-то вздохнул: «Надо же: такое — о собаке написать!..»

— И последнее, — сказал наконец Викентий Карацупа. — Это не о собаках. Это, короче, лирическое. Вы поймете.

Стихотворение выдалось недлинное — строф пятнадцать. Последнюю я запомнил.

> Выйду на гору —
> Ширь, высота.
> Верен простору,
> Зрею места!..

Поэт замолчал.

— Слезы наворачиваются, — хрипло сказал Милосадов. — Садитесь, Карацупа. Вы приняты.

* * *

Под самый конец в зальчик заглянула Катя Зонтикова.

— Ой! — сказала она жеманно. — Виктор Сергеевич, я уж обыскалась. Вы закончили? А то там по городскому требуют. Сказали, из приемной Разбельдыева...

— Елки-палки! — воскликнул Милосадов, вскакивая. У дверей он все же запнулся, чтобы шепнуть Светлане Полевых: — Подождите меня, пожалуйста.

Я еще покрутил головой, кое на что с любопытством обратив внимание, а затем порхнул в сторону кабинета.

Что же я увидел?

Вместо того чтобы, как обычно, вольготно и похозяйски развалиться в собственном кресле, Милосадов почему-то стоял по стойке «смирно» сбоку от стола. Левую руку он вытянул и прижал к бедру, правую вскинул и согнул в локте, как будто отдавая честь. Но на самом деле напряженная ладонь не к виску топырилась знаком воинского салюта, а держала телефонную трубку.

— Есть, товарищ генерал! — твердо, как молотком по железу, говорил Милосадов. — Так точно!

До меня доносились начальственные звуки рокочущего в мембране голоса.

— Ко времени «Ч» все будет готово, товарищ генерал, — отвечал Милосадов, вытягиваясь пуще. — Слушаюсь!.. В настоящее время завершается проработка вопроса о капремонте с последующей переменой назначения строительства!.. Так точно, всем заинтересованным лицам определена степень их заинтересованности. В реальном выражении сумма составляет...

есть молчать, товарищ генерал!.. Есть держать в курсе, товарищ генерал!

В мембране заныли короткие гудки. Милосадов еще несколько секунд стоял навытяжку, а потом медленно распрямил руку и опустил трубку на рычаги так осторожно, как если бы производил разминирование.

Затем он направился в зал.

А я, разумеется, за ним.

Но спешили мы совершенно зря: зал уже опустел.

— Вы кого-то ищете, Виктор Сергеевич? — спросила Зонтикова так кокетливо, что я ожидал услышать продолжение: «Уж не меня ли?»

— На семинаре девушка сидела, читательница... книгу одну ей обещал. Где она?

— Ах, девушка! — понимающе протянула Зонтикова. — Это Светлана Полевых, что ли? Не дождетесь. — И мстительно заключила: — Она с Петей Серебровым ушла.

5

Надо сказать, сути того разговора, когда Милосадов стоял навытяжку, я, к своему огорчению, тоже совершенно не понял. Честно сказать, мне это уже стало надоедать: приходилось гнать от себя подозрения в собственной бестолковости. Ну что такое, в самом деле: слушаешь во все уши, ловишь каждое слово, все по отдельности вроде бы ясно как божий день, а станешь суммировать — загадка.

Но все же удалось уловить одну важную вещь.

Прежде у меня складывалось впечатление, что до библиотечных забот-хлопот и надобностей Милосадову дела нет никакого. Ему бы только собрания собирать, чтобы красочно высказаться: то насчет того, как высоко стоит среди других должность библиотекаря — он хранитель человеческих знаний и заботник разума и света, — то о национальной идее, то, на худой конец, о борьбе с коррупцией: яростно призывал искоренить ее в библиотечной среде начисто, а впредь не позволять даже малых ростков.

Однако в этом разговоре речь зашла, в частности, о давным-давно назревшей необходимости ремонта, и это заставило меня взглянуть на Милосадова чуть иначе: выходит дело, он все же думал о наших насущных надобностях.

Ремонт и в самом деле был нужен библиотеке как воздух, и очень скоро жизнь доказала это еще раз и с невиданной прежде убедительностью.

Первой черную весть принесла та, что всегда сует нос куда ни попадя, а потому все знает лучше всех — Плотникова.

Ее послали набрать к обеду воды в чайник — с паршивой овцы хоть шерсти клок. Вернувшись, Плотникова брякнула посудину и недовольно сообщила, что из подвала снова потягивает. И чем именно потягивает, тоже сказала, и сравнение привела, как из чего потягивает. И закончила брезгливо: «Просто хоть нос затыкай».

На это Наталья Павловна, не успевшая, как иногда ей удавалось, перебить речь Плотниковой возмущенным восклицанием, только всплеснула руками.

— Господи, Валентина Федоровна, ну что же вы говорите такое! — плачуще сказала она. — Вы о носе своем беспокоитесь, а у меня уши вянут, честное слово! Неужели нельзя культурно выразиться?

— А что, я правду говорю, — невозмутимо отозвалась Плотникова. — И как тут культурно, если прямо с ног валит!.. Выходит дело, пора Джин-Толика звать.

— Ох, — сказала Калинина. — Что толку от вашего Джин-Толика. Когда уж нам ремонт сделают?

— Дождетесь вы ремонта, как же! — мрачно сказала Коган. Похоже, у нее на языке вертелось много выражений, способных составить серьезную конкуренцию тем, что только что употребила Плотникова, но я был уверен, что в силу врожденной интеллигентности она ни одного из них себе не позволит. — И слава богу. Потому что если начнут капитально ремонтировать, так уж потом не видать нам библиотеки как своих ушей. В Бутово выселят — там и кукарекай.

Про подвал тут же забыли, разгорелся спор насчет ремонта.

Все аргументы «за» и «против» — в том числе как самые нелепые, так и вовсе не имевшие отношения к делу — я давно знал наизусть.

Действительно, ремонт был нужен. Дом строился незадолго перед Первой мировой и даже входил в какие-то списки и перечни культурных ценностей. Древностью рода мы, понятное дело, гордились, однако обшарпанные стены просили шпаклевки и краски. Просевший выщелканный паркет цепко хватал за каблуки, как-то раз сама Махрушкина чуть не въехала носом в книжную полку. Тыщу раз горевшая проводка аспидно змеилась по облупленным потолкам, в туалет и залетать было страшно: а ну как ржавый чугунный бачок грянется с верхотуры — да по голове?

Но главная беда состояла в том, что помещение располагалось на первом этаже. В подвал под нами уходили канализационные стояки всего четырехэтажного дома: верхние этажи занимали квартиры, некоторые из которых еще оставались коммуналками. Примерно раз в квартал что-то где-то засорялось. В результате происходило именно то, о чем так красочно и образно поведала сейчас Плотникова: перло изо всех дыр и заливало всклянь.

Иных средств в арсенале не было, а потому звали Джин-Толика. Это был местный сантехник — коренастый седоватый крепыш в пузырчатых лоснящихся штанах, потрепанной рабочей куртке, бейсболке на вихрастой голове и школьным портфелем в руках. Последний громыхал железом, в силу облезлости вызывал мысли о неизлечимых кожных заболеваниях и был усовершенствован с помощью обрывка брючного ремня, позволявшего вешать его на плечо.

Сделав дело, Джин-Толик получал из рук Калабарова положенную бутылку.

Редко, но все-таки время от времени он заглядывал к нам и по своей надобности. В такие разы бывал необыкновенно сумрачен. Пройдя в кабинет, принимал вежливое предложение Калабарова присесть, но от чаю решительно отказывался. Грустно кивая, принимался изливать наболевшее: по его словам, качество пакли оставляло желать много лучшего, бочата нынче никуда не годились, а уж о сгонах, с горечью говорил он, и толковать не приходится. В конце концов Калабаров, покряхтев, авансировал его двумястами граммов очищенной, и Джин-Толик уходил, сердечно благодаря и обещая ликвидировать следующее затопление в кратчайшие сроки и с отменным качеством.

Заглянул он и вскоре после похорон. Услышав, что случилось, стащил с головы бейсболку и пригорюнился.

Потом постучал кулаком по макушке и спросил: «Это, что ли?.. Нет? Тогда это, что ли?» — и трижды ударил в левую сторону груди. Услышав ответ, насупился пуще и молча удалился.

Найти его подчас бывало трудновато, но Калабаров знал способы добыть сантехника, в каких бы высях он об ту пору ни обретался. Я сам пару раз наблюдал, как Юрий Петрович собственноручно приводил Джин-Толика, доставленного со двора какими-то ханыгами, в рабочее состояние. В ход шли крепкий чай, лимон, нашатырный спирт, а сразу после нашатырного и этиловый, отпускаемый в этом случае чайными ложками...

После обеда Калинина направилась известить начальство о нависшей над библиотекой опасности. Она не обладала столь образной и яркой речью, как Плотникова, однако даже ее скупое описание произвело на директора определенное впечатление.

— Что вы говорите! — ужаснулся он. — Прямо-таки через край?

— Ну да, — сказала Калинина. — Такое однажды уже было. Джин-Толик пропал, а никто другой не может. Хорошо, Калабаров тогда из отпуска вовремя вернулся и разыскал. А то уж подступало...

— Сколько же времени прошло, пока подступило?

— Дня три, что ли, — прикинула Калинина. — Недолго. А теперь мы уж второй день Джин-Толика ищем...

— Куда звонить? — всполошился Милосадов, хватаясь за телефон.

— Не знаю. Дома трубку никто не берет. В РЭУ вообще издевательство. Я говорю: так и так, пришлите Джин-Толика. Диспетчер в ответ: фамилию скажите! Ладно, говорю, любого сантехника, только трезвого.

А она мне таким голосом! — Калинина скривилась и прогнусавила: — «Ну вы женщина ваще! Где ж я вам в одиннадцать часов трезвого сантехника возьму?!»

— Действительно, — хмыкнул Милосадов. — Ладно, дайте все-таки телефон этого вашего Джинна-Толика. Я его из бутылки-то вытащу.

* * *

Однако Джин-Толик нашелся только на исходе третьего дня, когда уже было понятно, что библиотека в самом прямом и непереносном смысле идет ко дну, и ничего доблестного в ее утонутии, в отличие, допустим, от «Варяга», отыскать невозможно.

Подвал заполнился. Теперь даже издалека было видно, как маслянисто качается зловонная жижа, время от времени пробулькивая еще более зловонными пузырями.

Персонал готовился к эвакуации. О шлюпках речи не было, поэтому оставалось только бестолково метаться, спрашивая друг у друга, что же делать. Милосадов время от времени пробегал по всем помещениям с грозным требованием прекратить панику. Я искренне радовался, что у него нет револьвера, а то бы он точно кого-нибудь пристрелил, как на «Титанике», — скорее всего, Плотникову, потому что она больше всех выла и причитала, заламывая руки. Я даже заподозрил, что где-то в стеллажах у нее запрятаны авоськи с наличностью.

Когда выдавалась более или менее спокойная минута, Милосадов в сотый или даже тысячный раз успокаивал женщин, разъясняя, что от подвала их отделяют еще две высокие ступени. Стихия может, конечно, захлестнуть туалет и подсобку, говорил он жестко. При этих словах таджикскую женщину Мехри, для которой именно подсобка была родным домом, всякий раз бросало в рыдания. Ее дружно утешали как «сколенники», так и «корточники». Я вообще стал примечать, что опасность сплотила коллектив и все стали друг к другу чуточку добрее. Мне довелось даже увидеть, как Катя Зонтикова плачет, уткнувшись в плечо Натальи Павловны, невнятно бормоча что-то о своей былой несправедливости, а та гладит ее по голове и сама всхлипывает.

Так вот, говорил Милосадов, совершенно очевидно, что всех нас спасут до того, как уровень опасности поднимется до края этих самых ступеней.

— Но надо же что-то делать! — восклицала Наталья Павловна, прикладывая ладони к вискам.

— Вот именно, — поддерживала ее Коган. — Что же мы тут, как крысы на корабле!

— Руководство делает все, что может, — хмуро говорил Милосадов, имея в виду, вероятно, как себя, так и набольшее начальство. — Даже в СМИ уже идет большая кампания по спасению библиотеки.

Я не собираюсь умалять его заслуги, он действительно много делал: когда не бегал туда-сюда в попытках навести порядок, то беспрестанно куда-то звонил и чего-то настойчиво требовал.

Что касается кампании в СМИ, то здесь его усилия несомненно приносили плоды: в этом можно было убедиться, подойдя к беспрестанно орущему в кабинете телевизору.

Каждые полчаса строгие дикторши собранно рассказывали о беде, постигшей библиотеку номер... (сам номер проговаривали невнятно — во всяком случае, я никогда не мог расслышать и убедиться, что речь идет именно о нашей). Следовал короткий репортаж о том, как доблестно сражается персонал библиотеки — мы то есть — с нахлынувшей угрозой. Страшно шумела вода, брызги заливали объектив, так что ни лиц, ни слов разобрать не удавалось — да это и понятно, поскольку никто с телевидения к нам не заглядывал.

Далее наступала очередь интервью со спасателями: давно не бритые мужественные люди в брезентовых робах устало утирали пот грязными замасленными ладонями. Было очевидно, что корреспонденты на мину-точку оторвали их от какой-то неотложной и жаркой работы. На втором плане при этом, как правило, маячили некие приземистые строения, зачастую почему-то окутанные дымом.

Картинка снова менялась. Торопливо-напряженный закадровый голос перечислял города, поселки городского типа, специализированные базы и даже полки, из которых на помощь нам спешно выступили мощные силы профильных подразделений. В подтверждение этому на экране бесконечной чередой ползли друг за другом нещадно ревевшие грузовики, оснащенные какими-то сложными механизмами, шлангами, вышками и дизелями.

Напор движения, клубы гари, окутывавшей колонны, суровые лица тех, кто гнал очередную их армаду в нашу, по словам дикторов, сторону, вселяли волнующую уверенность в том, что если стихия еще не побеждена окончательно, то остались считаные минуты до того, как она будет решительно повергнута в прах.

Не знаю, как на кого, а на меня действовало: горло сжималось, даже сердце стучало с перебоями. Досмотрев репортаж, я каждый раз летел к окну и выглядывал наружу. Однако вопреки увиденному только что своими глазами вокруг нашего здания было по-прежнему тихо: ни какого-либо движения, ни даже пары-другой единиц современной техники, если не считать «Мерседеса» Милосадова…

В общем, не знаю, чем бы кончилось дело, если бы, как я уже сказал, на исходе третьего дня дверь не раскрылась, пропустив сначала Джин-Толика, а следом какого-то прыщавого юношу в синем комбинезоне. При этом сам Джин-Толик шагал руки в карманы и насвистывая, а ученик (ибо, как я догадался, это был ученик) нес на плече портфель с инструментами, сгибаясь под его тяжестью.

— Ну чо? — весело сказал Джин-Толик. — Опять говном подавились? Пошли, Витя.

Не задавая больше никаких вопросов, он протопал к подвалу. Где прежде были ступени, теперь тяжело колыхалась смрадная поверхность нерукотворного озера.

— Вот так, Витюша, — сказал Джин-Толик, оценив обстановку и уже разуваясь. — Стояки тут слабые. (Я несколько облагораживаю его речь.) Совсем никуда стояки. Их менять надо — вот что я скажу. Давно пора. — Он аккуратно поставил брезентовые сапоги в угол, и они развесили голенища, как заяц уши. — Да ведь стояки менять — это какое дело. Это почитай что капитальный ремонт. А капитальный ремонт — это, Витюша, не прокладку вставить. Кроме того, скажу я тебе по-хорошему, здесь и перекрытия ни в пень. Деревянные перекрытия-то. Куда они? Вот я и говорю: никуда эти перекрытия.

Продолжая беспрестанно бормотать что-то насчет стояков, перекрытий и фитинга, он так же аккуратно положил поверх сапог сложенные штаны, носки, рубашку и майку, оставшись в итоге в цветастых трусах, а бейс-болку повесил на синюю лампу аварийного освещения.

— Раскрывай подсумок, Витюша! — скомандовал Джин-Толик, ежась и потирая ладонями покрывшуюся сизыми мурашками грудь. Подсумком он, как оказалось, называл портфель. — Буду говорить, так ты уж действуй немедля. А то ведь...

Не доведя мысль до конца, он опустил в жидкость правую ногу, поводил ею в надежде нащупать твердое... переступил, опустившись на одну ступеньку... а когда стало по пояс, зажал нос пальцами правой руки и без раздумий нырнул.

Я ахнул.

И все ахнули: оказалось, народу собралось прилично — стеснились у туалета.

Поверхность успокоилась было, как вдруг ее гладь расколола фыркающая голова Джин-Толика.

— На восемнадцать! — гаркнул он, хлопая руками и совершая круги.

Витюша, порывшись в разверстом портфеле, торопливо подал требуемый ключ.

Джин-Толик снова канул... и снова вынырнул.

— На двадцать два! — гулко и с хлюпаньем прозвучало следующее требование.

Витюша поспешно исполнил приказ, и Джин-Толик опять погрузился.

Теперь его долго не было. Я с тревогой взглянул на часы: дело пошло на третью минуту.

Пух!

— Тридцать шесть! — через силу выпалил Джин-Толик, жадно хватая вонючий воздух.

Ученик протянул ему огромной величины железяку, и она тут же утянула мастера на дно.

Гладь успокоилась. Время тикало мучительно медленно.

Вдруг я заметил, что уровень жижи стал понижаться.

Правда!

И как быстро!..

— Фр-р-р! Уф! Фр-р-р!

Джин-Толик вынырнул и встал на еще затопленные ступеньки.

— Уходит! Уходит! — щебетали собравшиеся. — Стекает!

Обернувшись и глядя на плоды своих рук, он устало отер лоб тыльной стороной ладони.

Поднялся выше, ступил на пол.

С него капало. Цветы на трусах то ли растворились, то ли окрасились вровень с прочей тканью.

Мастер по-собачьи встряхнулся, рассыпав веер брызг.

Ученик восхищенно смотрел на него, стараясь при этом держаться подальше.

Джин-Толик принялся прыгать на одной ноге, вытрясая из ушей.

— Дело-то простое, — бормотал он при этом. — Только знать надо, куда сунуться. А если не знать, вовек не починишь... В общем, учись, Витюша, учись. А то так и будешь, как в анекдоте, до пенсии ключи подавать.

* * *

На следующий день после того, как таджикская женщина Мехри закончила приводить в порядок подвальное помещение и дух, шедший оттуда, сменился с валящего наповал на умеренно гадкий, Милосадов провел новое собрание — как всегда, в малом зале.

Зонтикова, усаживаясь, ни с того ни с сего спросила с лукавой улыбкой:

— Виктор Сергеевич, а семинара сегодня не будет?

— А что? — настороженно поинтересовался Милосадов.

— Ах, просто вы сегодня такой поэтический, — сказала Зонтикова и прыснула.

Марина Торопова сунула подружке локтем в бок и прошептала на весь зал:

— Совсем сдурела, кошка драная?

После чего Зонтикова и вовсе закатилась, но, правда, беззвучно.

Когда расселись и успокоились, Милосадов взял слово.

— Товарищи! — сказал он. — Наш небольшой коллектив стоит перед трудным выбором. С одной стороны, библиотека — это фактически последний рубеж, и сдавать его никак нельзя. Потому что, товарищи, велика Россия, а отступать некуда — позади все самое дорогое, что у нас осталось.

Хмурясь, Милосадов обвел взглядом женщин. Простодушная Плотникова всхлипнула.

— С другой стороны, товарищи, вы сами видите, какая сложилась ситуация. Фактически мы жмемся друг к другу в последней шлюпке, а волны вокруг все выше и выше. В этот раз мы снова побороли стихию, но если наш утлый челн даст неисправимую течь, все мы, безусловно, пойдем ко дну.

— Ужас! — прошептала Наталья Павловна и с тревогой посмотрела на Коган.

Милосадов поднял правую руку, требуя тишины.

— Нельзя, конечно, сбрасывать со счетов, какие усилия предпринимали соответствующие структуры, чтобы оказать нам помощь во время последнего катастрофического наводнения...

— Наводнения? — делано удивилась Зонтикова и стала хлопать глазами, озираясь. — Разве нас водой заливало?

— Да, наводнения, будем называть это так, — повысил голос Милосадов. — Другого слова для случившегося в русском языке нет. Все вы это видели, все почувствовали на себе заботу... гм... правительства и профильных министерств. Все могли убедиться, что средства массовой информации по первому сигналу бедствия, по первому зову поднялись и встали плечом к плечу, чтобы содействовать нам в борьбе с жестокой стихией.

Плотникова захлюпала и сказала сдавленно:

— Господи, что ж так душу-то рвать!..

— Но нужно понимать и то, что, к сожалению, на просторах нашей бескрайней Родины не одним нам срочно требуется помощь. Включите телевизор, и вы увидите: тут горит, там взрывается. Справа рушится, слева сталкивается. То вдребезги, это в клочья... Понятно, что в такой ситуации у соответствующих органов руки на разрыв: им бы хоть самые жаркие дырки заткнуть. А от всех нас требуются мужество и стойкость!

После этих слов немного пошумели: кто одобрял действия властей, кто, напротив, осуждал. Я заметил, что незримая граница снова пролегла примерно между теми, кто прежде составлял основные группы «сколенников» и «корточников». Загорелся было спор, посыпались с обеих сторон жаркие аргументы, начали высказываться сомнения как в компетенции и здравомыслии, так и в наличии совести и чести. Все это грозило полыхнуть не на шутку и перерасти в повальную бучу.

Но Милосадов снова поднял правую руку и гаркнул почище любого попугая, высказав главное:

— Тише, женщины! Короче говоря, нам нужен капремонт с выселением.

Повисла тишина.

Потом замдиректора Екатерина Семеновна спросила растерянно:

— Вы на самом деле так думаете, Виктор Сергеевич?

— Ну конечно, — ответил он, посмеиваясь: дескать, что за странные вопросы. — Это самое разумное решение проблемы. Как говорится, на три счета. Раз! Библиотека на время выселяется. Два! Руки у строителей развязаны, пустое здание подвергается капитальному ремонту. Три! Библиотека вселяется заново. Только представьте себе: все новое. Перекрытия. Коммуникации. Что нужно — течет, а что не нужно — даже не капает. Плохо ли?

— Так нас обратно и пустили, — саркастически сказала Калинина. — Вы, Виктор Сергеевич, как маленький, честное слово. Знаете, сколько охотников на это место? — она фыркнула. — Даже смешно слушать.

— Во-первых, не смешно, — наставительно ответил Милосадов. — А если смешно, то вы, может быть, забыли: на такое дело есть суд! Он у нас, между прочим, один из самых справедливых в мире.

— Ой, уж не надо мне про суд! — саркастически бросила Калинина. — Калабаров там дневал и ночевал, в суде-то вашем. Много чего рассказывал. А если б не бился как лев за наше здание, уже давно бы отсюда пинком под зад.

— Попрошу без выражений, — холодно сказал Милосадов.

— Да, товарищи, — поддержала его Наталья Павловна. — Давайте уж без выражений. Но вы, Виктор Сергеевич, с другой стороны, и сами ведь знаете, какой у нас суд.

— Какой суд! — воскликнула Коган. — Позвоночно-коммерческий, какой же еще.

Потом еще много чего говорили, о многом спорили, Милосадов бил себя в грудь и твердил, что, если нужно будет, он ради родной ему библиотски ляжет под танк, — и когда собрание завершилось, у меня осталось ощущение, что коллектив хоть и нехотя, а все же склонился к его жарко отстаиваемой точке зрения.

Я и сам думал: ну и впрямь, что ж тут сидеть, коли ни стояки, ни перекрытия!.. Надо же отремонтировать? Зато потом как хорошо будет!..

* * *

Вскоре случилось вот какое событие.

Милосадов явился на работу в замечательном расположении духа. Кроме всегдашней сумки-портфеля в руках у него был рулон ватмана.

Насвистывая, он весело кивнул Кате Зонтиковой, сидевшей на «рысепшын», прошел к кабинету, щелкнул замком, бросил сумку в кресло и тут же принялся прилаживать развернутый лист на стену, что ему вскоре и удалось сделать с помощью нескольких кнопок.

Отступив и полюбовавшись на дело рук своих, он взглянул на часы, завалился в кресло и, как обычно, принялся куда-то названивать.

А я подсел поближе, чтобы рассмотреть картину повнимательней.

Сначала у меня было ощущение, что Милосадов второпях ошибся, ватман висит либо вверх ногами, либо боком — как-то, короче говоря, сикось-накось и неправильно. Во всяком случае, никакого осмысленного рисунка — ну, скажем, птицы, поющей на ветке тропического дерева, — в переплетении линий разглядеть не получалось.

Однако вскоре я обратил внимание, что линии, во-первых, разной жирности и, во-вторых, проведены преимущественно по горизонтали и вертикали.

«Уж не чертеж ли это?» — задался я вопросом и, бросив взгляд в правый нижний угол, убедился, что так оно и есть: там, как ей положено, располагалась основная надпись, в главной графе которой красивым рубленым шрифтом было выведено: «Многофункциональный торгово-развлекательный центр с подземной парковкой».

Честно сказать, я с трудом поборол желание вскрикнуть от изумления. Что общего между бойцом гуманитарного фронта Милосадовым и какими-то там развлекательными центрами?

В эту минуту в кабинет постучали.

— Валерий Семенович, я вас жду! — воскликнул Милосадов, поднимаясь. — Заходите.

Вошедший оказался тощим, сухолицым, тонкогубым и очень серьезным человеком лет шестидесяти. Одет он был по-деловому и несколько тяжеловато: как будто вся его одежда — черный костюм, светлая в клеточку рубашка, тугой бордовый галстук и черные туфли — приобретались с одним расчетом: век сносу не иметь.

Пока они с Милосадовым перекидывались мало что значащими приветственными формулами, я понял, откуда берет начало с первого взгляда отмеченная мной серьезность Валерия Семеновича: у него было совершенно неподвижное лицо. До такой степени оцепенелое, что, казалось, ни один мускул на нем вовсе не был способен дрогнуть. Кроме того, и серо-голубые глаза смотрели так, словно их залили жидким стеклом: мертво и без интереса. Конечно, когда он открывал рот, отвечая на вопросы или задавая свои, кое-что на физиономии начинало растягиваться, сжиматься и елозить туда-сюда. И все равно возникало чувство, что это не лицо живого человека проявляет присущие ему способности мимики, а какой-то кукольник-баловник тревожит пальцами мертвую рожу резиновой марионетки.

Первые вопросы задавали друг другу вскользь, будто обнюхиваясь, и скоро это принесло свои плоды: перешли на «ты», и Милосадов поведал кое-какие детали своей прежней службы. Калабаров был прав: речь шла именно об Управлении по кадрам, и в отставку он вышел именно полковником.

Тогда и Валерий Семенович, мертвенно клацая новыми дорогими зубами, сообщил, что прежде, в нормальное время, служил в «пятерке», и в ту пору занимался тем, чем ныне занят Милосадов, — библиотекой, то есть «библиотекой» как институцией, вообще всеми в стране библиотеками, вокруг которых вечно клубится всякая нечисть, прямо будто медом им там намазано. Потом его носило по разным управлениям, пока не вышел в отставку, чтобы по приказу Родины заняться строительством.

— Да? — заинтересовался Милосадов его сообщением про библиотеки. — А не слышал о таком Калабарове?

— Калабаров, Калабаров, — рассеянно повторил Валерий Семенович с лицом не более живым, чем у статуи Командора. — Что-то припоминается... Крутился такой умник. Он не в Ленинке подвизался? Лет на пять себе настругал, если не ошибаюсь... А что?

— Удивишься: я на его месте сижу. — Милосадов постучал кулаками по подлокотникам кресла. — Один в один.

— Зачем? — не выразив удивления, с покойницкой бесстрастностью поинтересовался Валерий Семенович. — Тебе тут сидеть — вроде не по Сеньке шапка. Какие здесь потоки?

— Вот насчет этого и поговорим, — и Милосадов приглашающе указал на ватман.

Валерий Семенович внимательно исследовал чертеж сверху донизу.

— Что ж, — бесстрастно сказал он затем. — Красиво размалевано.

— Скрипочка, а не проект, — возразил Милосадов.

— Проект как проект, — замороженно ответил Валерий Семенович. — Я тебе таких понаделаю — класть будет некуда. Копейка ему цена. Главное в нем — место. Если, конечно, на самом деле согласовано.

— Вот! — воспалился Милосадов. — Золотое место. Бриллиантовое! Что твои гипермаркеты! Ты до них доберись, когда за Кольцевой. А это — внутри Садового. Метро в шаговой доступности. А?

— Согласен, — деревянно кивнул Валерий Семенович.

— А раз согласен, тогда тебе, Валера, и карты в руки, — сказал Милосадов. — Я уверен...

И тут произошло вот что.

Милосадов начал фразу на чисто русском языке: выговорил это свое «я уверен» звучно, с хорошим московским прононсом. Но завершил на совсем ином, мне досель незнакомом, — и речь пролилась так обыденно и гладко, будто всю жизнь он только этим языком и пользовался.

— ...чикалдыкнуть кусарики хрипанской мазы нет. Вот что сказал он! И продолжил, усмехнувшись:

— Вблудь гроженцы косо глядят, а фраёк горячом до мошани прибит.

Валерий Семенович мерно покивал, вроде как соглашаясь.

— Настюку не в кучум кукуль горбатить, — безжизненно ответил он. — Скрепу нахарон, нехай Грабов с Трусоноговым разжулькает. Трусоногов грымом лузгу караванит, а навыворот угорь. Горбатить беленек горох кипишится. Курлы?

Такой жутью веяло от их разговора, что я буквально оцепенел от страха.

— Курлы-то курлы. Но беленек вдругарь раскипишится, коли Грабов накрепь бароны скроит. А прикусай скварлы трясет: два креста накипь, — произнес Милосадов.

Мне показалось, что фраза имеет предположительную модальность.

— Ага, дудок в мязге ломать за чавку, — возразил Валерий Семенович. Как и прежде, ни одна мышца не дрогнула на его мертвой физиономии, внешне ничем не отличавшейся от серой глины. — А просоль горчавь матюшки попусту. Келдыш наржавит глухой курдюк, бары кубачков даром не нахряпаешь. Келдыш маяком хрена ли рубить, два креста не накипь. Трусоногов куда охрястьями кречетал, туда и горку сгонит. А поверху он не кум, поверху сам зырит.

— Прямо уж так и сам, — вроде как усомнился Милосадов.

— Хрипань за уркан, в натуре сам! — отрезал Валерий Семенович.

— Ну лады, кладень, — вздохнул Милосадов, будто в чем-то уступая, и тут же широко оскалил кипенно-белые с фиолетовым отливом зубы. — Хоры мостить не урлу собачить. Чурма рознось гречу приямишь? Куколь хоть и прижух, а на вороту языкато грюндит...

Судя по всему, беседа только начиналась, и мне, пересиливавшему крупную дрожь, еще много чего предстояло услышать.

Однако наши взгляды встретились, и Милосадов, оборвав себя на полуслове этого гадкого языка, воскликнул по-русски:

— Богданыч! Ты здесь!

Тут и Валерий Семенович повернул ко мне голову и, тяжело моргнув, медленно осклабился.

Его вурдалачья ухмылка оледенила меня ужасом. Воображение нарисовало пронзительную в своей очевидности и ясную во всех деталях картину: сейчас Милосадов прихлопнет дверцу клетки, куда я зачем-то сдуру полчаса назад залетел (водички попить приспичило: как оказалось, напоследок), просунет в нее руку и, морщась и щеря острые зубы, схватит за горло. Клянусь, я прочел его намерения в сощуренных и страшных серо-синих глазах!

Но, должно быть, возиться с моим трупом им было не с руки. Да и потом: что я мог понять из их мрачного толковища, какие тайны выдать?

Поэтому Милосадов распахнул дверь кабинета и сухо сказал:

— Богданыч, прошу! Дай поговорить с глазу на глаз.

Я, не будь дурак, тут же выпорхнул в коридор, и дверь закрылась.

Сердце стучало как бешеное.

6

Работа поэтического семинара совершенно разладилась.

Одно заседание за другим проходили под флагом курса, проложенного новым руководителем.

Трудно в двух словах изложить его суть. Да и слишком мало для этого я смыслю в изящной словесности. Однако, даже на взгляд человека невовлеченного, не заинтересованного в том, чтобы то или иное его произведение находило отклик хотя бы в среде семинаристов, перемены представлялись разительными.

В ту пору, когда заседания вел Калабаров, могло сложиться впечатление, что он пускает дело на самотек. Пока шло чтение, его участие выражалось только в том, что приглянувшиеся строки он встречал особого рода кряхтением — как будто каждый раз прямо в сердце вгоняли ему острый нож. Когда же начиналось обсуждение, Калабаров по большей части помалкивал: дожидался, покуда сами семинаристы выговорятся, выскажут свои разнородные мнения по поводу услышанного. В конце концов они выдыхались, и тогда он осторожно, раздумчиво, то и дело оговариваясь («мое впечатление может быть ложным», «мне показалось», «если я не ошибаюсь»), отцеживал несколько скрупулезно взвешенных фраз, чаще ободрительных, нежели огорчительных и всегда духоподъемных, а не обидных. Однако и в то, что в целом звучало как похвала, он умел (как будто между делом, как будто вынужденно тратя время на эти никчемности) ввинтить кое-какие важные, хоть и вскользь высказанные, замечания касательно формы.

А уж что до содержания, то, говаривал Калабаров, поэт сам за него ответит и душой, и сердцем, а потому было бы глупо об этом рассуждать, тем более что нигде так тесно не переплетаются содержание и форма, как в творениях поэтических...

Милосадов придерживался иной манеры. В первые разы он еще как-то сдерживался, но потом дал себе волю и говорил беспрестанно. Как правило, его болтовня мало относилась к делу, но если кому-то и удавалось что-то прочесть, то исключительно в коротких паузах его суесловия.

Собственно поэтические штудии страдали некоторой куцеватостью. Или, что ли, ограниченностью: Милосадов цитировал почти исключительно эстрадные песни (и те знал в виде плохо лепившихся друг к другу обрывков), смело находя в сих несомненно стихотворных, но чрезвычайно редко поэтических текстах предпосылки и опору для своих весьма и весьма далеко идущих выводов.

Что же касается, так сказать, не голосовых, а письменных поэтов, то и здесь он помнил только то, что разошлось песнями. Зачитывал кое-что из Есенина, фамильярно называя его *Серегой* (кстати, о «Собаке Качалова» слыхом не слыхивал, зато любил с минорной надрывностью вырвать строку-другую из «Клен ты мой опавший...»), прохаживался по Некрасову, Ваншенкину и Суркову. Лично я с годами стал излишне чувствителен, меня прошибало на слезу и когда он неумело декламировал: «Было двенадцать разбойников, // Был Кудеяр-атаман, // Много разбойники пролили // Крови честных христиан...», и от «Землянки», и от знобящего ощущения того, как свистит ветер по темной, полной опасности степи. (Милосадов настаивал, что «Темная ночь» принадлежит перу Симонова, истинного автора стихотворения никто из семинаристов не знал, а выкрикивать с места «Агатов, Агатов!» я считал не вполне уместным).

Или вот еще как-то раз в перерыве, собрав вокруг себя часть участников мужеска пола, под радостный гогот последних прочел им что-то из Василия Федорова...

Несмотря на его усилия (а точнее, благодаря им), к третьему-четвертому заседанию ряды семинаристов поредели. Я слышал, как сам Петя Ссребров, исполнявший почетную должность старосты, ворчливо и раздосадованно говорил Аркаше Бингусу: «С его чутьем из сортира «занято» кричать, а не семинар вести. Ну его к черту, вот обсужусь и уйду, пусть с Карацупой своим возится. Пойдешь со мной?» — «А куда?» — уныло спрашивал Бингус. — «Мало ли куда...» — «Мало ли!.. вот и выходит, что некуда...» — «Некуда?! Полно мест! К Волгину пойдем, к Кузьмину пойдем». Аркаша крякал, изумленно качая головой: «К Волгину!.. К Кузьмину!...». Да и по самому Сереброву было видно, что найти семинар лучше прежнего калабаровского он не чает.

Кризис случился на том заседании, которого дожидался Петя, на его собственном обсуждении.

Накладки выявились с самого начала. Оказалось, Серебров самолично, не дожидаясь хотя бы внятного одобрения Милосадова, раздобыл телефон Красовского и пригласил его на семинар, но не на этот вторник, а на следующий. Однако Красовский перепутал и пришел именно в этот вторник, к обсуждению Сереброва.

Если Милосадову это и не понравилось (а кому понравится, коли скачут через голову?), то виду не подал: наоборот, поднялся и радушно встретил высокого гостя в середине комнаты.

— Добро пожаловать. Чрезвычайно приятно! Наслышан, как же! Милосадов Виктор Сергеевич, ныне исполняю должность директора...

— Видите ли, меня Петя Серебров позвал к вам послушать, — извиняющимся тоном сказал Красовский. — С Калабаровым когда еще договаривались, да вот как вышло. Не возражаете?

— Бог с вами, только рад! С таким удовольствием читаю ваши труды... Спасибо от всех читателей, которых, уверяю вас, хватает... Над чем сейчас работаете?

Красовский смутился и стал, пожимая плечами, говорить что-то: точь-в-точь как тот тип из анекдота, у которого спросили, как дела, а он начал рассказывать. Милосадов перебил:

— А что издатели? Балуют, наверное?

Если он хотел поразить автора в самое сердце, то не мог нанести удара точнее.

— Какой там! — воскликнул Красовский. Глаза его увлажнились, и на Милосадова он уже смотрел тепло, по-дружески, даже с благодарностью во взгляде. — Что вы! Знать не хотят.

ИЗ ЖИЗНИ ОДНОГЛАВОГО

— Не может быть! — ужаснулся Милосадов. — Трудно поверить. Но в таком случае, может быть, я смогу оказать вам услугу? Когда-то у меня были кое-какие связи... вот моя карточка. Давайте созвонимся при случае.

В общем, они чудно расшаркались, но когда Милосадов сел на место, мне все-таки показалось, что он остался недоволен. Он и прежде-то косился на Петю, с трудом сдерживая неприязнь, а излишняя самостоятельность совершенно не добавила старосте очков.

Петя довольным тоже не выглядел. То ли он был огорчен неожиданной путаницей, то ли его смущало присутствие гостя — хоть и долгожданного, да явившегося не ко времени, — так или иначе, читал он плохо, нудно и усыпляюще: мямлил, путался, сбивался.

Тем не менее то и дело звучало нечто такое, что пробудило бы даже самого сонливого слушателя. Рифмы Серебров вколачивал под крутым углом, как гвозди, и они резко уводили мысль на новые направления. Всплывший из тьмы истории *Корвалан* рифмовался с *корвалолом* и был «*ростом с мачете обычного мачо*». Если в первой строфе стихотворения ернически звякала какая-нибудь веселая парочка, в четвертой непременно меланхолично поскрипывало нечто однокоренное и созвучное: отдавалось эхом того, что уже прозвенело и умерло, самой краткосрочностью существования доказав собственную бренность и оставив по себе лишь полупрозрачную тень, в которой слышалась вовсе не рыночная насмешка, а печаль и жалоба забытья.

Светлана не отрывала взгляда от Сереброва — временами, казалось, повторяя или, точнее, неслышно прошептывая строки одновременно с ним, должно быть, те, что она знала наизусть.

Милосадов смотрел то на автора, то на Светлану, с очевидным недовольством замечая ее увлеченность: в его синих глазах плавало то желание, то вдруг такая неприязнь, будто он ее искренне ненавидит.

Что касается Сереброва, он читал, закинув голову, ни на кого не глядя и по большей части вообще с закрытыми глазами.

Его стихи двигались, будто сверхмощные трактора, ревя и снимая слой недвижно лежавшей веками, спрессованной до мертвой каменной твердости земли. Они оглушали громом и рокотом невероятного количества всякого рода специальной терминологии: названия неведомых мне процессов и приборов сопрягались со смутно знакомыми поименованиями местностей, природных явлений и великих людей. Кроме того, шла бесконечная, жестокая и безжалостная война: бряцало оружие, ядерные ракеты резали ватрушку зажмурившегося от ужаса неба, всё сражалось со всем — Хаос с Логосом, Эрос с Танатосом. Ни один бой и ни одна битва не завершались чьей-либо победой: измочаленные, но непримиренные враги, ядовито плюясь, яростно грозя и огрызаясь, лишь на время отползали друг от друга, лелея планы мщения и реванша...

По мере его чтения Красовский, поначалу хранивший на физиономии брезгливо-настороженное выражение, стал при окончании особо удачных строк покряхтывать (точь-в-точь, как прежде Калабаров), а вдобавок крякать и ежиться, как если бы сидел в парной и его охаживали веником, доставляя одновременно и муку, и блаженство.

А Милосадову все это не нравилось: он недовольно поводил шеей, будто жал воротник, косился на семинаристов, пытаясь, вероятно, разобраться в том, кто как все это воспринимает, и то и дело перемигивался с Карацупой, которому, судя по его постной роже, стихотворчество Сереброва тоже было категорически не по душе.

Под конец Петя прочел стихотворение под названием *Элегия*. Это на самом деле оказалась элегия — горькая, скорбная, с той мрачной жестокостью, что сквозит во взоре бойца, когда он, понурив голову, опускается на колено возле носилок с телом своего товарища, — и осталась бы таковой, если б не последние две строки:

> Я смерти не боюсь — чего ее бояться?
> Ведь все равно возьмет когда-нибудь за...

Красовский хохотнул, Петя сказал:

— Без названия... — и тут же начал было читать что-то о рыбе дорадо, плывущей к ждущему ее золотому блюду где-то в Эльдорадо (страна имелась в виду или название ресторана, я не успел понять), как вдруг Милосадов при последних строках *Элегии* совершенно окаменевший, пришел в себя и, выкатив глаза, со всей силы треснул обеими ладонями по столу:

— Ну все, Серебров, хватит! Наслушались вашей похабщины!

* * *

Рассказывать о том, что было дальше, больно и стыдно, поэтому я ограничусь самой общей канвой событий.

Серебров пожал плечами и сел. На смену ему поднялась было Вероника Ртищева, которая должна была выступить первым оппонентом.

Но одновременно с ней вскочил и Карацупа.

Их силы и напор оказались неравными. Ртищева еще подслеповато копалась в своих записях, сконфуженно мямля, что, дескать, ее слова не претендуют быть истиной в последней инстанции, но все же она сейчас их скажет и заранее просит извинения, если что не так, ведь это всего лишь ее личное мнение, которое... и поехали по новому кругу, — так вот, пока она спотыкалась и путалась в придаточных, Карацупа пулей вылетел на лобное место справа от стола и для начала заявил, что он, короче, только на минуточку.

После чего понес, будто с цепи сорвался, и если вы смотрите хоть самую завалящую плазменную панель, то мое сравнение будет вам понятно — хуже, чем недавний тропический ураган: шляпы за горизонт, а пальмы, как резиновые.

Не знаю, может быть, у меня тоже был оторопелый вид. Очень скоро я понял, что происходящее должно называться провокацией, и никак иначе. Но если Милосадов хотел, чтобы кто-нибудь разругал стихи Сереброва, не оставил от них и мокрого места, то он совершил ошибку, взяв в союзники Карацупу.

Конечно, Карацупа говорил быстро, бодро, решительно, ни на мгновение не задумываясь и поддавая себе жару энергичной жестикуляций. Его речь должна была, по идее, вселить в слушателей уверенность, что он толкует о неких тщательно продуманных вещах, долгое время находившихся в самом фокусе его пристального интереса, — а как иначе смог он достичь виртуозной беглости этих непростых формулировок?

ИЗ ЖИЗНИ ОДНОГЛАВОГО

Однако, несмотря на якобы отточенную форму его высказываний (если не считать бесчисленных «короче», рассыпанных по ним, как пивные пробки на замусоренной поляне), их содержание оставалось, мягко говоря, не вполне ясным. Можно было только предположить, что к предмету своих рассуждений оратор почему-то относится отрицательно: об этом свидетельствовало частое употребление оборота «так называемый» — любимый инструмент из арсенала зоилов. Ничего другого понять было нельзя: смыслы ускользали от понимания, оставляя по себе только путаницу в голове и смятение в сердце.

— Так называемые стихи Сереброва не выдерживают критики даже того взыскательного читателя, для которого синкретические мысли есть, короче, всего лишь продукт использования процесса понимания так называемой классики в личных целях, — мастерски выговаривал Карацупа.

Обратив внимание на его жестикуляцию, скоро я обнаружил очевидную закономерность: если слово начиналось с гласной, Карацупа резал правой; если первой стояла согласная — рубил слева.

— Синкретическое искусство не может, короче, опираться на так называемую символику вчерашнего дня, которая торгует собой на перекрестках путей словесности, забыв о насущной пахоте жизни…

Слово *синкретический* вылезало в каждой второй фразе хуже масляного пятна из-под побелки; всякий оборот выволакивал его из непроглядных глубин сознания Карацупы на бурлящую поверхность.

И все же передать своими словами изощренную форму и безумный дух его речи — это непосильная для меня задача. Попытка собезьянничать заведомо обречена на неуспех: как ни потщусь я довести дело до совершенного абсурда, а все же в итоге мои подделки будут наполнены, увы, гораздо большим смыслом. Как ни безумствуй, а все же слова сами собой норовят прилепиться друг к другу в неких более или менее разумных комбинациях, чего речь лихого семинариста была лишена начисто.

Карацупа вещал, а одурелый семинар слушал его в том блаженном оцепенении, в каком тонущий отдается последней волне, собравшейся навечно унести его в холодные глубины.

Но ничто не бывает вечным.

— Во насобачился! — с завистью пробормотал кто-то из семинаристов.

— Что он несет? — вскрикнул Серебров.

— Ибо, короче, попытки усилить попытки синкретичности попыток так называемого творчества так называемого поэта Сереброва...

Что-то так болезненно щелкнуло у меня в голове, что я едва не свалился с жердочки.

— Хватит! — закричал Серебров, тряся кулаками. — Заткнись, мы сейчас все с ума сойдем!

— Тихо! — в пару к нему взорвался Милосадов. До того мгновения он, как и все, слушал Карацупу примерно с таким выражением лица, с каким кролик внимал бы удаву, если бы тот умел гнать пургу. — Молчите, Серебров! Не перебивайте оратора! Вы сами виноваты! Вот к чему приводят ваши попытки так называемой поэзии! Вы сами графоман! Вы свели всех с ума своим неприличным бредом! Увольняю!.. То есть снимаю вас с должности старосты!

Я вообще уже не понимал, кто о чем говорит.

Тут и Красовский включился. Поднявшись во весь свой немалый рост, он отрывисто пролаял что-то о филистерстве, бездарях и глупости и зашагал прочь, с яростным грохотом повалив при этом два стула.

Испуганные семинаристы тоже потянулись к дверям. Одним из последних вышел Петя.

Милосадов то и дело нервно взбадривал свой мужественный бобрик. Карацупа стоял как стоял, виновато поглядывая на руководителя семинара… и — я думал, она выйдет вслед за Серебровым, но нет, Светлана Полевых тоже оставалась на прежнем месте: как будто глубоко задумалась о чем-то и все эти события прошли мимо ее глаз и ушей.

— Светлана! — обрадованно сказал Милосадов.

Он подмигнул Карацупе, и тот, незаметно кивнув, тихо выбрался из зала.

Милосадов подошел к ней и осторожно, будто боясь вспугнуть бабочку, положил руки на спинку соседнего стула.

— Светлана! — повторил он. — Видите, как дело развернулось… Но я рад, вы знаете… я рад. Нарыв лопнул. Даже хирургического вмешательства не понадобилось. Как в том анекдоте — знаете? — сам отвалился…

Изменился в лице, с ужасом осознав, что брякнул что-то не то, но Светлана, судя по всему, не знала анекдота.

— Ага, лопнул. — Она пожала плечами. — Только больше никто не придет.

— Да ладно! — Милосадов махнул рукой. — Вообще-то это от вас зависит. Скажете слово — и я все налажу. Карацупу этого выгоню к чертовой матери… Он ведь графоман, да? Вы знаете, Светлана, я в этом мало что понимаю. — Он обезоруживающе улыбнулся, и мне показалось, что зубы распространили вспышку электрического сияния. — Но если вы скажете, что он графоман, а вот Серебров, наоборот, гений, то я Сереброва верну, а Карацупу, дурака этого, выгоню ко всем чертям. И пусть Серебров снова будет старостой... Да что там: я и семинар вести попрошу кого-нибудь другого. Вот Красовского и попрошу. Он ведь хороший писатель, да? Я сам не читал, но мне говорили... Вы только скажите. Мне главное, чтобы вам было хорошо. И потом, знаете, — он нахмурился, — когда лежишь на бархане с пистолетом бесшумного боя в руке, а где-то во тьме, рассеиваемой только светом лучистых звезд, шагают верблюды...

— Зря вы себя принижаете, — насмешливо перебила Светлана. — В душе вы настоящий поэт. Может, даже почище Карацупы. Просто забыли, что о барханах уже рассказывали.

— Неважно, — возразил он. — Неважно, что рассказывал. Ну рассказывал, и что? Еще могу рассказать... Что делать, если в самое сердце впечаталось. Давайте я вам сейчас о другом. Вот вы, наверное, смотрите на меня и думаете: дожил человек до седых волос, а что делает? Библиотекой заведует. Ну не смешно ли? Смешно, еще как смешно, аж прямо слезы наворачиваются.

— Отчего же? — сказала Светлана, пожав плечами. — Мой отец был директором библиотеки. И ничего, никто его не жалел... наоборот, многие завидовали.

— Отец? — удивился Милосадов. — Подождите, это кто же?

— Юрий Петрович Калабаров, — вздохнула она. — Ныне, к большому моему сожалению, покойный.

— Да, но...

— Если хотите, расскажу. — Светлана заговорила сухим деловитым тоном, будто хотела разделаться с этой темой поскорее. — Они с мамой расстались, когда мне года не было. Деталей я не знаю. Кажется, мама потом жалела. Я привыкла, что его нет. Да и вокруг-то — сами знаете какая обстановка. Неполных семей полно, а полных раз-два и обчелся. Нету папы — ну и нету, ни у кого нету. Папы были моряками — ушли в моря и не вернулись. Фамилия у меня мамина... В общем, и мыслей никаких не возникало. А уже когда школу заканчивала, покопалась как-то раз в шкафу, где документы. Смотрю — вот тебе раз... Я его потихоньку разыскала. Оказалось, он здесь работает, в библиотеке. Стала захаживать — все равно ведь нужно книжки где-то брать... Меня к нему тянуло, конечно, — она вздохнула. — Но решила не восставать из небытия. У него давным-давно все другое — другая жена, другая семья, другие дети... и тут я на голову. Здравствуйте, я ваша тетя. В общем, я не обнаружилась.

— Ничего себе, — сказал Милосадов. — Просто Венесуэла.

— Была бы Венесуэла, — поправила Светлана. — Но ведь я не сказала. Что, удивились?

— Удивился, конечно... впрочем, это не меняет дела. То есть я что хочу сказать, — заторопился Милосадов. — Ваш отец был замечательный человек, я о нем так много хорошего слышал... да что там: и Бебехов Николай Федорович, и Махрушкина Марфа Семеновна... — Светлана странно на него посмотрела, издав при этом невнятный звук. — Ему это нравилось... он всю душу в библиотечное дело вкладывал, да? А для меня это положение временно. Честно скажу: не мое. Все эти книги, все эти читатели, семинары...

— Верю, — кивнула она. — Конечно же, не ваше. Кто бы спорил! Вам бы на бархане с пистолетом бесшумного боя...

— Не шутите такими вещами, — строго сказал Милосадов. — Но скоро все переменится. Скоро все очень, очень сильно переменится. Я не могу открыть вам все тайны... Это не только мои тайны, понимаете? Но очень скоро я буду такими потоками управлять, что...

Он осекся.

— Какими потоками? — спросила Светлана, хмурясь. — О чем вы?

— Неважно, неважно, потом все расскажу. Пока только об одном прошу, Светлана. Поверьте мне. И будьте со мной. Я вас так люблю!

— Господи! — Она была явно испугана. — Час от часу не легче...

— Это правда. Послушайте меня. Вы молоды, вы еще не знаете, но ведь все на свете делается из-за денег. Вам будет легко меня полюбить. Я кое-что о вас разузнал. Отчим профессор, мать редактор... нищета! Голь перекатная. Что вы можете себе позволить? Кусок масла по праздникам? А я — я позволю вам все. Да что там: я даже позволю вам позволить все вашей матери. Даже вашему отчиму. Чего они хотят? А впрочем, чего бы ни хотели — все будет!

— Да-да, — сказала она, рассеянно кивая, и усмехнулась. Если бы эта усмешка обращалась ко мне, то лучше б меня без штанов на мороз выставили. — Подождите, Виктор Сергеевич. Вы слишком быстро мыслите. Я за вами не поспеваю. Вы думаете, я зачем вам рассказала, что мой отец — Юрий Петрович Калабаров? Просто так?

— Ну почему же просто так? Собственно, любопытная история... не каждый день такое... как в сериале, правда?

Она покачала головой.

— Все, что делал отец, вы разрушаете. Он столько сил потратил, чтобы библиотека жила здесь, а вы ее выселяете. Он так старался, чтобы поэтам было куда прийти, — а вы все сломали. Теперь говорите, что меня любите. А что на его семинаре поставлен крест — на семинаре имени Калабарова, — так это просто так вышло. И вы ни в чем не виноваты.

— Что вы, в самом деле, все в одну кучу! — Милосадов поморщился. — С чего вы все это взяли?

Дверь приоткрылась — в зал заглянул Серебров.

— Всё! — сказала Светлана Полевых, одновременно оглянувшись на звук. Дверь уже снова закрылась. — До свидания. И впредь не ведите со мной подобных разговоров. В конце концов, вы всего лишь по какому-то недоразумению директор публичной библиотеки, где я беру нужные мне книги. Я люблю совсем другого человека. А вы — вы мне просто противны. И не обижайтесь, пожалуйста. Это жизнь.

Она расправила плечи и пошла к выходу.

Но не дошла. Милосадов окликнул:

— Полевых, постойте!

Светлана уже могла бы толкнуть дверь.

— Не спешите, Полевых! Дайте мне минуту. А потом можете катиться на все четыре стороны. Если захотите, конечно.

Она обернулась — должно быть, от удивления.

Я потом часто думал: может, если бы не обернулась, все по-другому пошло.

Но Светлана Полевых вскинула на него глаза — и Милосадов, как василиск, впился в нее цепенящим взглядом.

— Ты что же думаешь, дорогая, — неторопливо, будто уже был уверен, что она никуда не денется, сказал он совершенно новым голосом, неприятным, с опасной гнусавинкой. — Типа расставила все по местам? Я тебе в сокровенном признался, душу тебе раскрыл, а ты — харчок в эту душу? Нет, так дела не делаются. Типа рассказала мне про папу, я утрусь, как терпила у параши, а ты пойдешь хвостом крутить направо-налево? А не подумала, что я тогда с тобой сделаю?

Светлана Полевых смотрела на него в молчаливом изумлении: глаза расширились, рот приоткрылся; она явно не была готова к такому повороту.

— Ты лучше пока не кипишись, — продолжил Милосадов, делая к ней шаг. Поступь его тоже стала иной: это были вкрадчивые, по-зверьи пластичные движения. — Ты меня послушай, что дальше будет. Во-первых, сама из института вылетишь. Уж поверь, мне это устроить — как два пальца об асфальт. Пара звонков — и готово дело.

Сделал еще шаг.

— Тебя, конечно, такая угроза не остановит. Что тебе институт! Лучше ты гордой останешься. Да и не поверишь, наверное. Не опустишься до того, чтоб моих угроз бояться. Может, и опомнишься после, да уже поздно будет...

Снова вкрадчиво шагнул.

— Но это не вся песня. Я тебе для комплекта другое скажу. Есть ведь еще Петя Серебров — великий поэт. Красавец этакий. Которого ты так полюбила, да?

Фыркнул и еще немного приблизился.

— У вас, я смотрю, чудные отношения наладились... Он на филфаке, верно? Видишь, я знаю. Но это ладно. Другое скажи: ты над его половой принадлежностью никогда не задумывалась? Или, небось, если и задумывалась, то исключительно в личном аспекте? А в административном — нет? Или даже в государственном — тоже нет? Бедняжка... Тогда я разъясню. Пол у него — по крайней мере по документам — мужской. Поэтому, когда твой гений полетит из университета — а он полетит как фанера над Парижем, я это в два счета налажу, — его, в отличие от тебя, тут же загребут. Догадываешься куда? Правильно, в армию. А там важно не то, какой из него поэт, а какой из него новобранец. Там не рифмочки сочинять, а быть готовым к защите Родины. Посмотрят-посмотрят, поймут, что толку как от козла молока, и поимеют по полной. Ладно б только опетушили, а то еще и почки отобьют. Хорошо, если по очереди, но могут и обе сразу. А потом, спасая драгоценную жизнь рядового, ноги отчекрыжат по самое некуда: по самые, как говорится, помидоры... Как тебе такая перспективка? Если мозгами раскинуть, в ней нет ничего особо ужасного: это ведь тоже жизнь, дорогая!..

Он замолчал.

Мне показалось — сейчас упадет, но Светлана только привалилась к двери.

— Так что дело за тобой, — сухо сказал Милосадов. — Хочешь — целина, хочешь — Сибирь. В том смысле, что хочешь — позволь мне тебя как сыр в масле катать. А не хочешь кататься — сама будешь катать коляску со своим гением. Понимаешь, что не шучу?

Она пошатнулась и тяжело села на стул у двери. Лицо было каменное. Из почерневших глаз медленно катились слезы. Все вместе напоминало знаменитый фонтан.

— Чтобы с этой минуты он к тебе — ни на шаг. И больше никому — ни слова! — металлически сказал Милосадов.

7

— Ой, девочки, что делается-то!..

И без того все шло кувырком, так что свои многообещающие интонации Плотникова могла бы придержать до лучшего дня.

В каком смысле кувырком? — в самом прямом.

Библиотека готовилась к переезду. Кто когда-нибудь принимал участие в переселении библиотек, тот знает, что это такое. Если нет, растолковывать бесполезно, все равно не поймет.

Картонные коробки были потребны в таких количествах, что, если поставить чохом друг на друга, легко бы достали до Луны. Что же касается бечевок, то, обмотав старушку-Землю в каких угодно направлениях раз тридцать пять, остатка еще хватило бы удавиться всем отчаявшимся упаковщикам.

О толчее и бестолковщине отдельно говорить не буду, нервы не выдерживают.

В общем, тихая библиотека превратилась в ад. Там, где прежде таджикская женщина Мехри неустанно шваркала шваброй, оставляя за собой блестящие полосы мокрого линолеума, теперь даже на грязные обрывки бумаги никто не обращал внимания. А уж что касается пыли, то ее залежи, снявшиеся с опустошаемых стеллажей, плыли по воздуху многослойными пирогами: сквозняки волнисто и причудливо колебали их, а вблизи открытых форточек с ловкостью официантов заворачивали в перламутровые воронки, вызывая отчетливо кулинарные ассоциации — с лавашами и устрицами.

Набитые книгами, пронумерованные и снабженные описями коробки громоздились друг на друга, мало-помалу заполняя помещения, примерно как вода заполняет тонущий корабль: шестой отсек... четвертый!.. нижняя палуба... жилая!.. вот уж и верхнюю захлестывают злые волны.

В связи с подготовкой к переезду и общим раскардашем читальный зал был закрыт. Из набольшего начальства наведывалась Махрушкина, поторапливала сборы и рассказывала о перспективах библиотечного дела. Поэтические семинары кончились сами собой, Светлана Полевых как в воду глядела. Правда, на доске объявлений оставался пожелтелый листок, на котором из года в год значилось одно и то же: «СЕМИНАР МОЛОДЫХ ПОЭТОВ, ВТОРНИК 19.00», но надпись следовало бы ныне обвести такой же траурной рамкой, в какую не так давно поместили имя Калабарова. Изредка заглядывал потерянный Петя Серебров, переминался, как будто ожидая кого-то встретить. Его поили чаем, расспрашивали о том о сем, он сидел порой до самого закрытия, но Светлана Полевых больше не показывалась.

Слух о том, что ее отцом был, оказывается, не кто иной, как покойный ныне Юрий Петрович, каким-то образом широко разошелся, и женщины часто и подробно обсуждали эту тему. Больше всех, как обычно, усердствовала Плотникова. Она зачем-то выдумала, что Калабаров не раз говорил с ней по душам и, частенько горюя о своей потерянной дочери, называл ее «кровинушкой» и «донюшкой». Понятное дело, Юрий Петрович уже не мог возразить против того, что, на взгляд всякого нормального — что человека, что попугая, — являлось первостатейным враньем. А Плотникова божилась, крестилась, таращила глаза, вещала цитатами из этих якобы имевших место откровенных бесед и всячески отстаивала свое право на правду. Добрые наши женщины, слушая и вздыхая, давали ей то сушку, то кексик. Наталья Павловна и Коган склонялись к тому, что Плотникова маленько не в себе, и особенно заметно это стало в последние годы, когда сын Владик вовлек ее в круговерть своих финансовых транзакций. Калинина возражала: дескать, таких нормальных еще поискать, но тоже наделяла Валентину Федоровну печеньицем или конфетой.

Так вот, однажды Плотникова явилась с улицы и говорит:

— Ой, девочки, что делается-то! Окружают нас.

— В каком смысле окружают? — спросила Наталья Павловна. Цветастый спортивный костюм и завязанный на затылке капроновый платок делали ее похожей на штукатурщицу.

— Натурально окружают, — подтвердила Плотникова. — Со всех сторон. Я еще позавчера заметила, только говорить не хотела. Что там, думаю, может, померещилось. Тогда только четыре экскаватора было и кран, а сейчас еще штук пять бульдозеров добавилось. В кольцо взяли.

— Что вы говорите, Валентина Федоровна! — возмутилась Калинина. — Займитесь лучше делом.

Она была у Натальи Павловны вторым номером — тоже в спортивном костюме, только синем, и просто-волосая. На пару они, беспрестанно чихая, укладывали в коробки содержимое очередного стеллажа, посвя-щенного, как я мог заметить, какой-то области фило-логии.

— Я-то займусь, — посулила Плотникова. — Только когда они на нас наедут, мало не покажется.

— Кто «они»? — взвилась Калинина. — Пойдем-те, покажете. Только если там ничего нет, я не знаю, что сделаю!

Плотникова, жалобно причитая насчет того, что ей никто никогда не верит, повела Калинину смотреть. Минут через пять они вернулись.

— Ну что? — спросила Наталья Павловна, со вздохом присаживаясь на стопку книг. — Посмот-рели?

— Кольцо не кольцо, но... — ответила Калинина вовсе не возмущенным, а тихим и даже испуганным голосом. — Прямо от входа видно.

Тут и Коган пошла убедиться самолично. Вернулась ошеломленной, а потом из другого помещения прибе-жала встревоженная Зонтикова.

— Это что же делается? Где же Виктор Сергеевич? Пусть он им прикажет!

Меня на крыльцо не пустили, но из всего оханья, аханья и хлопанья крыльями я в конце концов уяснил следующее.

В непосредственной близости от нашего здания, охватывая его неправильным кольцом, расположилась незаметно подтянувшаяся строительная техника. Раз-нообразные краны: как на автомобильных шасси, так и башенные, для перевозки которых в разобранном виде требовалось несколько тягачей. Экскаваторы всякого калибра — от таких, какими только газоны перекапывать, до угловатых монстров: в ковш каждого с легкостью въехал бы милосадовский «Мерседес». А также большегрузные самосвалы, сваебойные машины, бетонокачалки и еще тьма всякого железа, опасно ощетинившегося рабочими частями, до блеска отполированными на прежних объектах.

Думаю, если бы нас окружили танками и артиллерией, это не вызвало бы большего смятения.

Напряжение росло, пока наконец не явился Милосадов и в два слова рассеял всю эту нелепицу.

— Да вы что, товарищи! — изумился он, удивленно глядя на нас. Я заметил, что сейчас его глаза были вовсе никакими не серо-синими, а самыми что ни есть голубыми. И продолжил, безмятежно помаргивая: — Это же метростроевцы. Вы разве не знаете? На углу Второго Центрального и Третьего Княжеского запроектирована новая станция. Должно быть, сроки подпирают, вот и концентрируют силы и средства.

Господи, какое все испытали облегчение!

Однако оно было недолгим.

К соседнему с библиотечным подъезду подъехал большой грузовик, на бортах которого значилось: «ПЕРЕЕЗД WWW.SHEMETOM.RU», и несколько грузчиков в одинаковых синих комбинезонах с белыми литерами на спинах, повторявших надпись на грузовике, стали выносить и укладывать какую-то трепаную мебель.

Время от времени показывались и хозяева: то заплаканная женщина в красной куртке принесет люстру, то хмурый мужчина выкатит велосипед, то две девочки с бантами притащат скрипку в футляре и сядут на скамью смотреть, как дяди в комбинзонах грузят пианино. Снова появится заплаканная женщина в красной куртке, отругает их и пошлет за новой ношей, мотивируя свою строгость напряженностью дела и недостатком времени.

Плотникова, понятное дело, поспешила туда, уловила заплаканную хозяйку, и они крепко и надолго зацепились языками.

Выяснилось, что из квартирной части дома выезжает последняя семья. Их не устраивали предлагаемые муниципалитетом варианты, они упирались до конца; на последнем суде, решившем дело не в их пользу, муж потерял сознание, а женщина в красной куртке, по ее словам, чуть не сошла с ума, и тогда им отключили воду и вырубили свет. В итоге выезжали они не в радости новоприобретения, а в негодовании утраты, злые и несчастные.

Разумеется, Плотникова подсыпала соли на раны, хлопая себя по щекам и причитая: «Уж на край землито, господи! На край земли!» — и в глазах заплаканной женщины появлялось такое затравленное выражение, будто и в самом деле гнали их в Шилку или Нерчинск.

— Ну конечно, — нашла объяснение Наталья Павловна, выслушав историю. — Если в центре приселся, разве хочется на окраину, пусть даже на время?

И посмотрела на Коган в надежде, что та разделит эту простую мысль или по крайней мере одобрит ее, но Коган только с сомнением хмыкнула.

Хотя, казалось бы, Наталья Павловна стопроцентно верно рассудила — кто же в такой ситуации будет радоваться?

Андрей ВОЛОС

* * *

Последние дни вообще было как-то тревожно. Уснул я кое-как, спал вполглаза, и когда проснулся и увидел, что в директорском кресле сидит Калабаров, даже не удивился.

И тут же спросил:

— Юрий Петрович, а вы знали, что Светлана Полевых — ваша дочь?

Ляпнув это, я, честно сказать, даже не удивился тому, что ляпнул. Все равно уже несколько дней крутилось на языке. А сейчас голова была замутнена, вот спросонья и выскочило.

Вздрогнув, он оторвал затылок от подголовника и потянулся, сцепив руки в замок.

— Что? Какая дочь?

Я встряхнулся. Сказав «а»...

— Светлана Полевых... утверждает, что вы были ее отцом.

— То есть она все-таки Полевых, а не Калабарова, — уточнил он. — Что можно сказать. Мир тесен. Как вы узнали?

— Теснота мира в данном случае ни при чем. Она у нас появилась совсем не случайно.

— Где — у вас?

— У нас в библиотеке.

— Уже после?

— Нет. Задолго до.

— То есть что же выходит...

— Ну да, — подтвердил я. — Она ходила к нам книжки читать, а вы и не знали.

— Интересно... Долго ходила?

— Года два.

— И не подошла ко мне, не сказала? — задумчиво произнес он.

— Говорит, не хотела впутывать в свою жизнь. Мол, у вас своих забот полон рот, а тут еще дочка как снег на голову.

— Это она зря, конечно, — сказал он, пожав плечами. — Зря. Очень даже это было уместно. Не знаю, чем бы я мог ей помочь, но...

Я вздохнул.

— Даже если бы ей удавалось время от времени с вами поговорить, уже было бы много.

— Ладно, не будем попусту крыльями махать. Сделанного не воротишь. И что же она?

— В каком смысле?

— Что делает, чем занимается?

— Знаю только, что окончила третий курс мехмата.

— Ничего себе! — удивился он. — Интересный выбор. Мать у нее до невозможности гуманитарная.

— Ну и что? Вы сами всегда говорили, что математика возглавляет список гуманитарных наук.

— Так и есть, — согласился он.

Мы помолчали.

— Такая симпатичная девушка, — со вздохом сказал я. — Вы бы хоть по своим каналам про нее что-нибудь разведали...

— А что такое?

— В том-то и дело, что неизвестно. Пропала она, не приходит. Как бы дело так не повернулось, что Милосадов с ней отношения завел. Я последний их разговор слышал. Честно сказать, мне сильно не понравился.

— Что ж, узнаю...

Я не упустил случая легонько съязвить:

— Между прочим, в прошлый раз вы говорили, что и без того теперь все на свете знаете.

— Такую глупость я не мог сказать, — возразил Калабаров. — Многое из того, что знаю я, вам неизвестно — это да. Но все? Всего никто не знает... Ладно, расскажите, как вы тут без меня живете.

— Да как, — я невольно вздохнул. — Живем себе. Пакуемся. Запарились уже. Я и подумать не мог, сколько книжек людьми понаписано. С утра до вечера колготимся.

— Пакуетесь, — задумчиво повторил он. — Вообще-то зря, конечно.

— Почему зря? — удивился я. — Как же фонды вывозить, если не упаковать?

— Не будет никто вывозить фонды, — хмуро сказал Калабаров. — Никому ваши фонды не нужны.

Его заявление сбило меня с толку. Я молчал, не зная что сказать.

— То есть как это не нужны? — тупо спросил я. — Почему не нужны?

— Да вот так и не нужны, — скучно ответил он.

— Но как же? Ведь когда будет новая библиотека...

— Не будет новой библиотеки.

— Здрасьти! — возмутился я. — А что же будет?

Он молча полез в карман и достал что-то.

И щелкнул перед моим носом.

Это была зажигалка.

Оторопев, я не мог отвести взгляда от желтого язычка пламени.

Мне чудилось, что он становится больше, увеличивается, растет на глазах... заливает все вокруг...

ИЗ ЖИЗНИ ОДНОГЛАВОГО

А когда открыл глаза, оказалось, что уже наступило утро и яркое солнце лезет в кабинет сквозь неплотно задернутые шторы.

* * *

Я думал, то и дело думал... да что там — непрестанно думал над словами Калабарова.

Но он говорил загадками — и загадок этих я, увы, не разгадал. А вот если бы разгадал... Да что толку толковать об этом: если бы кабы...

Еще один урок мне, дураку: не кичись, Соломон Богданович, ни мудростью своей, ни многознанием.

Что касается сборов, то мы почти успели: работы по упаковке библиотечных фондов оставалось дня на три, не больше.

Как началась вся эта катавасия, Милосадов редко показывался в библиотеке. Ну и впрямь, что ему здесь было делать? Со всем отлично справлялась замдиректора Екатерина Семеновна: распределяла коробки и бечевку, подгоняла отстающих и ставила в пример передовиков.

Однако тридцать первого числа, в среду, Милосадов приехал рано. Лавируя между расплодившимися штабелями и рискуя повалить на себя какой-нибудь из них, прошелся по хранилищам, оценивая, что сделано и сколько осталось. Пошучивал, посмеивался, но глаза горели синим пламенем, и лично мне показалось, что он напряжен — как может быть напряжен и собран человек, приступивший к выполнению задачи, последней в цепи многих, от решения которой зависит успех всей затеи в целом.

Провел небольшое собрание. Надо отдать должное: он всегда говорил ясно и четко, по крайней мере до тех пор, пока речь не заходила о предметах поэтических. Иногда, правда, употреблял некоторые термины, явно заставлявшие женщин недоумевать. Вот и сейчас: ясно и четко сказал, что приказывает всему личному составу (женщины переглянулись) заняться в первую очередь сбором своих вещей, ведь у каждого на рабочем месте имеются какие-либо милые пустяки: чайная кружка, ложка с вензелем, портрет мужа или дочери, любимый календарь и, разумеется, запасные портянки. Тут снова все переглянулись, а Зонтикова так и вовсе громко прыснула. В присутствии Милосадова она всегда прыскала очень громко, на публику, и я подозревал, что Зонтикова все еще надеется привлечь его внимание. В общем, именно сегодня, повторил Милосадов, неодобрительно на нее посмотрев, нужно унести все это домой, а то не дай бог что-нибудь случится, так чтобы потом разговоров не было.

— Что же может стрястись, Виктор Сергеевич? — недоуменно поинтересовалась Коган.

— Что угодно, — сухо ответил Милосадов. — В такое время живем. Телевизор включаете? То-то.

— Ой, — сказала Плотникова. — Главное, чтоб войны не было.

Милосадов на нее тоже посмотрел, пожевал губами, но так и не высказался, а только сделал глотательное движение.

Сам он тоже занялся сборами. Вещей оказалось не так уж и много. Плазменную панель сразу отнес в машину, а портрет президента, ноутбук, на котором он, как выдавалась свободная минута, раскладывал пасьянсы, несколько старых журналов — «Эсквайр»,

«Охота и рыбалка», «Флирт и знакомства», десяток самописок, стопку ежедневников с корпоративной символикой разных банков и прочий хлам упаковал в три коробки.

— Как-то странно, — говорила между тем Коган, перевязывая свои немногочисленные пожитки. — И что ему взбрело? Сколько еще времени книги будут вывозить! Неужели бы я не поспела свою чашку забрать?

Она пожимала плечами, и Наталья Павловна пожимала, и вообще все удивлялись, но поскольку приказ есть приказ, выполняли его более или менее исправно.

Рабочий день кончился. При последнем ударе часов мне всегда вспоминается тот петушиный крик, когда нечисть, оставив несчастного Хому Брута, теснится, вываливаясь в окна и двери.

В общем, все ушли, Милосадов закопался в кабинете, и оказалось, что ему предстоит закрыть дверь и сдать объект на охрану, чего он отродясь делать не умел и учиться не собирался.

Он топтался у «рысепшын», с бранью листая журнал в поисках номера охранной службы, когда заскрипела дальняя дверь и в холл вышла Зонтикова.

— Ой, Виктор Сергеевич! — сказала она, улыбаясь растерянно и нежно. — Как хорошо, что вы еще здесь! Может быть, посоветуете, что мне вот с этим делать? Неужели домой нести?

И поставила на стойку бутылку коньяку.

— Ишь ты! — сказал Милосадов, по-собачьи наклоняя голову и принюхиваясь, хотя, казалось бы, запечатанная бутылка может издавать запах разве что стекла, бумаги и клея. — Какая вы все-таки смешная, Катя! Ну тогда закройте дверь, что ли.

Андрей ВОЛОС

* * *

Черт возьми!

Никогда бы не подумал, что все это так просто.

Когда Лидушка была жива, мы часто посмеивались с ней, вспоминая глупую молодость. Как нежились мы в нашем общем прошлом, некогда бывшем мгновенной явью... Подчас на Лидушку нападал особый стих. То она начинала меня ревновать к чему-то такому, о чем уже и памяти никакой не было, а то, например, принималась обвинять, что я ее никогда не любил. «Да как же не любил, когда еще как любил?» — отбивался я. «Совсем не любил, — настаивала она. — Совсем не любил. Все равно тебе было, какую птичку подсунули». — «Да как же все равно, Лидушка!» — возражал я, зная, что все это она не просто так и не для того, чтобы обидеть меня или рассердить; нет, ей хочется, чтобы я снова признался в любви, рассказал, как сильно любил в молодости, как жаждал, как волновала меня ее плоть.

И правда, были времена, когда она не отпускала меня буквально ни на минуту. Воображаемая, она была куда смелее и развязнее, чем на самом деле. А когда я видел ее на самом деле, то вспоминал ту, что жила в моих фантазиях, и меня буквально трясло. «Что с тобой?» — невинно спрашивала Лидушка, глядя на меня с озабоченностью, которая, как я стал понимать позже, была несколько преувеличена. «Должно быть, вирус какой», — скрипел я через силу: желание буквально сводило судорогой мои звукоизвлекательные органы...

«А почему же тогда?» — капризно продолжала Лидушка свои претензии. «Что — почему?» — «Почему же ты был так холоден ко мне?» — настаивала она.

ИЗ ЖИЗНИ ОДНОГЛАВОГО

«Я был холоден?» — «Да. Ты был холоден. Первые три дня мы уже жили с тобой в одной клетке, три дня, можно сказать, делили одну постель, а ты... Ах, как мне это было обидно!» — восклицала она и, лукаво прикрывшись крылом, смотрела на меня, проверяя, чувствую я раскаянье или нет.

Но с чего бы мне раскаиваться, если именно любовь делала из меня в ту пору не мощного, темпераментного и безудержного попугая, каким был я на самом деле, а разнеженную птичку, готовую сутками нашептывать ей слова любви.

А у них все оказалось просто... так просто!

Прав был Калабаров, когда говорил, что вкус может проявляться в чем угодно, а вот его отсутствие сказывается во всем.

Милосадов сидел в кресле, время от времени хмурясь (кажется, ему не нравилось, что инициатива исходила не от него, но все-таки он готов был с этим смириться).

Катя расставила пластиковые тарелочки с лимоном, сыром и ветчиной (то есть она позаботилась и о кое-какой закуске), сбегала ополоснуть стоявшие в шкафу стопки (я с горечью вспомнил, что в последний раз из одной из них пил Красовский в компании с Калабаровым), и все это безумолчно воркуя и смеясь. Круг тем был довольно узок. Она мило рассуждала насчет того, какой все-таки Милосадов хитрющий, как ловко он завлек ее к себе в кабинет нарушать трудовую дисциплину; и что с другим она себе такого никогда бы не позволила; и что дело есть дело, а выпивка и все прочее — совсем другое, их надо строго разделять, а то ей много известно таких, которые не разделяют, так вот к ним она питает исключительно и только

273

презрение и жалость. «Как можно!» — недоуменно говорила Катя, окатывая Милосадова взором лучистых глаз.

Милосадов отвечал невнятными восклицаниями и междометиями — ему просто некуда было вставить свои пять копеек, не находилось щелей в Катином щебете. Однако после второй рюмки он все-таки заговорил и решительно повел за собой разговор, примерно как ледокол ведет караван судов. И, разумеется, я снова услышал про то, как он, бывало, лежал под звездами на бархане с пистолетом бесшумного боя в сильной руке.

Потом... что потом?

После третьей Зонтикова подсела ближе, после четвертой — или без нее — перебралась к Милосадову на колени. Он обнимал ее, расстегивая блузку. «Ну иди к мамочке, малыш», — закатывая глаза, хрипло говорила Зонтикова, прижимая голову директора к худой груди. «Ну иди... Наш малыш молоденьких любит... да? Молоденьких тут нет, иди ко мне, сладкий!..»

В эту самую минуту в дверь принялись бешено тарабанить.

— Кого это черт несет? — всполошился Милосадов, ссаживая Зонтикову на стул рядом, и, кое-как поправив одежду, направился в холл.

Щелкнул замок, и я расслышал взволнованный голос Натальи Павловны.

— Какое счастье! — говорила она на ходу, а затем вихрем врываясь в кабинет. — Как хорошо, что вы еще здесь!.. Домой пришла — господи, думаю, что же я Соломона Богдановича бросила? Все ценное взяла, а его оставила. Глупости всякие принесла, а Соломона Богдановича забыла!.. Соломон Богданович!

Она торжествующе схватила клетку и, даже не взглянув на кое-как прикрывающую наготу Зонтикову, поспешила назад.

Входная дверь хлопнула за нами, и мне оставалось только воображать, как Милосадов спросил с досадой, морщась и нервно хрустя пальцами:

— А этот, что ли, все время здесь был? — Зонтикова оторопело кивнула, и тогда он заключил: — Вот же проклятая птица!

* * *

Проснулся ни свет ни заря и, моргая и встряхиваясь спросонья, стал озираться.

Комната большая — метров двадцать, не меньше. На подоконнике несколько растений. У окна письменный стол, отягченный телевизором, тремя разносортными вазочками, пластмассовой коробкой с пыльными мелочами. Справа платяной шкаф, слева комод. На комоде двустворчатое зеркало, несколько тюбиков и фигурные склянки — должно быть, с притираниями.

Кровать Натальи Павловны располагалась в глубине, отгороженная от двери другим шкафом. Над кроватью грозно нависали книжные полки. Я сразу подумал, как это она не боится под ними спать: а ну как оборвутся? Однако другого места в комнате не нашлось бы — разве что вовсе их упразднить.

На круглом столе, застеленном плюшевой скатертью, тоже много чего наставлено. Частью по пищевому ведомству — хлебница, несколько чашек, заварочный чайник, три тарелки стопкой; остальное по лекарственной — тюбики и коробки. Два стула возле.

Был еще холодильник «Саратов», украшенный вазой сухих огоньков физалиса, и постельный ящик, на котором стоял телефонный аппарат. Другие два стула — у стены — завалены одеждой. Картина с зеленым морем и черно-зеленым кораблем, втиснутая в узкий простенок над дверью. Там и сям множество тех мелких предметов, без которых жизнь невозможна, а на взгляд постороннего — никчемный хлам.

— Что они там, сдурели? — слабо спросила Наталья Павловна, поднимая голову. Грохот за окном перемежался железным ревом каких-то механизмов. — Здравствуйте, Соломон Богданович...

Зевая и поеживаясь, она накинула поверх пижамы халат, подошла к окну и сердито захлопнула форточку. Привстала, пытаясь что-нибудь разглядеть за деревьями и домами, но, должно быть, ничего не увидела.

— Что они делают? Господи, а гарью-то как несет...

Ворча и посматривая на часы, кое-чего прибрала, повозилась в шкафу. Строго подошла ко мне:

— Соломон Богданович, у меня Ficus altissima нет. Вы уж, если не трудно, будьте любезны... сделайте такое одолжение. В случае необходимости пользуйтесь, пожалуйста, Citrus Limon Lunario, что на подоконнике.

Потом она умылась и привела себя в порядок. Пожалуй, стоит рассказать, как именно она это делала, потому что с тех самых пор я наблюдаю за ней каждый день, и каждый день все происходит по одному и тому же сценарию.

Наталья Павловна садилась на низкий пуфик у комода и критически рассматривала собственное отражение, подчас высказывая кое-какие замечания на его счет.

Слушатели всегда были одни и те же: среднего качества любительские снимки в паспарту и рамках, повешенные на гвоздики в стене над комодом. С первого строго смотрел серьезный человек в полевой форме, украшенной капитанскими погонами. В середке смеялся младенец. На третьей фотографии снова был офицер — тоже в полевой форме, как и тот, что на первой, но моложе и в лейтенантском звании, и при этом с такой же улыбкой, что у младенца на второй.

Сев на пуфик, Наталья Павловна первым делом здоровалась с ними: «Здравствуй, Вася!.. Здравствуй, Сереженька!..» А потом, привычно и ловко занимаясь делом, говорила с ними, как будто поддерживая оживленную беседу обо всякой всячине — что происходило вчера и на днях, какие планы у нее сегодня и впредь.

Должно быть, она делала это много лет: речь лилась совершенно так, как если бы Наталья Павловна обращалась к живым людям, способным удивиться, обрадоваться или огорчиться, что-то сказанное одобрить, а что-то, напротив, мягко осудить. Подчас она даже просила совета, как если бы кто-нибудь из них и на самом деле мог ей что-нибудь посоветовать.

Причесавшись, она раскрывала несколько склянок. Сосредоточенно массировала щеки, мяла виски, похлопывала по шее. Долго возилась, сначала нанося кремы, а затем стирая их гигиеническими салфетками. Напоследок осторожно припудривала посвежевшую кожу и, завершая непростую свою деятельность, трогала за ушами капелькой духов. Закручивая флакон, глядела на себя примерно так же критически, как прежде, но все же с большей благосклонностью: и правда, теперь от нее прекрасно пахло, лицо обретало благородную бледность, мешки под глазами несколько уменьшались, а сами глаза, напротив, казались больше.

— Ну, до свидания, Вася, — говорила она, поднимаясь с пуфика. — До вечера, Сереженька.

После чего завтракала чем бог послал, подливала мне воды, подсыпала корма, одевалась по погоде и уже от дверей, будто и на самом деле могла это забыть, вспоминала: «Ой, Соломон Богданович, что же вы тут будете один? Пойдемте лучше назад в библиотеку».

Вот и утром этого, самого первого дня нашей общей жизни, она позаботилась обо мне, после чего выпила чашку чаю и съела творожок.

Украсив затем газовым шарфом серый костюм, надетый поверх светлой блузки с гипюровым воротником, Наталья Павловна взяла сумочку, ключ, открыла дверь и совсем уж было шагнула за порог.

Но вдруг повернулась и сказала:

— Соломон Богданович, что же вы молчите? Вы здесь хотите остаться? Вы, конечно, самое дорогое, что у меня есть, но какая же радость целый день одному в закрытой комнате? Очень вас прошу, давайте сходим в библиотеку.

* * *

Миновав дворы, мы вышли в переулок.

По мере приближения к библиотеке рев усиливался, грохот ломил уши, а запах гари становился просто невыносимым.

— Господи, да что ж такое?! — нервно повторяла Наталья Павловна, томимая какими-то неприятными предчувствиями.

Переулок вильнул налево. Мы взяли правее, через сквер. Его зеленую овчинку со всех сторон стискивали дома.

ИЗ ЖИЗНИ ОДНОГЛАВОГО

Аллейка вела к улице, чахлые деревца редели... Собаководы, держа на поводках своих вынюхивающих что-то питомцев, все, как один, смотрели именно в ту сторону, куда мы держали путь.

Рев и лязганье приближались.

Кисейная завеса деревьев окончательно истончилась, и теперь уже ничто не мешало увидеть всю картину.

У меня перехватило горло.

Почернелое четырехэтажное здание еще дымилось.

Где выгорело полностью, скалились черные проемы окон. Закопченные балконы, обрушившаяся в правой части крыша, накренившиеся трубы вентиляции, стены в кудрявых зализах копоти...

— Что это? — прошептала Наталья Павловна.

Большой разлапистый кран, крепко упершийся в землю раскинутыми в стороны добавочными ногами (если бы он не был так велик, опоры делали бы его похожим на опасное насекомое), раскачивал железный шар и беспощадно и глухо бил в крошащиеся стены.

Вот от очередного удара косая уступчатая трещина стремительно побежала по стене — и большой ее кусок завалился внутрь, подняв огромную тучу пепла и серо-зеленой пыли... Еще замахи, еще мозжащие удары стального шара. Следом обвалились один за другим два балкона... а вот и новая часть стены шатнулась, помедлила — и стала падать, с грохотом и взметенным прахом обрушившись в гору щебня...

Бах! Ба-ба-бах!..

Подбежала Калинина.

— Наталья Павловна, что это? — закричала она с таким негодованием, как будто именно Наталья Павловна раскачивала железный шар и колошматила им по брызжущему красной крошкой кирпичу.

— Ах, не знаю, не знаю! — Наталья Павловна одной рукой крепче прижала к себе клетку, другой закрыла глаза. — Что это? Что это?

— Фонды! — крикнула подоспевшая к нам Екатерина Семеновна. — Фонды сгорели!

Она была совершенно не в себе; кроме того, лицо вымазано сажей, и я подумал: господи, да не пыталась ли Екатерина Семеновна что-нибудь спасти из огня?

Катя Зонтикова заплакала, и вслед за ней сразу все дружно ударились в слезы. Даже таджикская женщина Мехри хлюпала и выла — она стянула с головы свой красный платок и теперь утиралась им.

Я с усилием отвел взгляд от пепелища.

Та техника, что несколько дней съезжалась, исподволь окружая нас, теперь окончательно приблизилась и плотно сошлась вокруг. Вся она работала — ревела, трещала, двигалась, везла, тащила, громоздила, разбирала...

Там летела земля в кузова самосвалов, здесь группы рабочих, маша автокранщикам, споро сгружали бетонные плиты и тут же ставили их торчком в качестве высоченного забора... Справа с больших, в рост человека, катушек разматывали черный кабель, слева копер ухал и скрежетал, намертво загоняя сваи в подрагивающую землю...

— Господи! — причитали женщины. — Это что же делается!

— Фонды ведь, фонды!..

— Все пропало, девушки!..

— Рушат-то, рушат!..

— Господи, несчастье!..

— Где же Милосадов?! Милосадов где?

— Где этот мерзавец?!

Подоспела Плотникова, держа под руку толстого сына Владика.

Замерла, оторопело переводя взгляд с руин на товарок и обратно.

— Это что же… — прошептала потерянно. И завыла в голос: — Книги-то! Книги-то как же!

Зашаталась, закрывая глаза и конвульсивно дергая ворот пальтишка.

Владик заботливо поддерживал.

— Ну не плачьте, мама, — говорил он, сам едва не хлюпая. — Не плачьте. Их уже не вернешь… Ну что же в самом деле так убиваться? Бросьте, не расстраивайтесь, я вам новые напечатаю!..

А на крепком столбе у забора вздымался здоровущий постер: красивая архитектурная картина, сбоку цифирная мелочь, а сверху надпись жирными буквами:

МНОГОФУНКЦИОНАЛЬНЫЙ
ТОРГОВО-РАЗВЛЕКАТЕЛЬНЫЙ
ЦЕНТР «ОДИССЕЯ»
(С ПОДЗЕМНОЙ ПАРКОВКОЙ)

Мне представлялось, что уже не будет минуты ни горше, ни безнадежней.

Суетилась строительная техника, ликвидируя остатки ночного пожара вместе с остатками того, что было когда-то нашим домом. Елозили тракторы, бульдозеры рыли, гребли землю, бил копер. Желтоблузники с муравьиным напором грудились вокруг штабелей досок, поддонов кирпича, бетонных плит, связок арматуры. Заводили стропы, хрипло командовали «Вира!» и махали руками в синих рукавицах. Краны поднимали груз, переносили, там его подхватывали другие рабочие. Во всем виделась лихорадочность, нездоровая, дикая поспешность, с какой зверь, хрипя и чавкая, рвет плоть добытого животного.

Откуда-то из-под земли вырывались белые клубы не то пара, не то дыма. Чуть поднявшись, они попадали в лапы ветра, и он по-собачьи зло теребил их, чтобы как можно скорее рассеять. На смену одним взлетали другие — и так же рассеивались...

Я бездумно смотрел туда сквозь проволочные прутья клетки. И вдруг вообразил, что, возможно, это никакой не пар, никакой не дым. Это наши мысли и чувства, прежде находившие здесь не только приют, но и понимание, собиравшиеся вместе, чтобы тесниться и поддерживать друг друга, придававшие всей нашей жизни и вид, и вкус, каких, наверное, больше уже никогда не будет, — да, это они, как птицы, взлетают из разрушенного гнезда: взлетают и тают в пасмурном небе — взлетают и тают...

Тогда-то мне и подумалось, что уже не будет минуты горше.

Но я ошибался.

Показалась из-за угла ближнего дома невдалеке долговязая, глаголем наклонившаяся от спешки фигура. Я узнал — это Петя Серебров торопился от метро сюда, где еще вчера была библиотека. Он шлепал по лужам не глядя, волосы частью были всклокочены, частью прилизаны снова начавшимся мелким, как из пульверизатора, дождем, куртка нараспашку, грудь расхристана...

Я думал, что сейчас он примкнет к женщинам, чтобы возносить жалобные пени над руинами нашей сгоревшей жизни.

Но он, подойдя, повел вокруг совершенно сумасшедшим взглядом и крикнул:

— Наталья Павловна! Слышите? Светлана Полевых из окна выбросилась!..

8

Сядешь этак в своем домике, закусишь пшеном, попьешь водицы, вспорхнешь на щербатую от времени жердочку да и щелкаешь клювом от нечего делать. А то перескочишь на качельки: есть у меня в клетке такие, проволочная рамка на подвесе. Толкнешься как следует правой лапой — и пойдут они качаться, и носят тебя туда-сюда: аж ветер поднимается и теребит хохолок. Закроешь глаза, поплывешь: кажется, что не по одному и тому же месту ерзает кривая проволока, не в той же самой клетке шмыгает раз за разом, а в плавном полете уносит тебя все дальше и дальше! — и если вовсе отдаться движению, очнешься однажды бог знает где, на другом конце света, где шелестят пальмы и воркуют волны зеленого, никогда не стынущего моря.

Но даже если не так, если проволочные качельки не могут никуда унести, если они ширкают все по тому же месту, не покидая куцего пространства твоего узилища, — все равно безвольно отдаешься их размаху. Жадно ловишь минуту бездумности, минуту неги и беззаботности; тянешь ее как резиновую, хватаешься за последние ее секунды, потому что знаешь: как пройдет эта блаженная минута, канет в небытие, откусив заодно очередную толику жизни, так на смену ей непременно придет иная — и какой-то она окажется?..

Не буду я рассказывать о той сумятице, что поднялась после истеричного Петиного возгласа. Вокруг стоял дикий шум, всем было ясно, что Петя выкрикнул что-то чрезвычайно важное, но за треском и ревом строительных работ никто толком не расслышал, что именно; стали галдеть и переспрашивать друг у друга: «Что сказал? Что сказал?» Кто разобрал одно, кто другое, кто додумал так, а кто этак. В результате мгновенно родилось несколько равно убедительных в своей фантастичности версий. Венцом минутной суматохи стали отчаянные рыдания таджикской женщины Мехри: она поняла Петю самым, пожалуй, из всех неожиданным образом: что всех гастарбайтеров до конца недели вышлют из Москвы, а сейчас уже ловят, чтобы загнать в обезьянники.

Когда дело кое-как прояснилось, когда по новому поводу вдоволь поохали, поахали и пометались, покурьи бестолково топчась на одном месте, дождь припустил по-настоящему. У кого-то был зонт, у кого-то нет, стали разбредаться, поспешили к метро. Наталья Павловна Петю отпускать не хотела, повела к себе. Вид у него и впрямь был сумасшедший: глаза горят горем, без шапки, лицо мокрое от дождя пополам со слезами.

Дома она накапала ему валерьянки, споворила чаю, и все это ни на минуту не смолкая, ведя воркующую речь, лишенную, по сути, содержания, зато имеющую утешительную, успокоительную форму. Петя просох, обмяк, стал рассказывать — прорвало.

Все у них, по его словам, было хорошо. Но однажды — примерно месяц назад — Светлана вдруг ни с того ни с сего заявила, что с этой минуты между ними все кончено. Настолько кончено, что нечего обсуждать, и пусть он ни знаком, ни словом не смеет ее беспокоить, пусть забудет и думать, что она есть на белом свете.

Ему тогда показалось, что она внезапно сошла с ума, настолько все это противоречило тому, что еще несколько часов назад было между ними, — и, возможно, в другое время он добился бы причины этого необъяснимого умопомешательства. Но как назло это случилось как раз после семинара, на котором прошло обсуждение его стихов. И Петя, как всякий поэт, преувеличивающий значение собственного творчества, втемяшил себе, что Светлана Полевых ведет себя так именно потому, что на этот раз стихи ей категорически не понравились. И в результате, несмотря на то, что прежде относилась не только к его поэзии, но и к нему самому весьма благосклонно, ныне мгновенно и катастрофически разлюбила: Петя стал ей не только противен, но даже, возможно, и отвратителен.

Что еще сказать? Он все-таки позвонил ей, надеясь прояснить отношения, сорвать с них ужасную и непонятную ему пелену. Но встретил такой отпор, какого и представить себе не мог: Светлана говорила с ним мало того, что резко, но еще и презрительно, и это окончательно утвердило его в мысли, что все дело в стихах. А поскольку других стихов у него не было и писать по-другому, изменяя себе в угоду взбалмошной девице, он вовсе не собирался, то Петя махнул на все рукой, и единственным положительным результатом случившегося стали двенадцать новых стихотворений, созданных им за несколько дней в состоянии душевного раздражения, любовного бешенства.

А теперь такой поворот.

Мать Светланы позвонила ему утром. Кинулся к ней. Варвара Полевых перемежала слова рыданиями. Светлана сделала это утром, записки не оставила, упала на жестяной козырек, смягчивший удар. Козырек спас жизнь, а все остальное очень плохо. Теперь в тяжелом состоянии в реанимации, туда не пускают... вот так.

* * *

Прошло время. Лето быстро скатилось в осень. Птицы начали сбиваться в стаи, и некоторые уже потянулись к югу.

Усевшись на раму распахнутой форточки, я смотрел, вздыхая, как они обильно перчат туманное небо...

Из травматологии Светлану, уже обучившуюся пользоваться креслом-каталкой, перевели в психиатрию. Еще через месяц она, сопровождаемая Петей, смогла вернуться домой. Я увидел ее вскоре после этого. Она похудела, выглядела гораздо взрослее — если принимать за взрослость тень несчастья, навеки поселившуюся в испуганных глазах. Не знаю, от чего ее лечили после того, как поставили, если можно так выразиться, на ноги в травматологии; не знаю и того, до конца ли вылечили; мне даже не хочется делать на этот счет никаких предположений.

Может быть, если бы несчастье Светланы Полевых не совпало с пожаром, унесшим библиотечные фонды и саму библиотеку, добитую началом строительства, Наталья Павловна смогла бы пережить их. Однако злосчастный дуплет подкосил, на мой взгляд, и ее душевное здоровье. Во всяком случае, жить мы стали по довольно своеобразному распорядку.

Каждое утро она просыпалась по будильнику. Вставала, умывалась, приводила себя в порядок, подливала мне воды, подсыпала зерен, завтракала чем бог послал, одевалась по погоде и уже от дверей, будто и на самом деле могла это забыть, вспоминала: «Ой, Соломон Богданович, что же вы тут будете один? Пойдемте лучше назад в библиотеку».

И мы шли в сторону библиотеки.

Маршрут не менялся. Изо дня в день мы проходили вдоль стеснившихся во дворах машин, мимо качелей на детских площадках и мусорных баков под навесами. Во дворе девятого дома Наталья Павловна здоровалась с дворником-таджиком, который, что оказалось для меня сюрпризом, был мужем таджикской женщины Мехри. С тех пор, встречая его, я всякий раз с затаенной усмешкой вспоминал: «Тадж-махал».

Выходили на главную аллею, прошивавшую сквер с одного края до другого.

В пору, когда мы начали эти невеселые прогулки, деревья еще густо зеленели. Но время шло, и мало-помалу в листве стала пробиваться желтизна. Потом она и вовсе поредела, обнажив черные сучья. Голос деревьев изменился. Прежде ветер гулял по кронам широко и шумно, а теперь лишь недовольно и скупо посвистывал: ветки подрагивали в его порывах, а он с сухим и жестким звуком шерстил остатки бурой листвы.

Теперь даже с дальнего края сквера можно было рассмотреть многогранные стены торгового центра, высоко поднявшиеся на месте библиотеки — и поднимавшиеся все выше. Не успели первые утренники посеребрить траву, а торговый центр уже сверкал многоэтажьем, сиял вертикальными пространствами витрин и блестящим металлом обрамлений.

Настал день, когда мы увидели, как за стеклянными стенами чарующе быстро скользят вверх-вниз такие же стеклянные лифты: должно быть, инженеры уже испытывали их. Я сделал вывод, что со дня на день центр, говоря языком многотиражек, широко распахнет двери первым покупателям.

— А библиотеки-то теперь нет, — будто новость последнего часа, сообщала Наталья Павловна, держа клетку под мышкой, и в голосе ее звучала такая надрывная веселость, будто она хотела сделать себе еще, еще больнее. — Вот так, Соломон Богданович. Обманул нас директор Милосадов.

Вдоволь насмотревшись, как одна за другой бесконечной вереницей к складским терминалам торгового центра подъезжают фуры, — должно быть, начался завоз товара — мы неспешно шагали обратно. То есть я по-прежнему сидел на своей жердочке, а Наталья Павловна плелась к дому.

Если вдуматься, куда теперь ей было торопиться? Это за годами одинокая пенсионерка черта с два уследит — так и несутся, так и мелькают, — а день ее тянется как резиновый.

* * *

С тех пор, как Петя Серебров забрал Светлану из больницы, они наведывались к нам довольно часто. А однажды как раз в ту минуту, когда Петя выкатывал из лифта едва помещавшееся в кабину кресло, позвонил Красовский — тоже собрался заглянуть.

Молодые люди доставили фруктовый торт, подоспевшего вскоре мэтра отягчал внушительный ломоть ветчины, бутылка коньяку и конфеты. Наталья Павловна напекла целую гору оладий с яблоками, хлопотала, рассаживая гостей, требовала, чтобы Петя перекатил Светлану к окну, где ей будет удобнее, — в общем, просто не находила себе места от радости.

— Прошу вас! — повторяла она. — Угощайтесь! Афанасий Михайлович, берите оладьи! Что же вы пренебрегаете сыром?

— Непременно, дорогая, — отвечал Красовский, громоздя бутерброд. — Всенепременнейше... Ну хорошо, а Екатерину Семеновну куда? — Разговор за столом шел о судьбах библиотечных.

— Всех раскассировали, — махнула рукой Наталья Павловна, продолжая тему. — Махрушкина одну только Зонтикову в департаменте пристроила. Почему ее? — никто не понимает.

— Баскетболом заведовать, — предположил Красовский. — Она высокая.

— Или преферансом, — выдвинул свой вариант Петя. — У нее всегда пять тузов в колоде. Между прочим, в субботу открытие.

— Открытие чего? — спросила Светлана.

— Многофункционального торгово-развлекательного центра «Одиссея» с подземной парковкой.

— Ты откуда знаешь?

— В газете прочел, — пожал он плечами.

— Разве о таком в газетах пишут? — Светлана явно насторожилась.

— Ну, конечно, пишут, — бросил Петя и сказал, явно переводя разговор: — Название-то какое.

— Название славное, — кивнул Красовский. — Россияне должны знать классические произведения хотя бы в объеме названий торговых центров. Одобряю и поддерживаю. Конечно, лучше бы звучало «Бесы».

Будем надеяться, что так назовут следующий — они же плодятся как мухи.

Петя принялся изощряться на этот счет:

— Торгово-развлекательный центр «Пир во время чумы»!

— Ну, брат, это слишком уж на поверхности лежит, — раскритиковал Красовский.

— «Остров сокровищ»!

Светлана Полевых выдвинула свое:

— «Преступление и наказание».

— Да, милая, но в чем же тут наказание? — спросил Петя. — Нет, это не подходит.

— «Бедные люди», — предложила Наталья Павловна.

— Все, Наталья Павловна, приз ваш! — захохотал Красовский. — Умри, Денис, лучше не напишешь. Аршинными буквами, чтобы с самолетов было видно.

В общем, так они сидели, выпивали и закусывали, и все было очень хорошо, пока Серебров не заспорил с Красовским. Собственно, и это было хорошо, даже лучше, чем раньше, но уж как-то очень напряженно.

Началось с того, что Петя обмолвился: дескать, ничто не сравнится с радостью творчества, и ему как пишущему человеку это куда как хорошо известно. И даже то, что, как он случайно узнал, Карацупу взяли на Центральное радио вести поэтическую передачу, не может ему испортить настроения, поскольку, как ни крути, лучше быть гением в забвении, чем бездарем на виду.

Конечно, он мог бы облечь свою мысль в чуть более скромную и чуть менее напыщенную форму — в конце концов рядом с ним сидел человек, которому тоже никак нельзя было отказать в этой самой «пишущести», да и подвержен ей он был куда дольше. Так что, перед тем как бакланить свое, можно было бы узнать его мнение.

Однако пара рюмок способствовала тому, что Петя высказался именно так — безапелляционно и торжественно.

Как я и думал, Красовский отреагировал самым непосредственным образом: сначала прыснул, затем замер на мгновение, уставившись в тарелку с загнувшимися остатками сыра и как будто еще раз осмысливая сказанное, а осмыслив, разразился хохотом — настолько бурным, что был вынужден, чтобы не расплескать, вернуть рюмку на стол.

Светлана Полевых закусила губу. На ее милос ли цо набежали одновременно две тени: во-первых, досады — ей было неприятно, что вино ударило Сереброву в голову, заставив ни с того ни с сего говорить благоглупости, а во-вторых, обиды — потому что Красовский мог бы рассмеяться не так издевательски и глумливо.

Честно говоря, сердце у меня замерло — то ли от жалости к ней, то ли от сочувствия. Впрочем, возможно, это одно и то же.

Все мы вправе надеяться, что, когда любимые выставляют себя не в лучшем свете, окружающие отнесутся к этому так же благосклонно, как мы сами... и как часто эти надежды приносят еще более острое разочарование, чем даже те, что мы тщетно питаем по отношению к самим себе.

И еще я заметил испуганное выражение на лице Натальи Павловны — наверное, она боялась, что Светлана Полевых сейчас со всем пылом бросится защищать Петю, в результате чего заварится такая густая каша, что этим вечером ее уже не расхлебать.

Я ее понимал, мне тоже не хотелось, чтобы Светлана Полевых заступалась за Петю, потому что тогда все непременно начнут фальшивить... Ведь одно дело, когда чувствуешь себя на равных, а совсем другое — если споришь с инвалидом, по крайней мере, пока окончательно к этому не привык; а никто из нас еще не привык окончательно к тому, что Светлану Полевых приходится возить в инвалидной коляске. Да и как к этому привыкнуть?

Но Светлана промолчала. Я лишь заметил, как она сжала подлокотники.

Зато Петя, услышав ядовитый смех Красовского, мигом протрезвел, вновь обретя взвешенность осторожных суждений. И у них завязался... впрочем, спором начавшийся разговор назвать нельзя, потому что, чем дальше он шел, тем душевней становился. Ну и путаней, конечно: точь-в-точь старое раскидистое дерево, увитое плетями вьющихся растений да вдобавок покореженное вчерашним буреломом.

Пожалуй, никто третий не смог бы досконально разобраться в том, что они говорили: речь показалась бы ему бессвязно скачущей с предмета на предмет. Он не поспевал бы вышелушивать тот смысл, что они торопливо и подчас довольно неряшливо запеленывали в слова.

С другой стороны, могло показаться, что это не двое сошлись друг с другом в нескончаемом противоречии, а кто-то один толкует с самим собой: с самим собой не то помолодевшим, не то, наоборот, набравшимся лет. Не другого, а самого себя он уговаривает не предаваться запальчивости: дескать, есть вещи, о которых нельзя иметь суждения, ибо ему еще только предстоит эти вещи пережить. А вот сам же себе отвечает, что, мол, неправда: он имеет право на всякое понятие, поскольку судьба и сердце не могут, раз начав бег в одном направлении, переменить его на противоположное, — а значит, из любой точки пути можно проросить взгляд в будущее.

С наслаждением слушая их, я уж в который раз отметил, что в борьбе с собой не бывает побежденных: какая разница, кто победит, если в любом случае это один и тот же.

Что я запомнил? Не скажу, из чьих уст прозвучало, — так сплетались нити беседы, что, кажется, период вовсе не принадлежал никому конкретно: течение речи выткало его, как течение реки ткет берега, обрамляя песок бахромой желтеющих водорослей. Рассуждение касалось мифа об Орфее и Эвридике. Что вовсе не о любви идет в нем речь и не о смерти-разлучнице. А о том, что, если художник хочет найти свою красоту, он должен спуститься в ад — в саму преисподнюю, полную мук и терзаний. Должен погрузить туда свою душу: сам, своими руками обречь ее на адовы страдания. Страшны те мертвые пределы, ужасна заскорузлая, прогорклая земля, то сжигаемая огнем, то застилаемая белесыми тучами ядовитого тумана. Но только там он, томимый одной мыслью, прожигающей сердце горше злого огня, может надеяться, что когданибудь встретит ее — свою Эвридику…

Красовский скрипуче рассмеялся и сказал извиняющимся тоном: «Но ведь никто не обещал, что это обязательно случится, верно? Может ведь и такое: жизнь погубил, а ни черта не встретил».

И тоже, должно быть, размягченный коньяком, довольно некстати сел на любимого конька: заговорил об издательских проблемах. Слушали нельзя сказать чтоб с жадным интересом; вдобавок оратор, рискуя нашим вежливым вниманием, входил во все более ненужные детали, пока наконец не опомнился и махнул рукой, справедливо заметив, что все это нам ни к чему. Но следом тут же с горечью заявил, что у него нет иного выхода, как только обратиться к Милосадову: конечно, тот еще мерзавец и позер, ну а вдруг воспользуется старыми связями и хоть как-то поможет? — ведь предлагал и даже визитку оставил...

Даже меня это покоробило, что же касается Светланы Полевых, мне показалось, что если бы она могла, то немедленно бы вышла вон. Но коляска была заторкнута в такой угол, что выкатиться самостоятельно не представлялось возможным; поэтому она только ахнула и откинулась в кресле, глядя на Красовского буквально с ужасом.

— Что ты? — обеспокоенно спросил Петя, наклоняясь к ней.

— Афанасий Михайлович, — глухо сказала она, — не делайте этого! Никогда этого не делайте! Пойдем, Петя.

И голос был таков, что Петя тут же встал и начал прощаться.

Когда они вышли, Красовский потоптался в прихожей (все равно в лифт все не помещались), громко толкуя бог весть о чем, чтобы не показать конфуза. Напоследок виновато сообщил, что он, дескать, кажется, маленько не того, хмуро поцеловал Наталью Павловну в щеку и тоже удалился.

Наталья Павловна вымыла посуду и вытерла тарелки. «Ах, Соломон Богданович, — ни с того ни с сего сказала она, вешая полотенце на спинку стула. — Вы знаете, все проходит бесследно...»

Такой вот был вечер.

Но обычно мы проводили время вдвоем у телевизора. Наталья Павловна любила смотреть сериалы. Кто хоть раз видел сериал для пожилых женщин, знает, что все они битком набиты слезливыми монологами, глупейшими совпадениями, без которых, как я понимаю, несчастному сценаристу не удалось бы свести концы с концами, — и детьми, детьми, детьми. Судьба даже счастливейших из них складывалась несладко: как правило, их зачинали невзначай, а уже наутро отцы пропадали по делам службы или садились в тюрьму за не совершенные ими преступления; подчас, если везло, папаши возвращались спустя долгие годы, чтобы научить отпрысков приемам самбо. Значительную часть младенцев забывали на вокзалах, а то еще их крали цыгане или подменивали в родильных отделениях. Кстати говоря, уровень кинорождаемости далеко перехлестывал разумные максимумы и приближался к кроличьей. Если бы все эти злополучные создания, за счет которых выдавливалась горячая слеза из часто моргающих глаз Натальи Павловны, не ровен час, ожили, в странс не хватило бы ни детдомов, ни сосок.

Затем с первых кадров новостной программы на экране появлялся президент. Сначала он говорил о политике и экономике. Интонации его, как правило, были озабоченны, однако всякий раз подворачивался случай нарисовать ту или иную перспективу, и только его деловитая сдержанность мешала назвать ее лучезарной.

Обязательная программа подходила к концу, наступало время вольной. Президент преображался — подтягивался, веселел, глаза блестели. По мере того, как на экране разворачивались веселящие сердце чудеса, становилось понятно, почему именно этот человек обременен столь высоким званием: да потому что никому другому не удалось бы совершить даже малой толики его былинных подвигов. Прошлое стыдливо склонялось перед блистательным настоящим, сам Геракл смущенно пятился в туманное пространство древних выдумок, с завистью поглядывая оттуда на удивительную современность: новый герой брал под уздцы непокорный стратостат и, смело оседлав его, непреклонно взмывал в облачные небеса, чтобы горделиво измерить наконец температуру верхних слоев атмосферы, никак не дающуюся в руки глупых синоптиков. А покончив с этим, тут же, только переодевшись из костюма высотника в грубую брезентуху землепроходчика и надвинув каску, яростно дергал железные ручки, чтобы глубоко в недрах планеты увести в сторону проходческий комбайн, без его участия наверняка наехавший бы на гнезда невинных кротов и несчастных землероек...

Последний по времени сюжет был, пожалуй, самым впечатляющим. Облегающее одеяние, сшитое из каких-то блестящих бляшек вроде копеек или гривенников, убедительно имитировало мелкую рыбью чешую. Налепленные по всему телу розовые плавники трепетали по ходу заплыва. Бултыхая ластами и с рыбьей сноровкой извиваясь всем телом, президент показывал спасительную дорогу косяку корюшки, заплутавшему в мутной воде низовьев Невы по пути на нерест.

Когда духоподъемные сюжеты заканчивались, звонил телефон: радостно взволнованная Плотникова спешила восторженно поделиться с Натальей Павловной яркими впечатлениями от увиденного.

ИЗ ЖИЗНИ ОДНОГЛАВОГО

* * *

Как всегда, это случилось под утро.

— Соломон Богданович, — сказал Калабаров. — Я не могу сидеть тут всю ночь и ждать, когда вы соизволите проснуться.

Я опять не заметил, откуда он взялся: вздрогнул и раскрыл глаза, когда Калабаров уже сидел на пуфике у комода.

— Я не сплю, — заплетающимся со сна языком сказал я. — Во всяком случае, теперь не сплю. Рад вас видеть. Здравствуйте.

— Тише, тише, Наталью Павловну не разбудите... Вы, Соломон Богданович, я смотрю, и в ус не дуете.

— Ничего себе! — Я встряхнулся, сгоняя последние крохи сна. — Четверть пятого, между прочим. Какой ус? Ночь на дворе. Я же не знал, что вы появитесь.

— Вот тебе раз! — удивился он. — Разве я не давал знака?

— Какого знака?

— Могли бы заметить, что вечером ни с того ни с сего штора колебалась. Разве не знак?

— Вечером Петя со Светланой заходили и Красовский. Такой галдеж стоял, что только если бы карниз упал...

— И вода у вас в поилке рябила.

— Воду видел, — соврал я. — Но не понял к чему.

— Ну конечно, — он усмехнулся. — А на потолке я огненными буквами «Ждите!» вывел — тоже не поняли?

Буквы? — тоже не приметил... Счел за лучшее делано удивиться:

— Так это вы писали?

— А кто же еще?

— Мне показалось, свет так падает... случайно как бы...

Калабаров махнул рукой.

— В общем, Соломон Богданович, с вами каши не сваришь. В следующий раз придется прямо на голову штукатурку отколупывать... Предпринимать что-нибудь надумали?

— Насчет чего?

— Насчет Милосадова.

— А что надо предпринимать?

— Хорошенькое дело! — возмутился он. — Соломон Богданович, я вам удивляюсь. Мало того, что он с блеском порушил все, за что я столько лет боролся, так этот мерзавец еще и... даже вспоминать об этом не хочу! Вы ведь понимаете, что я имею в виду?

— Понимаю, — вздохнул я.

— Если бы я был... гм... по-прежнему был у вас, я бы смог ее защитить. Впрочем, если бы я был... гм... был у вас, возможно, не пришлось бы ее ни от чего защищать, — сказал Калабаров. — Не было бы в библиотеке никакого Милосадова. Правда, он бы наверняка других где-нибудь корежил, но ведь для нормального человека как? Если вдалеке, то будто и нет вовсе. Ладно, не в этом дело. Так или иначе, мечта этого подонка сбывается: с послезавтра он назначен коммерческим директором. То есть получит все, чего так желал: сядет на финансовые потоки. И будет, как добрый поливальщик, открывать воротца. Чтобы водичка то туда текла, то сюда. Главным образом, наполняя карманы акционеров. Свои, в частности. Библиотеки нет, Светлана в коляске, Милосадов на потоках. А вы все это так и оставите? Пусть живет безнаказанным? Я хочу сказать, в вашем человеческом понимании безнаказанным.

Я насторожился.

— А в вашем понимании что?

— А в нашем понимании он, дурачок, себе на роду такого уже понаписал, что можете не волноваться, — туманно разъяснил Калабаров. — Такого не замажешь. И не замолишь.

Я разозлился. Что за манера громоздить одну загадку на другую!

— Чего вы от меня-то хотите? Что я могу? Люди-то вон ни о чем не думают, а уж...

— Некоторые думают, — буркнул он.

— Это кто же?

— Да кто... Петя Серебров. Вообще-то я не должен вам этого говорить... ну да ладно. У Пети такой план: хочет прилюдно дать Милосадову по роже, когда тот в качестве главного лица приедет на открытие.

— Разве Петя знает?

— О Светлане? Нет, не знает. Она ничего ему не сказала. И не скажет. Внушила Сереброву, что совершила свой безумный поступок в состоянии временного умопомешательства. Дескать, никаких внешних причин не было, и точка. Концы в воду. Стойкий оловянный солдатик...

— Гены, — вздохнул я. — И что же выходит: Петя за библиотеку мстит?

— Примерно так.

— Глупый птенец... И что? Ну даст он ему роже. Допустим. А Милосадов его посадит. И Светлана снова останется одна. В ее-то положении...

— Как пить дать посадит, — согласился Калабаров. — За ним не задержится. И уж чего хорошего...

С другой стороны, в России каждый сколько-нибудь приличный человек должен срочок-другой отмотать. Но все-таки нужно Петю от его затеи отвадить. Думаю, достаточно написать. Мол, нишкни, Петя, твой план давно известен. Не суйся, мы и сами все сделаем, а ты только дело испортишь... а? Тогда не полезет.

— Не знаю, — с сомнением протянул я. — Он существо поэтическое.

— Это верно, — вздохнул Калабаров. — Надежды никакой. Конечно, я и сам могу что-нибудь устроить... Перелом ноги, например. Куда он с поломанной ногой? Или двустороннее воспаление легких. Через две недели будет как огурчик, а пока поваляется. Как думаете?

— Отличный план! — похвалил я. — Или вот еще сотрясение мозга бывает. Шибануть покрепче — и готово. Только идиотом не делайте, а так в самый раз.

— Мне это нравится, — сердито сказал Калабаров. — То не так, это не этак. Вы сами-то на что-нибудь способны?

* * *

Накануне я подобрал подходящий кусочек бумажки, как следует его поклевал, смочил слюной, еще поклевал — и в лапах у меня оказалось именно то, что нужно. Комочек я прилепил возле форточной петли. Когда Наталья Павловна собралась по магазинам и решила закрыть форточку, форточка до конца не закрылась, а Наталья Павловна этого не заметила.

Я подождал, пока не хлопнула входная дверь, поковырял клювом в щели и кое-как отворил.

Вспрыгнул на раму.

Первым делом углядел какого-то буряка, подозвал.

— Слышь, ты, пестрый. Как жизнь?

Воробей вытянулся, глазами ест.

— Ничего, дяденька, спасибо.

— Как тебя величать-то?

— Чирий, дяденька.

Я хохотнул:

— Ишь ты, Чирий! — Буряки вообще лучше понимают, когда с ними маленько по-хамски. — Вот что, Чирий ты мой ненаглядный. Найди-ка кого из серых. Скажи, Соломон Богданович зовет. Дело есть. Да быстро у меня!

Минут через десять вместо него подваливает, как было велено, какой-то серый. Довольно невзрачный еще, весенний. Вытягивается, клювом щелкает.

— Что так долго, — говорю недовольно. — Заснули все?

— Соломон Богданыч, — отвечает извиняющимся тоном. — Простите, бога ради, недослышали. Если б дослышали, мы б тогда в секунду. А этот глупый буряк... честное слово, как полено, ничего толком разъяснить не может. Если б сказал, мы б тогда...

— Если бы да кабы, — говорю саркастически. — Буряк тебе виноват. Все с тобой ясно. Ладно. Вороной где?

Удивляется, но без кипиша.

— Дяденька, откуда ж нам знать, где Вороной. Мы птицы невеликие. Знаю только, что все больше на югах шарашится, где-то за Волгоградкой...

Ага, думаю, и то хорошо: если шарашится, то как минимум жив.

— Труби тревогу, — говорю. — Гони, как ветер. Хоть всех на уши ставь, но чтоб Вороной у меня вскорости был. Понял?

— Я... — начинает что-то блеять.

— Ты понял, спрашиваю? — повышаю голос. — Давай без болтовни. Одно крыло тут, другое там. Пошел!

Ну да понятное дело: скоро сказка сказывается, да не скоро дело делается. Но все-таки в конце концов что-то тяжкое с топотом шварк на карниз — Вороной.

— Ох, Соломон Богданович, — говорит, переводя дух. — Аж из Братеева вынули. Ты прикинь — едва домахал. Годы-то какие. Ну здорово.

— Здорово, — отвечаю, — рад тебя видеть! — А потом тем фальшивым тоном, какой всегда появляется в таких случаях: — Какие твои годы! На тебе еще пахать и пахать. Вон грудь-то какая.

— То-то ты меня и припахал... — Вяло машет крылом: мол, не надо его взбадривать, он лучше знает. Но сам, старый потрох, все же щурит целый глаз и клювом пощелкивает — приятно ему.

— В общем, слушай, Вороной. Задача такая... Рассказываю.

— Да, — ошеломленно тянет Вороной. — Дела!

— Верно, — соглашаюсь я. — Дела серьезные. Ну а чего ты хотел? — это тебе, брат, не золотую бумажку от творожной массы из помойки тырить.

Между прочим, ошеломить Вороного не так просто. Он и огонь прошел — до сих пор хвост паленый, и воду, тут и говорить нечего. А года три назад тайком через чердак пробрался в консерваторию, чтобы, когда все уйдут, поживиться чем-нибудь в буфете. Но его там почему-то дня на три заперли, а в кладовке только коньяк и горошек в банках, тут-то ему и медных труб, по его собственным словам, хватило вдосталь.

— Но все же не бойсь, — продолжаю. — Дело, конечно, нешуточное. Но с другой стороны посмотреть: глаза боятся, а крылья хлопают. Все пройдет как по маслу. Надо только четко организовать. Я бы сам, да мне отсюда полноценного выхода нет.

— Да, — задумчиво повторяет Вороной. — Можно, конечно. И не такое делали... Сизых собираешься задействовать?

Мне вопрос понравился. Стало быть, первый этап завершен: идею Вороной принял, и теперь уж по-деловому обсуждает всякого рода мелочи.

— Сизых-то? — так же задумчиво переспрашиваю я. — Хорошо бы, конечно, да уж больно они глупые.

— Это так, — соглашается Вороной. — Но в таком деле сизые незаменимы.

— Почему это?

— Жрут много.

— Ах, это...

— Ну да. Наш брат на подножном корму: что потопали, то и полопали. А им, дуракам, старушки то хлеба накидают гору, то пшена насыплют полвагона...

— Точно, как с куста, — киваю я, понимая, что ему страсть как хочется пожаловаться на жизнь: со своими-то он мрачный герой, а мне можно поплакаться в жилетку. Только чтобы никто не видел.

— Просто зло берет, как посмотришь! За какие такие заслуги? Если только за дурость, потому что дурее сизых только желтопузые. Но про желтопузых разговора нет: мелочь домашняя. Головенка с кедровый орех. А сизые все-таки полноростные, нашего брата догоняют...

— Так и есть, — киваю я. — Просто лошади. Если б им еще ума в размер... Но ты прав: от больших и многожрущих много пользы может произойти — выхлоп значительный. Да как организовать тупую шоблу?

— Ничего, — ободряет он. — Я сделаю. Сгоним заранее в большие стаи, разобьем на сотни, сотни на десятки. На каждый десяток по серому. На сотню — по заслуженному серому. И поведем как миленьких. Еще и пару тренировок успеем провести... Главное — до места строем добраться, а там уж дело нехитрое, все по команде. Отлично выйдет!

Оговорили кое-какие детали, а тут и Наталья Павловна вернулась — едва успел я форточку прикрыть.

* * *

В общем, исполнение первой части моего плана легло на плечи Вороного — а на Вороного я мог положиться как на самого себя.

Что же касается второго звена, то здесь никто не мог мне помочь. Был бы известен адрес Пети, так стоило лишь поручить доставить письмо, и тот же Вороной обтяпал бы дельце в лучшем виде — тем более что оно представляло собой сущий пустяк по сравнению с тем, за которое он уже взялся.

Но адреса не было, и оставалось рассчитывать на случай. На который можно рассчитывать, только если ты к нему полностью готов. А чтобы стать полностью готовым к возможному случаю, мне был нужен принтер. Разумеется, вместе с компьютером.

Размышляя над проблемой, я не раз и не два вздохнул: ах, как было бы славно знать, что мир довольствуется твоей мудростью… Нет же, ему нужны еще и твои умения.

Дома у Натальи Павловны вычислительной техники и аксессуаров к ней не водилось, поскольку она ни в чем таком не разбиралась. (Кстати говоря, я понимаю, почему современные женщины не разбираются, скажем, в револьверах или конской сбруе. Но почему в принтерах — для меня остается загадкой. Да и вообще, если на то пошло, принято считать, что люди умнее попугаев. На мой взгляд, это мнение слишком категорично: большая часть если и умнее, то ненамного.)

А зато сосед Аркадий Тимофеевич был по этой части весьма продвинутым господином. Коммунальные квартиры — вечное пристанище разбитых кораблей судьбы. Мне представляется, Аркадий Тимофеевич был не прочь за Натальей Павловной приударить, по возрасту они вполне подходили друг другу. Однако вместо того, чтобы пригласить милую соседку в ресторан, в театр или хотя бы на прогулку, где можно было бы если не выразить высокие чувства, то, как минимум, выработать в предмете своего обожания привычку к тому, что ты всегда находишься с ним рядом, этот высокий сутулый человек с обширными залысинами и зелеными глазами навыкате, встречаясь с Натальей Павловной на кухне, задает ей самые нелепые вопросы. Например, как она относится к последней версии Windows. И не считает ли, что малобюджетные ноутбуки Asus имеют преимущество перед еще более малобюджетными ноутбуками Acer. Понятно, что он не может найти лучшего способа повергнуть ее в столбняк минуты, как минимум, на три.

Однако налаживание их отношений я решил оставить на потом. Покамест мне позарез нужно было пробраться в его комнату.

И мне это удалось.

Я улучил момент, когда Аркадий Тимофеевич удалился не то в булочную, не то по какому-то иному столь же обыденному делу.

Дверь он оставил открытой.

Порхнув в его владения, я с удовлетворением обнаружил, что компьютер включен, — а иначе мне пришлось бы повозиться с его тугой скользкой кнопкой.

Не прошло и минуты, как я бегло нащелкал на пустом экране:

ПЕТР! НЕ ХОДИТЕ НА ОТКРЫТИЕ МНОГОФУНКЦИОНАЛЬНОГО ТОРГОВО-РАЗВЛЕКАТЕЛЬНОГО ЦЕНТРА «ОДИССЕЯ» С ПОДЗЕМНОЙ ПАРКОВКОЙ! И НЕ ПЫТАЙТЕСЬ НАВРЕДИТЬ МИЛОСАДОВУ! ВСЕ УЖЕ ПРОДУМАНО, МЕСТЬ НЕИЗБЕЖНА! А ВЫ ТОЛЬКО ИСПОРТИТЕ ВСЕ ДЕЛО И ПОДСТАВИТЕ СЕБЯ ПОД УДАР! ЗОРРО.

Принтер негромко загудел, протягивая лист. Я осторожно сложил его вчетверо, унес в прихожую, до поры до времени сунул на верх вешалки под одну из шляп Аркадия Тимофеевича, а вечером, когда Серебров зашел по какому-то делу, выгадал секунду, чтобы затолкать листок в карман его куртки.

* * *

Утро того дня, на которое было намечено открытие многофункционального торгово-развлекательного центра «Одиссея» с подземной парковкой, лично для меня ничем не отличалось от многих предыдущих.

Позавтракали, привели себя в порядок.

Попутно Наталья Павловна рассказала мужу и сыну, приветливо смотревшим на нее с фотографий, обо всех наших скорбных делах. Дескать, нынче откроется ТЦ, и Милосадов станет его директором. И что Петя Серебров вчера вечером признался Светлане Полевых как самому близкому человеку под клятвенное обещание не выдавать секрет, что в день открытия «Одиссеи» намеревается прилюдно съездить Милосадову по роже, а там будь что будет. А Светлана Полевых, боясь за него, тут же раззвонила Наталье Павловне и Красовскому, моля что-нибудь предпринять — да так, чтобы сам Петя о ее предательстве не узнал...

— Ах, Соломон Богданович, вы один, что ли, хотите остаться? — услышал я привычное. — Нет уж, лучше, как шерочка с машерочкой, в библиотеку. Не возражаете?

Пошли «в библиотеку».

Явились в одиннадцатом часу и, как оказалось, очень вовремя.

Весь торговый центр, куда ни взгляни, сиял, сверкал и лучился чистотой.

С обеих сторон неохватного глазом фигурного портала гроздьями свисали где хмурые химеры, где веселые обезьяны, полуспрятавшиеся в гипсовой вязи тропических лиан. В мерцающей глубине неспешно вращались огромные двери. Справа и слева от входа на многие десятки метров топырились, налезая друг на друга, гирлянды цветов и гроздья воздушных шаров. Разноцветные искристые ленты увивали парапеты, горящие медным жаром водосточные трубы и карнизы, плевательницы, столбы уличных люстр и сами люстры — и даже выстроившиеся в несколько строгих каре бесчисленные ряды стальных тележек.

— Наталья Павловна! Дорогая!.. Валя!.. Зоя!..

Собрались все — и Коган, и Калинина, и Екатерина Семеновна, и девушки из пополнения, и девочки из абонемента, и даже таджикская женщина Мехри в праздничном красном платье, подол которого почти закрывал краешки шаровар, застенчиво улыбалась из-под белого с каймой платка, в общем, все были здесь.

Я все озирался, надеясь увидеть Петю, Светлану Полевых или хотя бы Красовского, — но тщетно.

Большую площадь перед входом захлестывал народ. Металлические ограждения держали только узкий коридор, застеленный алой ковровой дорожкой от автостоянки до входа.

Голоса, нетерпеливые выкрики, детский визг и гудки машин на ближайших улицах складывались в широкий гул, перебить который мог только гром музыки. Присобаченные где-то по стенам ТЦ громкоговорители щедро заливали площадь: то полковые оркестры, то Пугачева, то вдруг мощно запиликал «Танец маленьких лебедей», а когда что-то визгнуло, будто игла проехалась по пластинке, из динамиков тяжело и грозно понеслось:

> Забота у нас простая,
> Забота наша такая...

В тот же миг показался кортеж.

Я задрал голову к небу, надеясь увидеть в нем все то, что надеялся увидеть.

Однако ясное небо неприятно поражало своей пустотой.

ИЗ ЖИЗНИ ОДНОГЛАВОГО

Боже, как я нервничал! И вчера нервничал, и сегодня утром. А сейчас меня просто колотило. Господи, ну неужели опоздают?!

Длинный черный лаковый автомобиль медленно приближался, сопровождаемый роем мотоциклистов в желтых шлемах.

> Пока я ходить умею,
> Пока глядеть я умею!..

Мотоциклисты плавно и почти бесшумно разъехались вправо и влево, лимузин остановился у начала ковровой дорожки.

Кто-то из группировавшихся здесь представителей менеджмента подскочил, чтобы распахнуть дверцу.

Первым показался... нет, не Милосадов.

Высунулась нога в брючине и лаковом ботинке... и представитель менеджмента поддержал батюшку, помогая ему выбраться на свет божий и встать на твердую землю.

Батюшка распрямился, ряса расправилась, закрыв и ботинки, и брючины. Он был пузат, широкоплеч, осанист: борода лопатой, ярое сверкание килограммового креста на груди.

Не теряя времени даром, батюшка принялся то щедро рассыпать в толпу направо-налево крестные знамения, то кропить святой водой.

Толпа довольно поревывала.

Задыхаясь от нетерпения, я смотрел вверх. Ну где же, где?

И вдруг увидел краешек серой тучи.

Вот они!

Уже и Милосадов неспешно ступил на асфальт.

Высадив его, лимузин тут же начал неторопливо пятиться.

Туча быстро приближалась.

Успеют?

Не успеют?..

Милосадов встал рядом с батюшкой, так же обращаясь направо и налево и стремясь, вероятно, охватить своим вниманием все пределы и края человеческого сборища; но не крестил, а только ослепительно улыбался (бросая при этом на толпу отблески своих роскошных зубов, какие бывают от электросварки), раскланивался и складывал ладони над головой: хлоп-хлоп, хлоп-хлоп.

По-доброму щурясь и расплываясь в широкой улыбке, батюшка время от времени оборачивался к нему, к герою дня Милосадову, и обеими руками торжественно указывал на него как на виновника события. А то еще поощрительно, по-товарищески хлопал именинника по плечу и выбрасывал перед собой правую руку с задранным кверху большим пальцем.

Всякий раз его жесты вызывали в толпе новую бурю аплодисментов и гомон радостных возгласов.

Между тем уже можно было различить, что наплывающая издалека туча не сплошна: рассеченная ровными прогалами на прямоугольники, она явно состояла из отчетливо видных подразделений.

Представитель менеджмента с поклоном протянул Милосадову микрофон.

В эту секунду я увидел Петю Сереброва — он торопливо катил кресло со Светланой, что-то быстро втолковывая ей на ходу; припарковал возле стены, наклонился, чтобы поцеловать, и, оставив ее там, начал в одиночку решительно протискиваться в первые ряды.

ИЗ ЖИЗНИ ОДНОГЛАВОГО

Светлана что-то кричала ему в спину, бессильно сжимая кулаки, — я не расслышал ее слов за гулом и гоготом.

Я мог понять, почему он не слушает ее, — потому что, конечно, ему хотелось показать себя сильным мужчиной: сказано — сделано, обещал — получите! Но почему он пренебрег моим предупреждением, подписанным именем самого Зорро?! Сумасшедший!

Красовский тоже был здесь. Он стоял с левого края, взволнованно озираясь и отчаянно морщась. Он не видел Сереброва и не мог знать, с какой стороны тот появится, а Серебров уже настырно продирался сквозь толпу, и у Красовского, даже если бы он его увидел, не было шансов догнать, чтобы помешать задуманному.

Туча приближалась. Уже можно было понять, что ее образуют птичьи стаи. Они мчались быстро, мощно и организованно: поотделенно, поэскадрильно — как, наверное, когда-то советские бомбардировщики летели на Берлин.

— Дорогие друзья! — весело, радостно и солидно сказал Милосадов.

Сизые шли стройными рядами. Ряды строились в каре. Одну эскадрилью от другой отделял узкий промежуток.

Первые начинали снижаться.

— Дорогие друзья, — повторил Милосадов, раскланиваясь и поворачиваясь то в одну, то в другую сторону, чтобы всех наделить своим вниманием.

Многие в толпе задрали головы.

Кто-то уже показывал пальцем.

— Сегодня большой и знаменательный день, — с достоинством начал он.

Залп!

Совершив бомбометание и отстрелявшись, первая эскадрилья сизых, ведомая своим серым, пошла на крутой вираж, взмывая к солнцу.

Наваливалась вторая.

Залп!.. вираж!..

Я видел, что Петя, пробившись в первый ряд, сделал шаг, означавший, что он стремится к Милосадову.

Однако мощное и удачное бомбометание второй эскадрильи заставило его замереть и сморщиться.

Конечно, эскадрильи целили в главный объект. Но если взять во внимание высоту, с которой они пускали свои грозные снаряды, и порывы ветра... Это, конечно, не ковровая бомбардировка, но все же в радиусе пяти, а то и десяти метров от Милосадова лучше было не оказываться.

Батюшка понял это слишком поздно...

За второй шла третья... четвертая!

Все происходило фантастически организованно и ошеломительно быстро.

Милосадов закричал, воздымая руки и закидывая голову с распяленной и еще блистающей ультрафиолетом пастью.

Зря он это сделал.

Боже!..

Какой ужас...

Я невольно восхитился — молодец Вороной, не подвел. Да как точно!..

— А-а-а! — кричал Милосадов. Трудно сказать, чего было в этом вопле больше — самого вопля или того густого бульканья, что заставило меня вспомнить слесаря Джин-Толика...

Минуту назад ничто не могло быть чернее его смокинга и белее его манишки.

Теперь он стоял по пояс в гуано.

На голове образовалось что-то вроде сочащегося сталагмита.

Даже если бы подобный удар обрушился на Ficus altissima, и то не знаю, насколько для него это было бы полезно.

— Бру... бру... — сказал он кому-то известковыми губами на сплошь обызвествленном лице.

Что имелось в виду, никто не понял. Да, похоже, на понимание он и не рассчитывал.

Проигрыватель был запрограммирован на время и включился, когда расчетное время церемонии подошло к концу. Возможно, впрочем, что и сам оператор, обезумев от ужаса увиденного, зачем-то щелкнул тумблером.

Так или иначе, замолчавшие на время динамики снова торжественно грянули:

И снег, и ветер,
И звезд ночной полет!..

Честно говоря, никогда не мог уяснить смысл этих всенародно любимых строк. Если и снег, и ветер, то понятно, что небо закрыто тучами. Но если небо закрыто тучами, то какой тогда, к ляду, звезд ночной полет?

Эпилог

Выяснилось, что в тот злополучный день, с которого все началось, Наталья Павловна действительно звонила, но звонила Вере, жене Красовского, а вовсе не Махрушкиной. Мне стало это понятно, когда чета Красовских явилась к Наталье Павловне на день рождения: стоило *самому* выйти из комнаты, как они принялись щебетать о его дурных привычках и о том, что, если бы в роковой день Наталья Павловна набрала нужный номер часом ранее, все могло бы обернуться как-то иначе.

Светлана Полевых вышла за Петра Сереброва. На свадьбу меня не позвали, да и свадьбы-то как таковой не было — так, посидели в кафе с приятелями. Наталью Павловну тоже не пригласили: она объясняет это дурным воспитанием современной молодежи. Теперь Петя с помощью Красовского собирает деньги на операцию: может быть, удастся поправить Светлане позвоночник, и она будет ходить.

Милосадов царит в многофункциональном торгово-развлекательном центре «Одиссея» с подземной парковкой: мечта его сбылась — он управляет финансовыми потоками. Об этом подробно рассказывала Плотникова, она кое-что знает благодаря сыну Владику: тот организовал при многофункциональном центре небольшую типографию и обтяпывает делишки в области культуры и подъема с колен. С Владиковых же слов известно, что дела Милосадова в последнее время несколько пошатнулись: высох, помрачнел, то и дело мотается в Германию на лечение и прикупил шикарный участок под мавзолей на Перепечинском. Денег ему хватает, но увы: есть вещи, на которые деньги не могут оказать существенного влияния. Может быть, и вообще отойдет от дел по состоянию здоровья на неопределенный срок. Но свято место пусто не бывает, вроде как уже есть кандидат ему на замену: тоже отставник, и, говорят, даже не полковник, а генерал-майор.

«Что делать, что делать!» — вздыхала иногда Наталья Павловна.

Сам я начал собираться в дальнюю дорогу. Осень окончательно и твердо вступила в свои права, и кроме зимы, ничего здесь ждать не приходилось.

В раздумьях насчет подходящих попутчиков я вспомнил веселую компанию московских Luscinia luscinia. Когда-то я крепко дружил с одним из них. Он даже научил меня выколачивать трели до десяти колен, а сам, понятное дело, легко брал заветные двенадцать, приводя в восхищение поздних посетителей Летнего сада... К сожалению, однажды мой друг пропал — говорили, пэтэушники убили из рогатки. Но кое-какие связи в среде Luscinia luscinia остались, я вышел на руководство и договорился о взаимопомощи.

Все было решено.

Понятно, что в последнюю ночь я спал плохо.

Постель Натальи Павловны белела в полумраке, и мысль о скором расставании не давала мне покоя. Мы сжились, привыкли друг к другу, я взял на себя многие заботы... Каково ей будет остаться одной?

Но увы: ведь она не может лечь на крыло. А я — я решил твердо: улетаю.

Что делать!.. Проживет как-нибудь. Она не совсем одна. Красовские заходят... Подружилась с Петей, со Светланой Полевых...

Дай бог, чтобы у Светланы тоже все было в порядке... Я ничем не могу помочь, но все же: вдруг еще когда-нибудь вернусь? Вернусь — а все живы-здоровы, кресла-каталки нет и в помине... Вот было бы здорово!..

В конце концов я задремал, а потом вздрогнул и проснулся, потому что на пуфике у комода снова сидел Калабаров.

— Ой, — пробормотал я.

— Тише, — предостерег он. — Не хлопайте крыльями.

— Да, да... Хорошо, что заглянули...

— Как не заглянуть, — усмехнулся он. — Ведь вы, я слышал, уже на чемоданах?

— Где слышали?

— Неважно где... Мало ли слухов по свету ходит. Собрались?

— Собрался, — покаянно кивнул я. — Улетаю.

— В теплые страны?

— Ну да. На берег вечно лазурного моря.

Калабаров покачал головой.

— Будете меня там навещать?

Он хмыкнул, не ответив.

— Наверно, мне там будет одиноко, — пояснил я. — Все-таки, знаете... с рождения. Как ни крути, а Родина здесь. Так заглянете?

— Я бы со всей душой, — вздохнул он. — Да, боюсь, не придется.

— Почему? В пятницу я рассчитываю сесть на пальму. И милости прошу.

Калабаров усмехнулся.

— Интересно будет посмотреть...

— На что?

— На то, как это у вас получится.

— А что, собственно, может не получиться? — спросил я, чувствуя холодок. Опять он меня возмутил: загадки загадками, но нужно и меру знать! — Что вы имеете в виду?

— Нет, нет, ничего особенного! — Калабаров успокоительным жестом выставил перед собой ладони. — Не волнуйтесь. Просто никуда вы не улетите. Я, собственно, хотел предупредить, чтобы для вас это не оказалось сильным ударом.

— С чего вы взяли?! — Я возвысил голос. — Юрий Петрович, в конце концов у меня тоже терпение не железное! Я готовлюсь к такому серьезному шагу!.. я многое для себя решил!.. на многое взглянул иначе!.. мне бы хотелось, чтобы вы проявили мало-мальское понимание!.. и я вправе рассчитывать, что после стольких лет дружбы вы!..

Я задохнулся.

— Тише, тише, — поморщился он. — Наталью Павловну хотите разбудить? Тогда не договорим...

— Ну а что вы?.. — тихо сказал я. Мне на самом деле стало горько. — Юрий Петрович, ну обидно же!

— Не обижайтесь бога ради, Соломон Богданович, — сказал он таким тоном, будто я завел речь о каких-то совершенно никчемных вещах. — Сами говорите: столько лет вместе — и так кипятитесь. Примите как данность — и дело с концом.

— То есть вы хотите сказать, что все мои мечтания напрасны? — холодно спросил я. — Вы хотите сказать, что сейчас, когда я решил вырваться на свободу, у меня не получится? Мне казалось, вы и без лишних слов меня понимаете! Избавиться от гадкого ощущения поднадзорности! От вечной оскорбленности, какую не может не порождать в душе честной птицы деятельность этого государства! Я не могу ничего сделать с этим — корпорация заткнула все дырки, пережала все артерии, задавила все живое! Единственное, что могло бы поправить дело, это их собственная воля, их собственный стыд и ужас при взгляде на дела рук их! Но нет у них ни стыда, ни ужаса, и сделать ничего нельзя! Да вот только я — я не хочу в этом участвовать, и я могу уйти!

— Как будто я не понимаю! Уж такие вы свежие новости мне сообщаете... — Он вздохнул. — Ладно, не будем ссориться. Может быть, я и ошибаюсь на ваш счет, кто вас знает. В любом случае, Соломон Богданович, желаю удачи. Улетите — я вас там найду. Не улетите — здесь встретимся. В общем, не прощаюсь.

И медленно растворился в наплывающем из окна рассвете.

* * *

Наталья Павловна весьма кстати удалилась в аптеку. Последнее, чего бы мне хотелось, это подвергнуть ее доброе сердце муке расставания.

Я порхнул в форточку и принялся решительно расхаживать по оконному карнизу, поглядывая на часы над порталом соседнего дома.

Душа трепетала.

Передо мной расстилалась Москва. Я зажмурился на мгновение: вот сейчас раздастся молодецкий посвист, и вороные кони взовьются над вечным городом... Но не слишком ли просто жить, если бы удавалось обернуться каким-нибудь литературным персонажем, — и не слишком ли пресно, если все известно заранее?

Нет, каждый уходит по-своему.

ИЗ ЖИЗНИ ОДНОГЛАВОГО

Но хоть и по-своему, а все же еще час, два, три — и Москва скроется, растворится в дымке, потеряется в прошлом. А стая Luscinia luscinia будет все так же лететь! — и лететь! — и лететь! — тревожа быстрыми крыльями голубой воздух... и я буду мчаться с ними, чтобы через несколько дней с победным возгласом усесться на какую-нибудь пальму на берегу никогда не стынущего моря.

Да, так и случится.

Я улечу в теплые страны.

Здесь скоро пойдет снег... ветер потащит белые пряди по асфальту.

Здесь настанет зима, а там — там тепло!..

По золотому куполу монастырской церкви прошлась быстрая рябь — это россыпь моих друзей Luscinia luscinia беспокоила воздух. Стая приближалась, чтобы взять старика в свою компанию...

Сердце мое заболело. Заныло, затрепетало, сжимаясь от страха, как будто его вот-вот должны были вырвать из груди.

Старший отважно спикировал. Ловко затрепетав крыльями, присел на карниз.

— Здравствуйте, Соломон Богданович. Уж извините, на тридцать четыре секунды задержались. — И привычно пошутил: — Чертовы пробки.

— Да ладно, — ответил я. — Разве дело в секундах? Пробки в потолок!

— Тогда на крыло?

— На крыло, — кивнул я. — Летим!

Вот и все...

Воздух принял меня, поддержал!.. я набрал высоту, лег на курс!.. и полетел, с каждым взмахом крыльев оказываясь дальше от того, что было недвижно, а потому оставалось позади.

Ветер скручивал воздух в полупрозрачные воронки и подгонял меня, и подхватывал. И дружные Luscinia luscinia летели рядом: я всегда мог рассчитывать на их поддержку, на помощь в том дальнем пути, что нам предстоял.

Все было хорошо.

Но сердце! Бедное мое сердце!

С каждым взмахом крыльев оно болело все сильнее.

Да, ведь с каждым взмахом крыльев я оказывался дальше от того, что было недвижно, а потому оставалось за спиной, — и, вероятно, мое несчастное сердце было привязано к нему каким-то нервом, или жилкой, или кровеносным сосудом; эта привязь мучительно растягивалась, принося мне все новые страдания... И вдруг я понял, что, когда она порвется (а она порвется, ведь с каждым взмахом крыльев я оказывался все дальше, и на всей земле нет ничего столь прочного, что смогло бы выдержать этот страшный натяг!), — когда она порвется, я умру.

— Дорогие Luscinia luscinia! — закричал я в страшном, судорожном испуге. — Я возвращаюсь, прощайте!

И тут же нырнул и кувыркнулся, а потом, уже взяв обратный курс и оглянувшись, помахал им крылом.

Вероятно, они посчитали невозможным расстаться со мной вот так, на лету.

От главной стаи отделилась малая горсть дорогих сердцу птах: догнали и полетели рядом, твердя, что, раз уж я решил вернуться, непременно должны проводить меня до прежнего места.

Скоро я, переводя дыхание, опустился на карниз.

А они сделали круг — и окончательно растворились в курчавом воздухе.

ЖЕСТЯНАЯ
ДУДКА

1

Ему снилось, что жало сверла уперлось точно в лоб и уже успело прогрызть круглую дыру в сочащейся сукровицей кости. Собравшись тугим комком бессмысленного ужаса, мозг все еще юлил, отступая. Но вот голова захрустела, раскалываясь, и тогда он дернулся и проснулся.

Он еще не успел понять, есть ли ему место на земле, а женщина, спавшая рядом и потревоженная его стоном, потянулась, вздохнула и, прижавшись к его плечу щекой, бессознательно точно положила ладонь на то, что прежде Мурачев считал безраздельно своим.

— Ты кто? — оторопело спросил он, высвобождаясь.

Женщина раскрыла подведенные глазки цвета вялого смородинного листа, хихикнула, прикрыв рот, в котором недоставало по крайней мере двух передних зубов, и шепеляво сообщила:

— Маша я. Не помнишь, что ли?

Мурачев сел и с негромким стоном схватился за голову.

— Да уйду я сейчас, уйду...

Она потянулась к стулу за одеждой, и через полминуты уже стояла перед зеркалом, сжимая губами заколки, закинув руки над головой и оказавшись чрезвычайно плотной коренастой теткой лет сорока, одетой в мятое зеленое платье, красную кофту с бусинками и белые туфли. На собственное отражение Маша глядела с явным удовольствием.

— Умыться где? — шепеляво спросила она, оборачиваясь.

Болезненно вздрогнув, Мурачев обозрел ее от затылка, увенчанного скрученной из жидких волос фигой величиной с небольшое яблоко, до самых туфель, на одном из которых полуоторванный лаковый бант болтался на двух ниточках.

— Извини… скажи, а как мы… ты, то есть… ну, и я тоже… — он осторожно, ощупкой, выбирал дорогу между словами; усилия, необходимые для этого, вызывали в мозгу ощущение кирпичной тяжести. — Мы, в общем… Как здесь оказались-то? Я не помню просто… А?

— Хрен его знает! — простодушно ответила Маша.

— Как это, как это! — забеспокоился он.

Маша пожала плечами и прыснула, аккуратно загородив рукой щербатый рот.

— Ну, я у Зайцева сначала был, — сказал Мурачев. — Знаешь Зайцева?

— Не знаю я никакого Зайцева…

— Да ну! — он нетерпеливо махнул рукой. — Знаешь наверняка, его полгорода знает… только, может, не знаешь, что он — Зайцев… да ладно… У Зайцева-то я помню отлично — тебя не было! А у Плюща?

— У какого еще Плюща? — подозрительно спросила Маша. — Не знаю никакого Плюща… А у Зинки Смирновой?

— Кто такая Зинка Смирнова? — он потер лоб. — Подожди-ка, а может, в «Ладье»? Мы вроде в «Ладью» заходили... или не заходили мы в «Ладью»? Или это мы во вторник в «Ладью» заходили?.. черт ее разберет...

— Я-то сначала дома была, — рассудительно сказала Маша. — Мы с Зинкой выпили по граммулечке... Потом к Верке пошли — Зинке платьишко примерить... там посидели, значит. Потом мужик ее пришел... подживает у нее один мужик... да кореша своего привел... это не ты был, точно?

— Не я, — буркнул Мурачев.

Они помолчали.

— В общем, хрен его знает, — вздохнула Маша. — В общем, как говорится, средь шумного танца, случайно. В общем, как говорится, встретились два одиночества, и дело с концом. Я на тебя не в обиде...

Мурачев хмыкнул.

— Помаленьку вспомнится, — обнадежила Маша. — Кажется, на машине ездили...

— Разве?

— Где уж тебе упомнить, — участливо сказала она и вдруг озарилась щербатой улыбкой: — Батюшки-светы! Ты же мне стишки рассказывал!

— Да ну? — мрачно отозвался Мурачев. — Не может быть...

— Стишки! — подтвердила Маша, сияя.

Она приложила ладони к щекам и смотрела на него с выражением счастливого изумления.

— Вот что... ты это, — нетерпеливо сказал он. — Мне одеться бы, что ли.

— Батюшки-светы! Мамочки родные! Дура пьяная! Ты вспомни, вспомни! Как тебя зовут-то хоть? —

умильно спросила она и снова хлопнула по щекам ладонями: — Батюшки-светы!

Не переставая что-то восторженно пришепетывать, Маша попятилась к дверям; когда она вышла (Мурачев тупо смотрел в спину, обтянутую платьем; спина была, как у молотобойца, только покороче), он натянул штаны, рубашку; с отвращением обнаружил на рукаве винное пятно; натянул свитер, чтобы спрятать потрепанность манжет и воротника; замер на секунду у зеркала, рассматривая бледное лицо; ему всегда было странно видеть себя в зеркале; трудно было поверить, что весь он умещается в эту ограниченную оболочку; нынче глаза с краснотцой, да и много других изъянов можно было при желании обнаружить; побрел на кухню, долго пил из носика чайника воду, отдававшую не то йодом, не то плесенью; налил свежей, поставил на газ; сказал надрывно: «О-о-о-о-ох!» — и сел на табурет, обхватив голову; встал, открыл дверцу шкафчика, взял стоявшую на нижней полке непочатую бутылку водки, посмотрел для чего-то на свет, взболтнул, конвульсивно сглотнув при этом, прижал холодное стекло к щеке; пробормотал: «Нет, нет, все, к черту!» — и поставил бутылку на место; закрыл шкафчик и снова выговорил мучительное: «О-о-ох!» — и снова сел, беспокойно слушая шум воды, доносящийся из ванной.

Вода шумела, и в голове тоже шумело, и мысли то замирали в дрожкой оторопи, то вдруг прыжками разбегались в разные стороны, как мелкие юркие животные, испуганные появлением опасности; впрочем, никакой опасности не было; разве что опасность опоздать; он посмотрел на часы и убедился, что уже опоздал; или вот еще опасность, что эта Маша, или как там ее... будет топтаться тут... как бы ей намекнуть, чтобы проваливала поскорее… вот это опасность, да; где он ее вчера подцепил — ума не приложить; какая глупость, какая гадость, какая дурь! все враздрай, все вразброд; тридцать лет, тридцать лет, тридцать лет; чем он занят, чем; неужели так и вся жизнь, вся жизнь пройдет; тридцать лет, тридцать лет, тридцать лет, шептал он, раскачиваясь на табуретке; мысли снова порхнули в разные стороны, на их место набежали новые, и он вдруг с ужасом задался вопросом: «Господи, да неужели в самом деле будет Суд?!»; похолодел, вспомнив про себя в один миг слишком, слишком много всего; и тут же забыл об этом, когда стукнула дверь ванной.

— Сидишь? — шепеляво спросила Маша, останавливаясь на пороге кухни.

Благодаря умыванию ее лицо не только значительно посветлело, но и присущее ему выражение базарной настороженности несколько смягчилось. Кроме того, она явно испытывала что-то вроде легкого смущения.

— Сижу, — тоскливо отозвался он.

— Я ухожу, ухожу! — заспешила она, перехватив взгляд. — Только, если можно… Пожалуйста… Ну, если это не трудно…

Мурачев обреченно смотрел на нее, прикидывая, наберется ли у него после вчерашних развлечений следуемая сумма.

— Ну! — сказал он брюзгливо. — Не томи!

— Расскажи мне стишок! — умоляюще сложив ладони, воскликнула Маша с тревожным зубным присвистом, и глаза ее нежно округлились. — Пожалуйста! Мне никто никогда стишков не рассказывал!

— Черт! — изумился он. — Какой еще стишок?!

— Ты же рассказывал вчера, — заторопилась она. — Я помню! Мы куда-то ехали, и ты рассказывал!

— Да ничего подобного!..

— Рассказывал! — с нежностью твердила Маша. — Пожалуйста!

Мурачев с удивлением отметил, как помолодело ее лицо: казалось, в кровь ей впрыснули волшебный эликсир, и лет пятнадцати как не бывало.

— Ну пожалуйста! — канючила она. — Пожалуйста! Мне никто... никогда... пожалуйста!..

— А! — он махнул рукой. — Садись!

Маша села как девятиклассница на экзамене — на краешек табуретки, сложив руки на коленках и подавшись вперед расплывшимся бюстом.

Мурачев глубоко вздохнул и поставил на стол бутылку.

— Тогда вот давай, что ли... По двадцать капель, — сказал он, пожав плечами. — От сорока недугов, сама понимаешь...

— Ни-ни-ни-ни! — замотала она головой. — Что-ты-что-ты-что-ты! Я не буду!

— Как хочешь...

Он налил четверть стакана, помедлил, решительно довел уровень жидкости до половины. Замер, с отвращением разглядывая содержимое.

— М-м-м!.. — с испуганным сожалением протянула Маша.

Водка хоть и с трудом, но все же пролилась в желудок, Мурачев скривился, замотал головой, передернулся, сказал: «Фу, зараза!», утер выступившую в уголках глаз влагу и через секунду понял, что жизнь налаживается.

— Это случайно! Это вчера! — сказал он, чувствуя неизъяснимую восторженность. — Ты понимаешь, пришел я к Зайцеву часа в четыре... ты говоришь, что его не знаешь, а ведь наверняка знаешь... его весь город знает... усатый такой... да, пришел я, значит, часа в четыре... Ладно, ерунда это все... Так, говоришь, стишки рассказывал?

Маша мелко закивала.

Он сложил руки в замок и несколько времени сидел, невидяще глядя в стол. Затаив дыхание и отчего-то волнуясь, Маша ждала начала и все же вздрогнула, застигнутая врасплох, когда Мурачев заговорил вдруг низким и даже как будто чужим голосом.

Он читал медленно, постукивая в такт пальцами по столу; потом закрыл глаза, и тогда уже не только голос, но и лицо стало совсем далеким, чужим, не его; необъяснимые тени, блики и сполохи пробегали по лицу Мурачева, как, если бы оно было обращено к пламени костра; костра не было, в окно сочился серый свет холодного утра, дождь упрямо колотил по карнизу; брошенно кланяясь и слезясь каждым листком, ветка березы под порывами ветра почти достигала стекол. В тесной кухоньке стояла на нечистой скатерти бутылка, стакан, солонка, лежал кусок хлеба и накатывал голос — рокочущий и ритмичный; слова цеплялись одно за другое, перекликаясь, аукая и подсвечивая друг друга. Они следовали в таком порядке, что в какой-то миг у нее похолодело в груди — так, словно ей шепнули тайком, что скоро, сейчас, через минуту она услышит о своей жизни что-то страшно важное, что-то необыкновенно серьезное, такое, что может переломить весь ее ход, прогремев, как гром с ясного неба, — и Маша затаила дыхание, слушая эти слова и вовсе не улавливая их смысла, а только чувствуя, как всю ее наполняет сладкая слабость.

Он читал, читал… а когда наконец замолк, неловко пожав плечами, будто извиняясь за отнятое время, Маша всхлипнула и закрыла лицо ладонями.

— Мне никто!.. никогда!.. — насморочно выговорила она, — стишков не рассказывал… я не знала… не знала, что…

И вдруг шумно зарыдала, бросившись на руки.

— Э! Э! — обеспокоенно сказал он. — Э! Ты чего! Маша! Погоди! Да ты не плачь, чего ты!..

— Я ведь даже и не зна-а-а-а-ала, — твердила она между рыданиями. — Мне ведь никто-о-о-о… никогда-а-а-а!..

— Ну-ка вот выпей лучше, выпей…

Он плеснул в стакан водки.

— Если б я раньше зна-а-а-а-ала!..

— Да прекрати ты выть-то, господи!

— Все, все, — Маша вытащила откуда-то замусоленный платочек и высморкалась. — Я не буду больше… Это же надо! Я ведь не знала… правда… что так бывает… да если бы кто-нибудь бы когда… да я бы всю жизнь бы!.. я бы ему… господи!.. я бы до гробовой доски бы ему бы… ноги бы мыла бы… я бы ему слова бы поперек… господи!..

Мурачев взял сигарету, прикурил, затянулся и, облокотившись, подпер голову ладонью.

— Что ты бормочешь? — спросил он.

Маша зажмурилась и немо потрясла головой, словно пытаясь отогнать вставшие перед ней картины.

— Меня ведь Машкой-курвой кличут! — выкрикнула вдруг она. — И на складе… и везде! А вот я им сегодня скажу, с кем Машка-курва выпивает! — И стукнула кулаком по столу. — Я им скажу, какие люди попадаются!

И вдруг спросила деловито:

— Жена-то есть?

Мурачев поднял брови.

— Я не про себя! — Маша умоляюще приложила к груди сжатые кулачки. — Я понимаю: я же старая! Я смотрю, живешь ты как-то. — Она обвела ладонью пространство кухни. — Вроде как бесхозно...

— Была, — ответил он, разливая водку. — Н-н-но...

— Да неужто ж характерами не сошлись?! — ахнула она.

— Нет, она не виновата, — сказал Мурачев, щурясь от дыма. — Как бы тебе сказать... Ну, понимаешь, натура у нее другая оказалась... понимаешь? Ну, березу же нельзя судить за то, что она береза, а не тополь? Нельзя же?

— Нельзя.

— Выпьем.

— Выпьем, — покорно согласилась Маша.

— Вот я и говорю... — Мурачев снова глубоко затянулся, выпустил дым медленной струйкой. — Натура, видишь ли...

— Что ж — натура! — загорячилась Маша. — Я как понимаю? Если тебе такое счастье привалило, так что ж! Блюди себя да мужа ублажай — вот и вся натура! А?

— Э! — возразил он. — Натура вещь непобедимая! Я говорю: береза — она ведь не осина?

— Баба — она есть баба! — твердо сказала Маша, легонько стукнув кулаком по столу.

— Что ты все стучишь? — удивился Мурачев. — Баба — она баба, а русалка — дело другое.

— Кто — русалка?

— Жена у меня была русалка. То есть поначалу-то не была, нет... а потом стала. Натура победила. Понимаешь? Ну, давай...

— Давай.

— Ты хлебушком вот закуси, — забеспокоился Мурачев. — Хлебушком.

Они выпили и отдышались.

— Русалка — это вроде домовых. То есть не бывает.

— Ха! Ты мне будешь рассказывать! Я же тебе говорю: поначалу она все мылась...

— Так, — понимающе кивнула Маша. — Я тоже моюсь.

— Ты иногда, — урезонил ее Мурачев. — А она каждые пять минут. Буквально каждый час. И все чаще и чаще, чаще и чаще... И, главное, все дольше и дольше, дольше и дольше... На работу идешь — она в ванной, приходишь — опять в ванной... Потом подвывать стала.

Маша нетрезво вскинулась.

— Как это?

— А так! Плещется там и подвывает: ола-ола-ола-у-у-у-у! Ола-ола-ола-у-у-у-у! Понимаешь?

— Понимаю...

— И все дольше и дольше, дольше и дольше... Вот. А жили мы очень счастливо... То есть более счастливого союза мир вообще, может быть, не знал! Сумасшествие какое-то! То есть такой восторг, такого нечеловеческого градуса гармония, что дух захватывало! Будто не люди, а два легкокрылых ангела бесплотно сливались, превращаясь... м-м-м... в пламень счастья! Понимаешь?

ЖЕСТЯНАЯ ДУДКА

— Как не понять! — всхлипнула она. — Я со своим вторым тоже... он в горторге работал...

— Подожди! И вот, представляешь: плещется в ванной и — ола-ола-ола-у-у-у-у! И голос этот, — Мурачев сощурился, сунул в пепельницу сигарету, щелкнул пальцами, — такой был странный голос, что я подчас садился возле двери, слушал и думал: господи, да есть ли в нем что-нибудь женское? есть ли в нем что-нибудь человеческое?..

— Страсть-то какая, елки-палки! — слезливо сказала Маша. — Да я бы ни дня терпеть не стала! Был у меня один такой — спать ляжет и храпит! И хоть ты что с ним делай — храпит, собака! Так я ему прямо сказала: вот тебе, говорю, бог, а вот тебе, говорю, порог, и чтоб, говорю, я тебя больше, говорю, не видела!..

Мурачев горько усмехнулся, нетвердыми движениями покачивая в ладони стакан, чтобы заставить влагу искрить и волноваться.

— Ладно, давай выпьем, — сказал он.

— У меня подруга была, — доверительно сообщила Маша. — Это я когда еще на базе работала. Так у нее однажды...

— Вперед! — оборвал ее Мурачев. — Заре навстречу!

Выпив, перевернул стакан и с бряканьем надел на горлышко бутылки.

— А дальше-то что? — спросила Маша.

— Дальше? Дальше все просто. — Он вытащил из пачки сигарету и понюхал. — Вернулся я как-то с работы. Смотрю — записка. Мокрая такая записка... ну просто насквозь... хоть выжимай... чернила расплылись такими, знаешь, голубыми деревьями... ничего понять нельзя. Но я-то сразу все понял! Сердце только: тук! — и я все понял. Глянул — вещи ее на месте... ну и... бегом на речку...

— На речку?

— Ну да, на речку... Примчался — никого нет. Покричал — никто не отзывается... Я туда, я сюда, вдруг смотрю — одежда! Жалкая такая кучка... аккуратно все сложено... и сверху синий ее шарфик.

Маша всхлипнула и судорожно сжала пальцами стакан.

— Да... Ну, сел я возле этой кучки, закурил... сижу, на речку поглядываю... А время как раз к закату, по воде полосы розовые и голубые... дрожит все, переливается... Смеркаться стало — я все сижу. И вдруг — точка какая-то на воде! Посреди плеса! Вскочил, смотрю: вроде голова чья-то... и понимаю: она это, она! Закричал я ей, замахал: плыви, говорю, сюда! плыви! все, говорю, прощу!..

Он замолчал.

— Ну! — хрипло сказала Маша. — А она?

— А что она, — пожал плечами Мурачев. — Она в ответ только засмеялась... издалека, словно колокольчик... у нее красивый смех был, переливчатый... засмеялась и протяжно так, прощально: ола-ола-ола-у-у-у-у!.. Ола-ола-ола-у-у-у-у!.. Не поминай, мол, лихом. Рукой махнула напоследок — и только круги по воде...

— Ша... ша... — заикалась Маша, борясь с накатывающими рыданиями.

— Ну, ну, — сказал Мурачев. — Ты чего? Прошлого не вернуть.

— Ша... шарах! — выговорила наконец она, хлюпая и моргая. — Шарах, и Ленского не стало!.. Что ж это такое?.. Да что ж я все утро пла-а-а-ачу...

— Ладно, допивай да пошли, — заторопил он. — Пора!

Ополоснул стаканы, смахнул со стола хлебные крошки.

— Если надо чего будет, — сырым и проникновенным голосом говорила Маша. — Из мебели чего... или вообще... ты приходи. У нас и цены низкие, и качество... Оптовый склад знаешь где? Спросишь Машу Воронову... или просто Машку-курву... меня все знают... любой скажет... Я для тебя все сделаю! А? Веришь? Я и скидку могу устроить, если для машины чего... Есть машина-то?

— Нет машины, — ответил он рассеянно. — Покучумали.

Она поднялась, качнувшись, и мелко захихикала, норовя привалиться к нему.

— Опять напоил! Опять меня напоил! — И пьяненько погрозила пальцем.

— Не упади.

Аккуратно поддержал.

— Конечно! — обиженно сказала Маша. — Я понимаю! Я старая! Я, может, в душе-то и молодая, а так старая... Ладно, пожалуйста! Но я тебя все равно люблю! Веришь?

— Верю. Ты в плаще была?

— Я в плаще была, — согласилась Маша, — кажется... Серенький такой плащик... Ты приходи ко мне на фирму!.. Машку спросишь — любой покажет... Я тебя с головы до ног одену! В чем ты ходишь? Нет, ты посмотри — в чем ты ходишь! Ты разве в таком ходить должен?! Ты приходи! Таких людей на руках носить надо!.. Сука просто, вот и все! — вдруг злобно и решительно отрезала она. — Тоже мне — руса-а-а-алка! Тьфу!

— Надевай.

Пыхтя и путаясь, Маша облеклась в плащ.

Когда они вышли из подъезда, дождь моросил с низкого неба, и все вокруг казалось слепленным из мокрых комков серой ваты.

Маша шагала довольно твердо, что-то беспрестанно бормоча о коммерции, о погоде, о неведомом Палпетровиче, отличающемся, по ее словам, необыкновенно свободным нравом в отношениях с женщинами, о своих правилах обращения с мужчинами, чрезвычайно, по ее словам, строгих, о мебельных гарнитурах и вообще обо всем, что приходило ей на ум и тут же оказывалось на заплетающемся и шепелявом языке.

— Ну вот, — с облегчением сказал Мурачев, когда они дошли до перекрестка. — Мне направо. Давай, все будет нормально... Счастливо.

Маша долго смотрела ему вслед, потом всхлипнула и вытерла кулаком слезу.

2

Он еще не испытывал к себе острого отвращения, однако уже начинали всплывать, словно дохлые караси со дна гнилого пруда, обрывочные воспоминания о прошлом вечере... вот отчетливо увидел себя стоящим у какого-то подъезда в обнимку с незнакомой женщиной... откуда взялась?.. она воротила лицо и упиралась руками ему в грудь, а он все повторял: «Один поцелуй, Мальвина! Во имя поэзии! Один поцелуй!..»

ЖЕСТЯНАЯ ДУДКА

Что за дурак!.. оторвать башку дураку, оторвать!..

Чертыхаясь, шагал по тихой, заросшей тополями улочке; бурая листва, сплошь запятнавшая мокрый асфальт, пахла винной сыростью, ветер пошевеливал провода и ветви. С проводов падали капли, а с ветвей — тяжелые, мокрые и безвозвратно мертвые листья, косо бросавшиеся ему под ноги.

Чтобы отогнать тени вчерашнего, стал думать о Ленке... о том, что дождется у поликлиники... о том, что пусть лучше она скажет ему «уходи», и тогда он уйдет и забудет о ней навсегда... чем вот так быть на привязи... и поминутно ждать таинственного счастья... и не знать, придет ли оно... Лучше пусть несчастье, чем равновесие; бывало, он нарочно искал любви, чтобы вывести себя из равновесия, вытолкнуть из мертвого царства равновеликих величин; когда же это, наконец, происходило, когда душа, всеми своими тонкими канальцами впитав свет и свободу, выплескивала их неожиданными, а то и загадочными соцветиями слов, он к очередной избраннице охладевал, необъяснимо скучнел, вяло упирался, недомогал и хотел только одного: чтобы она, постылая, удалилась, а вместо нее пришла бы другая, единственная; мечтал о единственной, а на самом деле ждал всякую — смогла бы только взбудоражить...

Его раздумья нельзя было назвать мыслями, потому что их плотное течение больше всего напоминало реку, и как река не разделяется на отдельные струи, так и этот поток не разделялся на отдельные мысли. Он шагал, глядя под ноги, и мокрый асфальт, лужи и палая листва были только фоном, по которому плавно скользили, перетекая друг в друга, меняя форму и цвет, картины, незаметно рождаемые воображением; вдобавок они ложились не в один слой, и часто самая нижняя, на которой жило и смеялось Ленкино лицо, просвечивала сквозь две или три другие, как золотой песок сквозь воду, в которой отражаются облака.

— Вот же зараза! — сказал он, физически чувствуя стеснение сердца: казалось, чья-то рука мяла его, как глину, чтобы придать нужную форму.

Порыв ветра собрал новую дань с ветвей: крупные капли, в которые собиралась холодная морось, звучно попадали на землю.

Он шагал мимо каменных лабазов, вросших в землю лет сто назад, мимо опадающих, мокрых, жалко лепечущих лип Пионерского парка, мимо палисадников за покосившимися заборами, мимо приземистого кинотеатра, где на холщовой афише была изображена неземной красоты женщина, немного попорченная дождем.

То и дело накатывали приливы лихорадочной бодрости: организм пересилил утреннюю лечебную дозу, и теперь голова была пустой и ясной, душа — живой, и прерывистый шепот дождя, рассказывающего свою монотонную повесть, отзывался в ней смутной радостью.

С ветки сорвался еще один лист, полетел, кружась и падая; на лету случайно коснулся ладони своей холодной мертвой плотью, и от этого прикосновения Мурачев почувствовал мощный удар жизни, удар наотмашь: в мозгу беззвучно лопнул прозрачный шар, и отголоски взрыва долетели до самых окраин вселенной; он замедлил шаг, запрокинул к дождю горящее лицо, провел по щекам мокрой ладонью; потом закурил, стал жадно глотать дым, испугавшись, что, если волна счастья поднимется еще хоть на йоту выше, сердце не выдержит ее клокочущего напора.

Когда сигарета сгорела, он медленно пошел дальше, уже не обращая внимания на шепот дождя и не замечая бурых листьев, падающих в лужи.

Мысли привычно толклись вокруг признания прав бесконечного, в сравнении с прочностью и протяженностью которого исчезает разница между чем бы то ни было.

Встал под козырек широкого каменного крыльца, размышляя, сколько времени следует отвести на ожидание. Когда он увидел ее впервые? Неделю назад? Дней десять? Все это время искал встречи, и только невезением можно было объяснить то, что встречи не случилось. А расписание дежурств он уже знал наизусть. Если она работала сегодня, то должна выйти минут через пятнадцать. Если же нет — получаса довольно, чтобы убедиться в этом.

Часы, висевшие на столбе возле клумбы, были величиной с медный таз или автомобильное колесо, и потому каждая отсчитанная ими минута казалась длиннее, чем на самом деле.

Дверь то и дело хлопала, люди входили и выходили, и всякий раз до него доносился запах неприятной искусственной чистоты, наводимой с помощью хлорки.

В конце концов этот запах согнал его с крыльца, и Мурачев стал расхаживать вокруг клумбы, попеременно глядя то на дверь, то на бурые стебли осыпавшихся ромашек, с удовольствием принюхиваясь к их горькой прели.

Он чувствовал легкий озноб: воздух был сырой, зябкий, да и душа, разобщившаяся от желания провидеть и трепетавшая сразу в нескольких пространствах, добавляла дрожи.

Совсем было кончившийся дождь вдруг припустил, и пришлось снова встать под козырек.

Прищурившись, он протянул руку к дождю, и тут же крупная капля ударилась об ладонь, мгновенно умерев и превратившись всего лишь в его ощущение прохлады и влаги, — но и оно исчезло, когда он сжал кулак.

Он задрал голову и посмотрел в небо: оно, рябое, сколько хватало глаз, было полно капель, летевших на землю, и каждая из них, обреченная одиночеству и безнаказанно бросаемая ветром то к северу, то к югу, уже выписала в сумрачном просторе таинственную кривую своей жизни и находилась теперь на самом ее излете; он вообразил себя такой каплей и содрогнулся от острого ощущения слепоты, скорости, пространства и гибели, наступающей в тот миг, когда ты, ахнув и схватившись за голову, ударяешься о ладонь человека, стоящего на крыльце...

Дверь все хлопала и хлопала, люди входили и выходили, Лены не было, и, когда миновал получасовой срок, он решил, что она сегодня не работает, и стоял уж совсем просто так, пережидая стихающий приступ ливня.

Он рассеянным щелчком направил окурок в лужу, и в этот миг словно кто-то хлопнул над ухом в ладоши: Мурачев вздрогнул, повернул голову — и в глазах полыхнуло так, что ему пришлось зажмуриться: искоса поглядывая на нее и легко улыбаясь, она боролась с зонтиком, не желающим раскрываться.

— О! — сказал он. — Привет!

— Привет! — ответила она и сморщилась, прищемив палец. — Я вот все хотела спросить...

Оказалось, все было забыто — и голос, и улыбка; оказалось, что он, как человек, попавший в катастрофу, был способен рассказать лишь о первом ударе, помнил только вспышку; многократно усиленная натруженным воображением, она днем и ночью ошеломительно ярко стояла перед глазами, а сейчас погасла, побежденная истинной яркостью ее нежного лица.

— Что? — спросил он, делая шаг.

— Что ты ему тогда говорил?

Зонт наконец хлопнул и раскрылся.

— Кому?

— Ну Славику же! На дне рождения, помнишь?

— На дне рождения? — переспросил он, морщась.

— Ну да, на дне рождения, — повторила она, теряя терпение. — Ты же ему что-то говорил, когда он скандалить начал.

— Что говорил?

— Фу, какой бестолковый! Я же и хочу знать — что!

— Ну, знаешь, если бы я помнил все, что когда-нибудь говорил, у меня бы уже голова лопнула, — сказал Мурачев. — Ты лучше вот что...

— Нет, подожди, подожди! Как же не помнишь! Как это так можно — не помнить! А про собаку перед этим рассказывал — помнишь?

— Про какую собаку?

— Опять — про какую! Ну, про свою же собаку — помнишь?

— Не было у меня отродясь собаки. Я собаку не могу держать, она у меня с голоду сдохнет...

— Ничего не понимаю! — сердито сказала Ленка. — Как же это не было?! Да ты вспомни! Ты ведь как пришел, сразу стал про нее рассказывать! Как натаскивал, как специально куропаток покупал, относил их в клетке на конец поля... Помнишь?

— А, это, — вяло сказал он. — Про куропаток...

— Ну да! Как она их в первый раз нашла нюхом, а во второй побежала прямиком на вешку, которую ты для себя ставил, чтобы в случае чего клетку в траве найти... Помнишь?

— Ну, что-то такое вспоминается, конечно, — сказал Мурачев с сомнением. — Точно, точно... Рассказывал я что-то такое про собаку...

— Так ты, значит, все врал! — ахнула Ленка. — А я-то уши развесила! И Славку, значит, ты дурил просто! Язык у тебя без костей, вот и все!

— Это правда, — вздохнул Мурачев, пытаясь взять ее за руку.

— Нет, подожди! — строго сказала она, высвобождаясь. — А девушка, что с тобой приходила, — это кто такая?

Мурачев почему-то начал озираться.

— Девушка? — повторил он.

— Да, девушка! — настаивала она, не отводя взгляда.

— Я никого не помню, — сказал Мурачев, сокрушенно улыбаясь и совершая новую попытку взять ее за руку.

— Да?! Что это за память такая?! — она звонко расхохоталась и опять отобрала теплую ладонь.

— Я все забыл, — признался он. — Правда! И потом: ты же помнишь, я не с ней ушел! Помнишь? Это ведь важнее, а? Пришла она со мной, но ушла-то с этим, как его...

— С Клевцовым, — подсказала она.

— Вот! С Клевцовым!

Ленка испытующе смотрела на него.

— И ты с ней потом не виделся?

— Я?! — ужаснулся Мурачев. — С ней?!

— Имей в виду, — сказала она со вздохом. — Я у Верочки много про тебя чего выпытала...

— А что именно? — поинтересовался он, решительно завладел ладонью и, содрогнувшись от преданности, поднес к губам.

— Так... Много всего, — они уже медленно шли по тротуару, и редкие капли с мокрой листвы осыпающихся берез постукивали по зонту. — Это правда, что ты стихи пишешь?

— Правда, — сознался Мурачев.

— Нет, — сказала она со вздохом. — Не представляю: как это можно — сесть и что-то такое написать.

Если бы он был до конца честным, ему пришлось бы сказать, что он и сам плохо представляет, как это, действительно, можно: сесть и что-то такое написать.

— Ну... понимаешь... — проговорил он вместо этого, — бывает все-таки настроение... и тогда... в общем, трудно сказать...

Стало стыдно, и он замолчал.

— Нет, — снова вздохнула она, — совершенно не представляю!

— А ты попробуй, — кисло предложил Мурачев.

— Нет, что ты! — она замотала головой. — У меня не получится. Я никогда и не пробовала даже!

— Что ж такое: никогда, — рассудительно, но вместе с тем как будто и с усмешкой заметил он. — Никогда! В жизни все так: раньше никогда, а потом вдруг раз — и уже когда-то...

— Да ну!

— Нет, правда! — загорячился вдруг Мурачев. — Вот я в прошлую субботу пошел на рынок... надо мне было картошки купить... и, представляешь? — он развел руками, рассмеявшись, — пристал ко мне какой-то старик! В телогрейке, в валенках... в ушанке... а еще тепло ведь было, в прошлую субботу-то... — он покачал головой, недоумевая.

— И что?

— Дай, говорит, на опохмелку. Понимаешь? И меня будто что-то толкнуло: дай!

Он вопросительно посмотрел на нее, и она мелко закивала.

— Протягиваю я ему деньги... а он как схватит меня за руку... да крепко! не вырваться!.. как схватит!.. оскалился и как заторопится! как зачастит! Бел-злат конь! Серебра не тронь! Желт алтын! До утра застынь!..

— Ой! — сказала Ленка.

— Да-а-а, — задумчиво протянул он, доставая сигареты. — И как он это сказал, сразу я уснул... ну, то есть не совсем уснул... все вижу, все понимаю... а ни сказать, ни сделать ничего не могу... стою перед ним дурак дураком, а он все твердит: бел-злат конь, серебра не тронь, желт алтын, до утра застынь!..

— Что, правда? — прошептала она, отстраняясь.

Он вздохнул.

— И повел он меня куда-то дворами... сначала к кирпичному заводу, потом и дальше, по шоссе... и тропой на Касымов бор... Я иду — и только сам себе удивляюсь: куда иду? зачем? почему не остановлюсь? почему не крикну хотя бы, пока люди кругом?.. А скоро и людей-то не стало — шли по лесу, шли... овраги какие-то... сырость... глядь — изба стоит! Он меня туда завел, на лавку посадил, а сам шасть — снова за порог!

Мурачев чиркнул спичкой.

— Ну! — поторопила она. — И что потом?

— Сижу я на этой лавке... дрема меня долит — просто умираю, так спать хочу! И понимаю, что спать-то нельзя, а страсть как хочется! Сижу, клюю носом... и вдруг дверь снова распахивается — и с воем, с топотом вбегает в избу эту огромный волк! Серый!

Она снова отстранилась, недоверчиво глядя.

— А! — торжествующе воскликнул Мурачев. — Не веришь! Ведь не веришь, да? Нет, ты скажи: не веришь?

— Не знаю, — сказала она.

— Не ве-е-е-еришь! — торжествующе протянул он. — А вот я тебя потом туда свожу! И все покажу! И избу, и лавку! А? Что тогда скажешь? А? Думаешь, мне самому легко было поверить? А с другой стороны — куда деваться! С одной стороны — никогда такого не было! Никогда! А с другой — вот он! Здоровущий! Косматый! Порыкивает! Скалится! Глаза желтые, людоедские! И по избе — туда-сюда, туда-сюда! Да все ближе ко мне! Все ближе! А мне самому так ску-у-у-учно стало! Сижу — и томлюсь: такая тоска и скука, рукой не могу пошевелить! И вдруг... — он остановился, поворачиваясь к ней; Ленка ойкнула. — И вдруг стукнуло сердце: тук! И меня будто пронзило: все, думаю, мне же отсюда больше не выбраться! Все! Сейчас кинется! И захрустят мои косточки!.. Зажмурился я... стал руку поднимать... а она будто свинцовая!.. Поднимаю я руку... как он завоет! Как начнет метаться! А я чувствую: сил прибыло! И — перекрестился!

Он перевел дыхание.

— Тут он на меня и бросился! Бросился, я глаза локтем закрыл: все, думаю! А он словно об стеклянную стену — трах! Взвыл, откатился, снова бросился! И снова — бабах об стеклянную стену! Когтями скрежещет, кидается, а сделать ничего не может! Обрадовался я! И — второй раз перекрестился! Задергался он! Пена из пасти пошла! Глаза пылают, как угли! Тут я перекрестился в третий раз...

— Ну! — Она сжала его локоть.

— Его будто вихрем стало крутить: прямо по избе по этой — вж-ж-ж, вж-ж-ж, вж-ж-ж! Покрутило, покрутило — и вынесло за порог! И — тишина! А я смотрю... — Мурачев сделал паузу, последний раз затянулся и отшвырнул окурок, — на полу шапка-ушанка валяется... что на старике была... понимаешь? Перевел я дух... ну, вздохнул просто... глубоко-глубоко... и зажмурился... Открываю глаза — а я снова на рынке... сумка в руке... и, главное, иду прямо к старику этому... шага три мне осталось, чтобы, значит, он на опохмелку снова попросил... понимаешь?.. и ушанка на нем, и все, как было... только морда злая-злая... и смотрит на меня исподлобья... и пальцем грязным так это, знаешь... манит...

Он замолчал.

— Ну? А ты?

— А что я?.. Я повернулся да в другую сторону пошел. Зачем мне нужно второй раз нарываться? Правда? Тем более что я его потом еще пару раз видел. Он все время на рынке околачивается. Если хочешь, я тебе покажу после. Противный такой старикашка... в телогрейке.

Ленка зябко повела плечами.

— Все ты придумал, — грустно сказала она. — Все это выдумка.

— Выдумка! — фыркнул он. — Вот я так и знал, что не поверишь! Хорошо! Давай тогда завтра я тебя отведу! Хочешь? Сама к нему подойдешь! И вот посмотрим потом, правду я сказал или нет! Хочешь? Завтра! А?

— Нет, не хочу!

— Пойдем! Прямо сейчас пойдем! — горячился он. — Пойдем прямо сейчас! Я тебе докажу!

Он схватил ее за локоть и потянул.

— Пусти! Я не хочу! Пусти!

— А! — воскликнул Мурачев. — То-то! Не хочешь! Боишься! А чего же ты боишься, если все это выдумки?! Пойдем!

— Да пусти ты меня, дурак! — полыхнула она, вырываясь. Круто повернулась и пошла прочь, непреклонно стуча каблуками.

— Подожди! — крикнул он через секунду. — Подожди! Я пошутил! Я не поведу тебя к старику! Правда!

Догнал и пошел рядом.

— Честное слово! Пошутил! Да и рынок уже закрылся давно. Ну что ты в самом деле!

Она замедлила шаг и бросила холодный взгляд.

— Признайся, что все наврал!

— Не наврал я! — упрямо твердил он, приобогнав и норовя заглянуть ей в глаза; Ленка вздернула подбородок, отчего лицо приобрело непреклонно-каменное выражение. — Не наврал! Подожди! Подожди, говорю! Ты что! Я никогда ничего не выдумываю! Стой! Да подожди же ты! Ну что с тобой случилось?.. Подожди! — Крупная капля упала ему на кончик носа. — И пусти меня под зонтик в конце концов! Мокро же!..

Она рассмеялась и стала.

Мурачев шагнул под зонт; наклонил голову и коснулся губами прохладной душистой щеки; губы шевельнулись, произнося что-то односложное.

— Что? — спросила она, улыбаясь.

— Ладно! — прогудел он ей в самое ухо, отчего она стала ежиться и ойкать, уворачиваясь. — Ладно! Пусть я выдумщик! Но тебя ведь я не выдумал, а?

— Не знаю! — сказала она. — Щекотно. И вообще... вообще... молодой человек! Что вы себе по...

— Ну ни стыда ни совести! — сказала тощая старуха в черном пальто, сидевшая на табуретке под козырьком крыльца. — Тьфу!..

3

Они брели по тротуару, обходя лужи.

— Ты говоришь: судьба! — восклицал он (Ленка, как и прежде, ничего не говорила). — Люди, они ведь кто верит в судьбу, кто не верит... и те и другие думают, что их вера или неверие может быть выше судьбы. У меня был приятель... я однажды спросил у него: Гриша, что такое судьба? — Мурачев наспех сунул в рот сигарету, чиркнул спичкой. — Мы с ним тогда таскались по гиблым местам... по комариным... Что такое судьба, Гриша? Такой жаркий день... пауты[1]... мы плыли на катере... тучи паутов. Тяжелые, латунные... литые, медные... а то еще хромированные. С позолотой по гладкому брюху... Жара, пот, штор-

---

[1] Слепни.

мовку снять невозможно… звереешь от них… А они вьются, жужжат, касаются лица, сшибаются, гремят своей жестью… сверкают!.. Взрыв в ювелирной лавке, а не воздух! Жаркие, драгоценные… невыносимые!.. сесть, угнездиться, впиться… и я спросил: Гриша, что такое судьба?

Мурачев без умолку говорил, даже не пытаясь создать видимость равноправной беседы. Он был бледен, с синяками под глазами; глаза нездорово и жарко блестели.

Ленка, несколько ошеломленная его горячностью и напором, отвечала кивками, улыбками и не пробовала вставить слово, пользуясь только правами слушателя; тем не менее Мурачев, словно его вот-вот должны были оборвать, говорил торопливо, наспех, в конце фразы выталкивая сипящий скомканный суффикс или окончание и затем со всхлипом набирая полную грудь сырого воздуха, чтобы продолжить, насколько хватит. Едва ли одну из трех баек доводил он до конца, поскольку при первой возможности поиграть словами сам себя перебивал, сбивался и сворачивал на другое. Занесенный на том или другом повороте, время от времени вылетал на обочины предметов, более или менее серьезных, но вместо того чтобы внятно изложить их, отделывался игрушечными намеками. Послушав его речь, из которой ни одна крупица смысла не извлекалась чисто логическим путем, психиатр на третьей минуте прописал бы ему комплекс успокоительных; но Мурачев говорил не ради смысла и не боялся наскучить бессвязицей.

— Что такое судьба?.. И он сказал мне: я покажу тебе, что такое судьба! И, знаешь, сделал рукой два движения… ловко… и прямо из воздуха… как косточки из компота… выудил двух паутов: цоп! цоп!

Смеется! Судьба? — спрашивает. И вытаскивает одного из кулака! Вот, говорит, судьба, смотри! Раз, два, оторвал ему крылья и бросил за борт. А потом раскрыл кулак — и второй — з-з-з-з! — пошел сверкать! полетел над водой!.. Вот — судьба! Почему одному — одно, а другому — другое? Да вот именно потому что судьба! Понимаешь? Он был философ, этот Гриша...

Ленка рассмеялась, поежившись.

— Нет, подожди! — заторопился он. — А когда она начинает играть — ты замечала? Ты замечала? Вот, например, — он тоже рассмеялся, нервно затягиваясь дымом и щурясь, — понравилась тебе женщина... девушка... Ну, допустим, ты увидел ее случайно... в компании... и как-то не сложилось в тот вечер: ни поговорить, ни познакомиться по-настоящему... Ты начинаешь ее искать... а судьба играет тобой, играет! Посмеивается, показывает издали... так, знаешь, будто окно то приоткроет, то снова затворит. И все манит, все ладошку подставляет: ну-ка, хлопни! Ну-ка, попади! Хлоп! — а на этом месте уже ничегошеньки и нет! Блазнит, смеется: кость катится, на ней шестерки мелькают, пятерки, и вот встала — на тебе: пусто! То ты ее из автобуса увидишь... выскочишь на следующей остановке, прибежишь — а никого уже и нет! То вдруг столкнешься нос к носу — да так неожиданно, что упустишь секунду, не заговоришь, а в спину кричать уже неудобно... То встретишь совсем хорошо — и приметишь издали, и идет она не торопясь — да не одна, а с какой-то женщиной! Опять неудобно заговорить!..

— Это мама была, — сказала Ленка, пожав плечами.

— Есть в одной книжке такая история. Купец послал слугу на базар. Тот возвращается — бледный, дрожит, глаза блуждают — и говорит: я встретил на базаре Смерть! Мне нужно уехать, я не хочу здесь оставаться! Купец говорит: ладно, поезжай на недельку в Багдад. А сам отправился на базар — и тоже встретил Смерть. Но не испугался, а говорит ей: ты зачем напугала моего слугу? Нехорошо! А Смерть отвечает: я не хотела его пугать, я просто удивилась, встретив его здесь; он должен был уже быть в пути, ведь завтра утром я назначила ему свидание в Багдаде!..

— В Багдаде... — эхом отозвалась она.

— И нельзя понять, куда тебя ведут, где тебя встретят! Знаешь, какой я представляю человеческую жизнь? Знаешь?.. Я уже много лет назад это понял! Мы все — мотоциклисты в тумане... понимаешь? Ты летишь с бешеной скоростью по дороге, и перед тобой — только молоко тумана! Ты ничего не видишь впереди! Может быть, там гладкое прямое шоссе, и ты будешь мчаться по нему еще долго-долго... может быть, шоссе кончается, и сейчас ты начнешь трястись по ухабам! Может быть, там пропасть или просто бетонная стена, и через секунду тебя размажет по ней, как пластилинового человечка... Ты лепила в детстве пластилиновых человечков? Я лепил... у меня был целый город... улицы, площади... цементный завод... в нашем городе был цементный завод, и поэтому мне казалось, что во всяком городе должен быть цементный завод... дымный, пыльный, огромный, желто-серый... Поэтому и в моем пластилиновом городе был маленький цементный завод, и круглый год вращались его жаркие печи... А мы жили очень тесно, и из-за тесноты целому городу приходилось размещаться на чрезвычайно небольшой территории — на фанерке от посылочного ящика... и все отлично умещалось: мельница, школа, магазины, деревья... клумбы... все.

Ленка рассмеялась и взяла его под руку, прижавшись плечом.

— Не смейся... правда! Все умещалось... А человечков я лепил из пластилина... сначала придумывал имя, профессию... мне было интересно придумывать, чем он будет заниматься, с кем ему придется дружить, с кем — соседствовать... сразу о домике нужно было позаботиться... почему-то Степан Степанычей было много — четверо: пекарь, слесарь, учитель географии и доктор... Самое смешное, что никто другой ничего этого не видел! У соседей был мальчик, Витя, мой ровесник... я однажды ему показал под условием сохранения тайны... так он ничего не понял: какой, говорит, город... какой еще, говорит, завод... Понимаешь? А через много лет я прочел слова одного философа... упрямый был субъективист... Что-то в таком духе: нет, мол, более распространенного и устойчивого заблуждения, чем то, будто фонари, дома, улицы, набережные, собаки и извозчики существуют на самом деле... Ба! — думаю, — да ведь это про мой городишко... только с точностью до наоборот: ведь Беркли был субъективист, идеалист, а соседский Витька был страшный материалист и прагматик... он по мясной части потом пошел... а я заблуждался на тот счет, будто мой город — дома, улицы, собаки, Степан Степанычи — существует на самом деле... и вот попробуй теперь разберись, кто был прав: я или Беркли? Беркли или соседский Витька?.. Смешно, правда?

Мурачев замолчал, пожав плечами, полез в карман за сигаретами.

— Ну и что дальше?

— Что?

— Чем дело-то кончилось? — спросила Ленка.

— С городом-то? Да чем... катастрофой, как все на свете. Степан Степаныч... тот, что учитель географии... отправился в экспедицию на палас... Лежал на полу в комнате такой цветной палас, полосатый... мать им страшно гордилась... ни у кого такого не было. А Степан Степаныча хлебом не корми — дай только попутешествовать... очень любил поездки по новым местам. А также пешие прогулки. Ну и... отец на него наступил нечаянно на этом паласе, будь он неладен...

Мурачев чиркнул спичкой, прикурил, глубоко затянулся.

— Степан Степаныч погиб... он был пластилиновый. Только ножки из обломков спичек, а все остальное — пластилин. Смерть была мгновенной и практически безболезненной. Он погиб — но и палас пострадал. Отец орал: «Ты зачем тут своих пауков разбрасываешь?!» Попробуй объясни, что это не паук был, а Степан Степаныч, учитель географии... В общем, схватил сгоряча фанерку и все с нее к чертовой матери ножиком соскреб... и в ком слепил. Что?

Она молча смотрела на него.

— А, ерунда, — сказал он. — Все это было давно. И потом: он ведь не был злым.

— А ты? — спросила она.

— Что — я?

— Ты после этого что сделал?

— Я? — удивился он. — А что я мог сделать? Ну, кричал, конечно, когда он соскребал... плакал. А что потом? Потом уже все кончилось.

— Я бы... я бы просто не знаю что сделала! — сказала она, отнимая руку. — Я бы из дому ушла!

Мурачев усмехнулся.

— Да брось... Ну, конечно, благополучие паласа пришло в некоторое противоречие с моими интересами. Отец встал на сторону паласа... во-первых, потому, что палас ему был ближе... а во-вторых, он, видимо, не подозревал о существовании города на фанерке. Я ему не говорил. Кто знает, если бы он знал, то, глядишь... — Мурачев мечтательно вздохнул, — по сию пору я бы лепил пластилиновых человечков...

— Да что же тут смешного! — возмутилась она. — И как ты можешь так спокойно об этом говорить?! Тебе не обидно разве?! Скажи!

В ее голосе было что-то такое, от чего собственная усмешка показалась ему натянутой.

Он пожал плечами. Ему казалось, что он понимает ее чувства: женщины предпочитают слышать не об обидах, а о наказании обидчиков, ведь мужчина должен быть сильным, и только тогда имеет смысл с ним связываться.

— Обидно? — переспросил он. — Понимаешь, это ведь был конец света — ну, пусть игрушечный. Конец игрушечного света. Понимаешь? Это была маленькая смерть: щелк — и все погасло навеки, понимаешь? Обидно? Нет, не обидно. Нельзя обижаться на смерть и на конец света. Я же говорю: мы мотоциклисты в тумане. На что обижаться? На туман? На кюветы? На бетонные стены? Трах! — и тебя нет! Вот ведь мы с тобой идем сейчас, — он замер и взял ее за руку, — вот именно сейчас... и кажется, будем идти всегда... а буквально через секунду нас может не быть... понимаешь? Так на что же нам обижаться, скажи мне!

— Да ну тебя! — Она принужденно рассмеялась, вырвала ладонь и пошла вперед.

— Стой! — Он заорал так, что шагавший метрах в пятидесяти человек оглянулся и затем прибавил шагу. — Ты что, не понимаешь?!

Она оглянулась.

— В любую секунду! — крикнул он, театрально закатывая глаза и снова хватая ее за руку. — Трах — и готово! В любой момент! Но мы погибнем вместе! Я тебя не брошу! Правда! Ты рада?

— Клоун!

— Это к делу не относится! Ты скажи: рада?

— Если в любую секунду, тогда... Не знаю. Что ж делать: рада.

— Давай поцелуемся? — предложил он.

— Нет.

— Почему?

— Люди кругом, — объяснила она. — Я стесняюсь.

— Какой провинциализм! — ужаснулся Мурачев.

— Что делать: я провинциалка, — сказала Ленка. — Лучше почитай мне стихи.

— Стихи? Нет, стихи — это дело вечернее... днем они не звучат, правда, — уверил он. — Стихам нужен вечер или ночь... лампа или шаги в темноте... лучше шаги, но можно и лампу. Приходи вечером, я тебе почитаю.

Она фыркнула:

— Я?! К незнакомому мужчине?

— К полузнакомому, — поправил он.

— Да ну, что ты, — сказала она, смеясь. — А где ты живешь?

— В двух шагах, — он махнул рукой. — Напротив парикмахерской. Квартира двенадцать. Придешь?

— Нет, — она помотала головой. — Да и не могу я вечером.

— Почему?

— Да так... дела, — уклончиво ответила она.

Мурачев с ненавистью пнул валявшийся на тротуаре обломок кирпича. Обломок постучал по асфальту и замер в луже, грустно накренившись.

— И правильно, — сказал он. — Не приходи. Нечего тебе у меня делать. И потом: я же обычно расчленяю...

— Как это?

— Ну как... — он развел руками. — Голову, стало быть, отдельно, руки-ноги отдельно... Расчлененка, в общем. На почве сексуальной заинтересованности.

— Это ко мне у тебя сексуальная заинтересованность? — полюбопытствовала она.

— К тебе, — признался Мурачев.

— Ну, тогда точно не приду, — вздохнула Ленка. — Хотела бы... но если такое дело — нет, не приду.

— Правильно, — поддержал он. — Игра с огнем, в сущности. Лучше не надо. А то потом разбирайся: голова отдельно, руки-ноги отдельно...

— Это жестоко, — сказала она и провела ладонью по его щеке, отчего он зажмурился. — И глупо!

— Я умный, — возразил он. — Но рядом с тобой временно глупею.

— Ах, вот как! От чего же?

— От любви.

Она рассмеялась. Мурачев встретил ее взгляд и почувствовал легкое головокружение.

— От какой еще любви? — спросила она. — Так не бывает! Ты меня всего один раз видел.

— Бывает. Посмотри на меня и увидишь, что бывает.

Их разделяло несколько сантиметров пустого холодного пространства, и тем не менее он чувствовал ее всю целиком: каждый удар ее сердца отдавался в нем гулким эхом, каждый шаг и каждый поворот головы отзывался томительной сладостью в сухожилиях, и каждое движение ее зрачков меняло возможности его зрения: все, на что падал ее взгляд, возникало и перед ним в виде отчетливой, но прозрачной картины, похожей на отражение в стекле, он видел напряженное выражение собственного лица, а потом она смущенно засмеялась, пожала плечами, отвернулась и стала смотреть на ту сторону площади; тогда и отражение в стекле мгновенно перебежало и изменилось.

— Видишь? — настойчиво спросил он, жадно разглядывая завитки светлых волос вокруг маленького уха.

— Ну, мне пора, — неожиданно холодно сказала она.

И быстро пошла по тротуару.

— Ты что! — изумленно окликнул Мурачев. — Подожди!

Она с усмешкой помахала ладонью.

— Пока! Мне правда пора!

Он хотел еще что-то крикнуть, но только плюнул под ноги, с ненавистью глядя ей в спину.

4

Ему снилось, что он был собакой и его сбил грузовик.

Ему снилось, что он был еще жив. Приподнявшись на передних лапах, сломавшись в спине и не чувствуя задних, парализованных и безвольно раскоряченных в грязи кювета, широко раскрыв сочащуюся красной пеной пасть, глотая вонючий бензиновый воздух, он пристально следил за тем, как бурлит желтое марево над раскаленным асфальтом.

Он выполз из канавы и лежал теперь на обочине, положив голову на лапы и судорожно позевывая. Пространство гудело и ухало, лопалось и снова срасталось, пропустив сквозь себя дымный снаряд очередного грузовика, и он смотрел иногда вслед, но чаще — туда, на ту сторону дороги, и тогда в тускнеющих зрачках отражался не удаляющийся борт, не сверкание зеркал, не раковина закрученного движением воздуха, а лоснящееся серое полотно и бурые кусты, тронутые вихрем.

Он еще рассчитывал жить — и жил, и вместе с ним продолжало жить то стремление, что вытолкнуло его под колеса. Ему нужно было на ту сторону, туда, где качались ветки бурых кустов. На этой стороне росли точно такие же, и точно такая же трава ежилась и скрипела под грубой пятерней ветра, но ему нужно было на ту сторону. И вот, распялив пасть, тягуче разрываемую предсмертной зевотой, он все же смотрел на дорогу, празднично трепещущую маревом, и собирал силы, чтобы двинуться дальше и, если повезет, миновать то место, откуда отшвырнул его грузовик.

Сломанный хребет не мог срастись, размозженные внутренности щедро хлестали кровью, из-за чего он чувствовал сытную мясную отрыжку; шерсть дыбилась на дрожащей коже, и он должен был умереть в течение ближайших пяти или десяти минут. Но думал он не об этом и не по тому тосковал.

Дорога ревела, а он лежал, положив голову на лапы и свесив язык, с которого капала в пыль слюна и кровь; время от времени на него нападал морок, и тогда он терял слух, но зрение оставалось: он видел себя уже на той стороне, в бурых кустах.

Потом он поднимал голову, напрягался, отчего кровь, должно быть, текла пуще, и делал несколько гребков передними лапами; задние волочились, боль и тоска уже перевалили грань возможного, и он снова клал голову на лапы, оказавшись сантиметров на сорок ближе к цели.

Жизни уже не хватало, чтобы преодолеть полосу асфальта.

С каждым новым усилием он оказывался все ближе к мельканию резины и металла, все ближе к гибели, но не замечал этого, как будто полз в иной плоскости пространства, — в той именно, где уже ничто не могло причинить ему вреда.

И когда на него стала наваливаться черная стена движения и смерти, когда он, взвизгнув, свирепо и жалко оскалившись, сделал последнее в своей жизни усилие и попытался свести клыки на том, что хотело у него жизнь эту отнять, Мурачев проснулся, давя крик в трепещущей гортани.

Он лежал, свернувшись калачиком, будто стремясь занять как можно меньше места под старым пледом.

За окном слоились сумерки.

Мышцы постепенно расслаблялись, и дыхание успокаивалось. Ему часто снилась собственная смерть. Во сне он умирал сотни раз, во сне смерть была настолько определенной, что, проснувшись, он чувствовал себя новорожденным.

Ему вспомнилось ее смеющееся лицо, подумалось, что она могла бы сейчас быть здесь, рядом, и тогда он засопел, заворочался, отшвырнул плед, поднялся и включил свет, отчего комната, утратив несколько таинственных бликов, обыденно и тускло засияла пыльными стеклами книжных полок. Ее сиротская обнаженность пропала, когда он задернул шторами темное окно.

Мурачев присел к столу и стал марать лист бумаги, рисуя на нем виньетки и домики; голова была тяжелой и темной: ни искорки света.

Ему показалось странным, что все слова, что приходят на ум, кажутся мертвыми; он принялся мычать, напевая несколько случайных; они дребезжали на губах сухими крыльями и затихали, как только он закрывал рот.

Он все шуршал ими, как мог бы шуршать горстью высохших пчел, раскладывая трупики в калейдоскопическом порядке, как вдруг неярко полыхнуло, заерзало, спеклось, и штук шесть из них, трепеща и цепляясь друг за друга, начали слепо кружить по листу, оживляя вокруг себя равнодушный воздух.

— Красота подневольного мира, — бормотал он, приискивая продолжение, — в окружении мертвых зеркал… Красота подневольного мира, — начинал он снова и громче, немного подвывая, чтобы дать звукам срастись и вытянуться, — в окружении… а, черт!

Он бормотал и одновременно водил пером по бумаге, и, гальванизируемые этими простыми действиями, пчелы жужжали и кружились, сталкиваясь и тут же отползая друг от друга; басовитый звук дрожащих крыльев вот-вот должен был перейти в мощный гул, поднимающий их в воздух; они все ползали, выписывая на листе бумаги свои эпсилоны, а он все шаманил, и минут через десять, обессилев, швырнул ручку: в тот же миг и они, ненадолго вышедшие из нежизни, недвижно замерли и забылись.

Пережив укол горького разочарования, он несколько минут сидел, тупо разглядывая давно не стриженные ногти. Потом зевнул, поднялся и побрел на кухню.

Включил свет, и тут же два жирных таракана метнулись за плиту.

Он выругался и бессильно топнул ногой.

Хотелось есть, и можно было бы начистить картошки, но руки не поднимались браться за дело: недовольство собой клокотало под ребрами, жрало душу и требовало какого-нибудь разрешения.

Он открыл холодильник и внимательно рассмотрел водочную бутылку, в которой оставалась ровно половина. От стекла повеяло белым ужасом, от каких-то свертков — плесенью.

Разъярившись, сунул бутылку обратно, а все остальное вывалил на пол.

— Ну, падлы, я вам сейчас покажу, — мрачно погрозил он, вспомнив тараканов, и бросил половую тряпку в ведро с горячей водой.

Ровно через час он уже думал о себе с некоторым удовольствием.

Еще через двадцать минут, распарив и вымыв последнее, что казалось нечистым — собственное тело, — он, блаженно вздыхая и жмурясь, стал расхаживать по чистому полу босиком, придирчиво вслушиваясь в ступни — не попадется ли соринка.

Когда картошка закипела, убавил огонь, посолил, хлопнул в ладоши, подмигнул собственному отражению в кухонном окне, достал бутылку, разрезал на четыре части зеленое антоновское яблоко, взялся за рюмку и замер, вскинув брови, потому что в прихожей раздался резкий звонок.

— Черт возьми!

Ему было сейчас хорошо одному.

После секундного колебания с сожалением поставил рюмку и пошел открывать.

— Ты? — сказал Мурачев, отступая в прихожую.

— Разве не звали? — спросила она, рассматривая его побледневшее лицо.

Он растерянно пожал плечами, и на это простое движение пришлось два удара частящего сердца.

— Я ненадолго. На минуточку.

— Раздевайся.

— У тебя вид довольно испуганный, — сообщила она.

— Не думал, что ты придешь...

— А я и не собиралась. Уютненько... А потом оказалось, что мне нужно тут неподалеку... вот я и зашла. Ты не рад?

— Рад, — вяло сказал Мурачев. — Я тебе всегда рад.

Она хмыкнула и покачала головой.

— Что-то не похоже...

— Нет, просто мы с тобой долго не виделись, — зачем-то начал оправдываться он, — вот и все.

— Долго! — фыркнула она. — Четыре часа. Даже меньше...

— Долго, — заупрямился он. — Очень долго! За четыре часа, знаешь, сколько всего может случиться?

— И что же случилось?

Он снова пожал плечами.

— Нет, дело в другом, — вздохнула Ленка. — Днем мы с тобой виделись на нейтральной территории, а сейчас я забрела на твою. Понимаешь?

Он присвистнул, глядя на нее с улыбкой.

— Правда, правда! — уверила она. — Знаешь, как собаки переживают, когда на их территорию заходит посторонний?

Две плоскости вдруг сошлись воедино, и то, что жило на самом краешке сознания, вдруг нахлынуло, поднялось в душе и перехватило горло нездешней горечью: давешний сон, словно взмах черного флага, мелькнул перед глазами.

Улыбка сползла с его лица.

— Я не собака, — тупо пробормотал он.

Она секунду смотрела на него с затаенной досадой, потом сказала, вздохнув:

— Ну, ты совсем увял... Ладно, я пойду, что ли... Я ведь на минутку зашла.

Мурачев встрепенулся.

— Подожди! Что ты! — он суетливо отступил, приглашающе разводя руками. — Что ты, что ты! Я ждал! Я просто в себя не могу прийти: так неожиданно! Знаешь, как в Новый год! Ну, в детстве, понимаешь? Чего-то ждешь, не веришь, и вдруг — вот оно!

— Я же не обещала...

— Все равно, все равно... Я не знал, придешь ты или нет, но ждал... Сюда проходи, в комнату... Картошку будешь есть? Понимаешь, я порядок наводил... и выкинул все, кроме картошки, — метнулся к платяному шкафу, схватил что-то с полки, взмахнул —

и накрыл круглый стол белой скатертью. — Будешь картошку?

Она рассмеялась.

— А тут еще, понимаешь, сон мне приснился, — говорил он, стоя на четвереньках и шаря под диваном, — такой, понимаешь, странный сон… А, вот она!

Поставил бутылку вина.

— Какой сон? Когда?

— А, неважно! — он сморщился. — Важно, что ты пришла, вот что важно!

— Расскажи мне сон, — попросила она, улыбаясь. — Я страшно люблю слушать сны…

— Нет, нет, — он замотал головой, — не буду… Понимаешь, приснилось, что я умираю…

— Хорошенькое начало, — сказала Ленка.

— Дело не в том, — отмахнулся он, возясь с пробкой. — Вот скажи, ты в детстве о чем мечтала?

— Я? В детстве? — она задумалась. — Не знаю… Ну, много о чем… ну, вот, например, у Лизки, у подружки моей, была такая большая кукла… белокурая. Представляешь? С глупыми такими глазищами… Сейчас бы в жизни такую не купила… да их и нет. А тогда — ну просто умирала, так хотелось. А мать мне говорила — у тебя уже есть куклы! Ха!

Она закинула ногу на ногу.

Складки платья грозили ожогом.

— А я, — торжественно сказал Мурачев, — а я всегда мечтал об одном.

Пробка сделала «пок».

— Это хорошее вино, — нежно сказал он. — Это настоящее. Сейчас, подожди… Понимаешь, я мечтал только об одном — жить вечно, — он виновато развел руками. — Только об этом.

— И все? — спросила она.

— Ноль, — ответил он. — Во всем остальном — круглый ноль. Ни маршалом не хотел стать, ни космонавтом. Помнишь эти разборки во дворе: я маршалом хочу быть, а я космонавтом! Я буду чемпионом! Помнишь? У вас было?

Лена рассмеялась.

Он сложил пальцы колечком и показал ей:

— Ноль. Чистый ноль.

— Жить вечно... — повторила она. — Губа не дура. Нет, наскучит, наверное.

— Что ты! Что ты! Ты подумай: вечно! Не знаю... Мне не наскучит. По-моему, наплевать, какой она будет, эта жизнь. Пусть даже бедной, убогой... А, наплевать! Понимаешь, мне хватит одних этих сполохов...

Он неопределенно пошевелил в воздухе пальцами.

— Каких сполохов?

— Сполохи, переливчатые такие сполохи... понимаешь? Кино: простыня сознания, и на ней бесконечный фильм... как северное сияние. Даже если можно только наблюдать — не участвовать, а наблюдать! — и то никогда не наскучит.

— Наблюдать — это разве жить? — спросила она.

— За тебя! — сказал он. — Жить — это жить, пусть даже при этом только наблюдать. Чем плохо?

На ее бокале остался отпечаток губ.

— Может, так оно и будет? — спросил он. — Понимаешь, в пользу этого есть много доводов. Во-первых... нет, ты не смейся, ничего смешного. Во-первых, с младых ногтей эти мечты сопровождались уверенностью. Мечта — и одновременно уверенность. Во-вторых, любая мысль о смерти приходит только в форме отрицания. Понимаешь? Решительный такой отказ, бесповоротное «нет»... Откуда это? Может, душе-то лучше знать?

Он внимательно смотрел ей в глаза.

— И третье, самое главное... Я всегда мог как-то так особо напрячься — и увидеть будущее. Ну, не подробно, конечно, не в деталях... Просто такое золотое марево, дрожание времени... Расплывчатые тени, какое-то движение... Понимаешь? И всегда потом эти тени, это движение объяснялись... и тебя я тоже раньше видел такой тенью, а теперь вот, пожалуйста, — ты сбылась... Но главное, что я не вижу края. Нету! Как ни заглядывай, как ни старайся посмотреть подальше: а там все то же! Жизнь! Понимаешь?

Лена тихо засмеялась.

— Только вот эти сны, — сказал он, проворачивая в пальцах ножку бокала. — Совершенно ни к чему, вроде... а снятся.

Вдруг замер, оторопело глядя в стол.

— Ты что? — спросила она.

— Сейчас, сейчас... извини... — пробормотал Мурачев, морщась.

Поднявшись, он вышел из комнаты. Грудь теснило, на губах трепетало; пчелы ожили и мощно гудели в мозгу, требуя своего и грозя ужалить, если что придется не по нраву. «О, господи...» — пробормотал он, хлопая по газетам на холодильнике в поисках карандаша. Карандаша не было. Схватил горелую спичку из пепельницы и стал водить ею по белому газетному полю. Первые две буквы получились довольно отчетливо, остальных было вовсе не разобрать, но все же стало немного легче: жужжание отступило, несколько успокоенное привычностью процесса. Тогда он быстро протянул руку, взял полную рюмку, так и стоявшую на столе, выпил, налил еще, выпил... проговорил, утирая губы и мотая головой: «Завтра! Все это завтра!» Водка подействовала почти мгновенно: шум затих, ритм споткнулся и рассыпался, пространство сузилось, карандаш был уже не нужен, и только в самом дальнем углу обозримой вселенной агонизировала пульсирующая искра. «А, ладно!..» — сказал он. Всегда приходилось выбирать что-нибудь одно, отказываясь от другого.

Он вернулся в комнату улыбающимся и сразу шагнул к ней.

— Ого! — сказала Ленка, уворачиваясь. — Может, не надо?

Она уперлась руками в грудь.

— Почему?

— Потому что все это слишком известно.

— Что известно? — не понял он.

Она махнула рукой:

— Да ладно тебе! Все вот это! Стаканчик винца, разговорчики... полная программа... да?

— Известно, — повторил Мурачев.

Насупившись, Ленка молчала, позванивая ноготками по стеклу. Бросила на него быстрый взгляд и удивилась тому, как опустело лицо.

— Значит, говоришь, у меня была собака... — полувопросительно сказал Мурачев. — И я покупал куропаток, чтобы ее натаскивать. Представляешь, ни черта не помню! Записывать надо, что ли... А то ведь нехорошо получается: расскажешь так однажды что-нибудь, а тебе потом напомнят: было уже, было!

Она хмыкнула и покачала головой с видом, который должен был сказать: не понимаю, как ты можешь говорить такие глупости!

— Ой, а времени-то, времени! — ахнул Мурачев. — Одиннадцатый час! Дома беспокоиться не будут? — участливо спросил он и улыбнулся.

Ленка пожала плечами.

— Одевайся. Пойдем, провожу.

— Оскорбился, — сказала она понимающе, отодвинула бокал и поднялась. — Что ж... Извини за вторжение.

— Напротив, — поморщился Мурачев. — Это ты прости, если что не так.

— А почему же тогда? — с вызовом спросила она, обеими руками держась за спинку стула. — Нет, ты не беспокойся, я сейчас уйду... Только немного непонятно: что случилось?

— Ничего, — сказал он, подавая куртку. — Поздно. Одевайся.

Лена насмешливо сощурилась и повернулась спиной.

Просовывая руки в рукава, она уже не думала о нем. Много чести. Даже хорошо, что не приходится выслушивать никаких упрашиваний и мольб. Еще не хватало! Клятвы, уговоры, — вот уж чего ей определенно не хотелось. Все равно ее нельзя умолить. И ничего не выпросить... Горделиво подавшись к зеркалу и изготовившись к тому, чтобы мазнуть губы алым пальчиком помады, она искоса метнула в него взгляд.

Мурачев стоял, сунув руки в карманы, и, похоже, прикидывал, не выпить ли ему еще вина.

Она оттопырила губы и осторожно провела по ним помадой — сначала по верхней, а потом по нижней.

ЖЕСТЯНАЯ ДУДКА

К сожалению, ни в его фигуре, ни в выражении лица не проглядывало нисколько притворства: физиономия была задумчивой, но вовсе не такой напряженно-печальной, какой она ожидала ее увидеть; а о фигуре и говорить нечего — руки в карманах всегда придают человеку довольно расхлябанный и беззаботный вид.

Она сжала губы раз и другой и закрутила помаду.

Он даже не выглядел обиженным, и поэтому самой обижаться не имело смысла. Ну и пожалуйста! Тоже мне — штучка! Обиделся, видите ли. Фу, какой вздор! Да ради бога! Вот уж не заплачем. Нет, ну что за манеры? И верно — с таким лучше дела не иметь. Есть нормальные люди. Которые способны проявить любовь... и внимание. И ухаживание — да, ухаживание, а не вот так: тяп-ляп, и все падают... Ну и пусть. Он сам по себе, а она — сама по себе.

— А ну-ка поцелуй меня! — сердито сказала она, поворачиваясь.

5

В комнате тикали часы, но, когда она поднимала взгляд, ей казалось, что это тиканье противоречит истинному течению времени: свет, сгустившийся вокруг малинового абажура, складки скатерти, тени, блики и несколько розоватых звездочек на хрустале, губы, руки — все это вместе взятое укладывалось в пространство одной, но очень длинной, может быть, даже бесконечной секунды.

— Подожди, — сказала она, садясь. — Постели что-нибудь...

В конце концов уходить нужно было раньше. Вздохнув, она обхватила руками плечи и поежилась. В конце концов его просто жалко.

— Ты разве никуда не пойдешь? — спросил он и снова потянул к себе, чтобы поцеловать.

— А куда я такая пойду?

— Домой.

— Голыми домой не ходят. А одеваться ты мне не даешь.

— Не даю, — согласился он.

— Вот видишь... Между прочим, это считается изнасилованием.

— Ну и ладно, — сказал он, собираясь подняться, но она задержала его.

— Ты хороший.

— Я плохой, — возразил Мурачев, осторожно перебирая пальцами волосы. — Я жулик.

— Жулик, да, — вздохнула она. — Правда. Но все равно хороший.

— Глупости. Человек, который собирается кого-нибудь изнасиловать, не может быть хорошим.

— Ты что, обиделся? — она заглянула в лицо. — Я же пошутила... что, думаешь, я не ушла бы, если бы захотела?

— Ушла бы, наверное... Ты красивая.

— Правда? — обрадовалась она.

— Честное слово. Ты очень, очень красивая... Но дело даже не в этом...

— А в чем?

Бегающими движениями пальцев он, будто слепой, скользил по лицу, ощупывая.

— А в чем? — повторила она.

— Что?

Ленка вздохнула и прижалась крепче. Она слушала его дыхание.

6

Они идут, держась за руки. Он смотрит под ноги и часто говорит ей, упрашивая: «Пожалуйста, не наступи на шныря! Пожалуйста!..» И она кивает в ответ и крепче хватается за его руку.

Так идут они по лесу, и лес все больше мрачнеет.

«Ой, смотри! — говорит она. — Луна!»

Он задирает голову. Ртутно-белая луна висит над ними в прогале ветвей. Она огромна. Он делает шаг, другой, не отводя зачарованного взгляда от рыбьего тела холодной луны, и вдруг что-то хрупает под левой ногой: шнырь! он сам наступил на шныря!

«Сережа! — кричит она. — Где ты?!»

«Здесь, — отвечает он и хочет обнять, но ее тело неожиданно проходит сквозь руки так, словно руки сделаны из дыма или тени. — Я здесь, я здесь...» — повторяет он, с мучительным любопытством рассматривая ее искаженное страхом лицо.

Она озирается и кричит, кричит: «Сережа! Сережа!..»

«Да здесь я, здесь», — устало бормочет он, понимая, что уже ничего, ничего не может сделать.

Он всхлипнул, удаляясь от нее, и, по мере того как она превращалась в меркнущее пятнышко света, сон перетирался, перетирался — и вот лопнул, лишив его памяти.

Мурачев открыл глаза.

Лена спала, и туманный свет каких-то иллюзий мягко освещал ее спокойное лицо.

Он долго смотрел на нее, а потом осторожно провел ладонью по теплой щеке.

Ему захотелось представить свои ощущения в виде поверхностей и объемов, и он вообразил хрустальную сферу, катящуюся по скользкой пустыне зеркала.

Ровное тепло еще грело душу, но он знал, что это продлится недолго: недолго хрустальная сфера будет катиться по глади зеркал; недолго будет звучать в ушах убаюкивающий гул... Удар, хруст, звон!.. Шар расколется, налетев на железную стену, тысячи алмазных иголок вонзятся в сердце, оно закричит, предчувствуя не вечную жизнь, но скорую гибель, — и тогда-то он, счастливый, бросит лицо на ладони, чтобы не видеть белого света; тогда-то одиночество и замотает пьяной башкой, завоет, заклокочет в растерзанной душе, хриплым, наглым голосом выпевая новую песнь...

Он смотрел на нее и думал, что зуд саморазрушения неминуемо заденет ее, и это будет несправедливо. В сущности, я паук, затосковал он, проклятый паук... Он будет чувствовать себя виноватым, и чувство вины только усугубит его несчастье, и это тоже пойдет ему во благо: подлецу все к лицу; только счастьем он себе может навредить. Паук, паук.

Ленка зашевелилась, потягиваясь, вот раскрыла глаза и встретила его пристальный и в то же время отсутствующий взгляд.

— Ты что? — спросила она, приподнимаясь на локте. — Сережа!

Он вздрогнул, вздохнул, стряхивая оцепенение.

— Привет.

— Привет. — Она потянулась к нему, обняла и поцеловала.

— Утро, — сказал он. — Дождь кончился. Сегодня ведь суббота?

— Суббота.

Улыбнулась.

— Ты чего? — спросил Мурачев.

— Нет, ничего, — ответила Ленка, садясь на постели. — А ты чего?

Она чувствовала какое-то напряжение, исходившее от него, ток чувств, не имеющих к ней отношения.

— Я? — удивился он. — Я в норме. Умываться будешь?

Пожала плечами.

— Обычно умываюсь...

И подперла ладонью подбородок.

— Это ты или не ты? — спросила она через несколько секунд.

— Ну, разумеется, я, — ответил Мурачев, не выдерживая взгляда. — Не узнаешь?

— Ты мне скажи, что случилось. Пожалуйста, скажи!..

— Да ничего не случилось. Ничего не случилось, что ты!..

— Не хочешь, — мягко констатировала она. — Упрямишься. А ведь я чувствую...

Он знал, что сейчас услышит: не хочешь — как хочешь, не больно-то надо.

— Все равно скажешь, — вздохнула она. — Я выпытаю. Понятно?

— Понятно... — усмехнулся он. — Полотенце свежее возьми, если хочешь.

— Повернись-ка, — попросила она, коснувшись пальцем его подбородка.

Он повернул голову.

— А теперь так.

Он послушался.

— Жалко, я раньше не замечала, — она покачала головой и усмехнулась. — У тебя профили разные, а я на тебя все время с одной стороны смотрела. Вот с этой.

— Как это — разные?

— А так. Слева ты беззащитный-беззащитный. А справа — просто орел. Хищник. Никто раньше не говорил?

— Нет, не говорил.

— Будем считать, что я смотрю на тебя только слева и отношусь к тебе как к беззащитному. Хорошо?

— Не знаю, — с сомнением сказал он. — Если получится...

— Получится, — заверила Ленка. — Где полотенце-то?

В ванной шумела вода, а он лежал, закинув руки за голову, и невольно улыбался. Недавний припадок тоски отступил, и ему уже не казалось, что счастье возможно только через несчастье. Прислушался к себе: а чем черт не шутит? А вдруг пойдет? Он почувствовал сладкий трепет ожидания: а вдруг начнется? Протянул руку за карандашом и блокнотом, и тут же накатила скука.

Сел на постели и потер лицо ладонями. Ну почему, почему он должен это делать? Почему? Тысячи, миллионы людей живут иначе: просыпаются утром и чувствуют счастье. Зачем ему эти буквы, зачем слова? Разве мало самого себя, разве мало ее? Будет длинный день, и длинная ночь, и она снова будет рядом, и не нужно никаких букв, никаких слов: лишнее. Он и так счастлив. И может сделать счастливой ее. Счастливой, а не несчастной.

Криво усмехаясь, он подошел к зеркалу, минуту смотрел на себя, потом оттянул пальцами веки, отчего глаза стали бульдожьими, красными, полюбовался и сказал:

— Урод. Паук.

Высунул язык и выговорил параличным голосом:

— Скотина.

Вода перестала шуметь, и он отошел от зеркала, напоследок пригладив пятерней волосы.

В ванной что-то упало — расческа, должно быть. Он прислушался, пытаясь понять, не наводят ли его эти звуки на мысль о вторжении.

— Это ты виноват, — строго сказала она, появившись в его халате, — что я вчера не позвонила маме. Согласись, это свинство.

— Тебе идет, — заметил он. — Она у тебя строгая?

— Строгая, строгая... — усмехнулась она, запахиваясь плотнее. — Все трепещут... Хороший халат.

— Специально для такого случая держал.

— Так что, если в дом не пустит, — к тебе приду жить.

— Заметано. Квартплата пополам.

— Не рад, — сказала она, вздохнув.

— Почему, я рад, — возразил он, глядя в окно. — Смотри, опять дождь...

— Нет, правда, — сказала она с усмешкой. — Возьми меня замуж, а?

— Уж замуж невтерпеж... — пробормотал он. — Это исключения.

— Ничего не исключения... Ладно, я еще сама не знаю, может быть, я и не хочу замуж... Зачем?..

Она села на край постели. От нее пахло свежестью и еще чем-то томительным, темным, солоноватым: это было отражение его желания. Он лег и положил голову ей на колени.

— Ты меня бросишь? — спросила она.

— Это ты меня бросишь, — беззаботно сказал Мурачев. — Девушка ты красивая, с запросами... а я — нищий поэт. Известное дело — не пара. Ты меня бросишь. Я надену желтый плащ и пойду скитаться по пыльным дорогам Востока.

— Я тебя брошу? — она приложила палец к его губам; Мурачев поцеловал его. — Не говори так. Я тебя никогда не брошу. Ты меня любишь?

Она взяла его за руку.

— Ага, — сказал он. — Наверное. То есть да, очень.

— И я тебя тоже, — вздохнула она. — Даже страшно.

— Что страшно? — усмехнулся он.

— Не знаю. Страшно — и все. Вдруг что-нибудь случится... Ты уедешь надолго... или разлюбишь меня... Нет? Не разлюбишь? — наклонилась и заглянула в глаза. — Не разлюбишь, правда?

— Никогда, — пообещал он. — Жизнь слишком коротка, чтобы я успел тебя разлюбить. Невозможно успеть.

— Ты вот смеешься... Я бы тоже могла смеяться... Но я, правда, боюсь чего-то. Мне кажется, я тебя уже тысячу лет знаю. С рождения. Или даже раньше. Как будто мы уже знали друг друга когда-то, а потом расстались. И долго-долго не виделись. Такое ведь может быть, правда?

— Конечно. В прошлом рождении ты была наложницей в гареме. А я в том гареме был евнухом.

ЖЕСТЯНАЯ ДУДКА

Она весело рассмеялась, а ему пришлось зажмуриться, потому что он почувствовал вдруг волну бешеного, внешне немотивированного протеста: сердце сжалось, будто приготовившись к взрыву; вот ослабло немного, шевельнулось и продолжило гнать кровь по жилам — короткими злыми толчками. Душа раскололась пополам: одна половина ликовала, чувствуя все более крепкую привязь, другая стервенела, готовясь эту привязь порвать. Ему показалось, что комната поворачивается вокруг своей оси, и он сидит в ней, стеклянной, рассматриваемый со всех сторон чьими-то любопытными глазами.

Мурачев вскочил, сел к столу, схватился за сигарету.

— Ты чего?

— Нет, ничего, — ответил он, ища подходящую причину, по которой можно было бы ее выставить, и одновременно ужасаясь этому. — Понимаешь, я должен...

Телефон взорвался, ударив по нервам.

— Алло!

— Сережа! — продребезжала мембрана голосом, отдаленно напоминавшим голос Корнелия Савельича. — Ты занят?

— Да, — ответил он. — То есть нет... Не знаю. А что?

— Ты вчера приболел, что ли? Ладно, выздоравливай. Я тут зашиваюсь с этой сметой... алло!

— Да, да!

— Я говорю, ты толстый справочник не брал?

— Нет, не брал, — ответил он. — Зачем мне справочник? Какая смета?

— Куда он делся, ума не приложу! Если найдешь, позвони, я в Управлении!

— Хорошо, я подойду! — закричал он. — Я подойду! Через пять минут! Обязательно! Как же!..

— Да зачем тебе? — изумился Корнелий Савельич. — Сегодня же суббота! Это я с этой чертовой сметой, будь она неладна, с восьми часов...

— Выхожу! — отрезал Мурачев. — Обязательно!

Он положил трубку и решительно погасил окурок.

— Вот так, — сказал он, хлопнув ладонями по коленкам. — Ну ни минуты покоя не дают... Черт! Что их раздирает?! Сегодня суббота — нет, давай тащись в Управление!.. Срочная работа! Как будто другая бывает, а? — Он рассмеялся и подмигнул, начиная суетливо прохаживаться по комнате. — Ты оставайся... я тебе ключ оставлю... и я не знаю, когда приду, но... книжки вот. Или телевизор...

— Нет, что ты! Я пойду, — она помотала головой. — Выйди на минуточку, я оденусь...

— Ага. То есть ты как хочешь... — развел руками. — Эта работа, будь она неладна... ну просто сил нет. Нет, ну что такое! Суббота, не суббота — тащись в Управление! Совсем озверели, а!..

Он встал у кухонного окна, чувствуя жжение: он мог бы вернуться и сказать «прости меня!» и встать перед ней на колени, и тогда бы это мучительное жжение прошло; но в мозгу его жили пчелы, и несколько из них уже подрагивали, потягивались, шевелили стеклышками крыльев, готовясь к небу. Негромко застонав и выругавшись, он схватился пальцами за край стола, чтобы устоять на месте. Из комнаты доносились легкие шаги, шелест — звуки любви, шорох нежности, которую он испытывал. «Черт! — сказал он, — черт!..» Открыл холодильник, беззвучно извлек остатки водки и вылил в горло.

Еще держа бутылку, крикнул заинтересованным, приветливым голосом:

— А вечером увидимся?

З-з-з-зык! — прозвучала застегивающаяся молния.

— Нет, Сереженька, — ответила она, — я вечером не смогу, потому что...

— Как это! — возмутился он, тихо, чтобы не брякнуло, ставя бутылку на пол; он уже чувствовал свою свободу.

— У меня вечером дежурство.

— А ты перенеси! — предложил он. — Поменяйся с кем-нибудь!..

— Я не могу, — ответила она. — График. Сегодня суббота, никто не захочет. Да уже и поздно меняться.

— Нет, ну как же! — возмутился он. — Как же так! Встал в дверном проеме.

— Ну что ты, милый! — Ленка подошла и поцеловала его. — Ты что?

— Нет, ну как же так! — повторил он, враждебно глядя на нее. — Как же так! Что, не можешь поменяться?

— Не могу, правда, — сказала она, смеясь. — Ну прости меня, я не могу сегодня.

— Ах, ты не можешь сегодня! — Он отвернулся, сгибаясь: две-три последние фразы привели к тому, что уже не только грудь, уже весь он горел, словно растворяемый в кислоте. — Не можешь? Вот так! Вот и любовь!

— Да ты что, Сережа? — Она отшатнулась. — Ты что говоришь?

— Любовь! Любовь! — повторял он как заведенный, источая ненависть вместе с каждым словом. — Любовь! Вот тебе и любовь! Ха! Любовь!.. Игрушки!

Постелька! А вечером она уже не может! У тебя другой есть, да? — нашел он вдруг гениальный, безошибочный ход. — Да?! Нет, ты скажи, я не обижусь! Ты сегодня со мной, а завтра с ним?! А потом опять со мной?! А? Скажи!

Она ударила его почти не по-женски: с оттяжкой, наотмашь. Щека вспыхнула.

Мурачев замолчал, деревянно выпрямившись.

— Идиот, — сказала она, надевая куртку. Левая рука все никак не попадала в рукав. — Кретин.

— Идиот, — повторил он, блаженно улыбаясь. — Кретин.

Дверь хлопнула, и его снова скрутило от этого звука — боль штопором просверлила все тело от затылка до пяток.

Просверлила — и исчезла.

Он сел к столу и выкурил сигарету. Пальцы дрожали.

7

Мурачев постоял у подъезда, а потом побрел куда глядели глаза.

Дождь, всю ночь вколачивавший серые гвозди в траву и землю, теперь стих, превратившись в стеклистую морось, от которой все кругом слезилось и вздыхало.

Он шел по неровной улочке мимо разномастных заборов, закрытых ворот и полуоблетевших тополей. Листва мягко падала под ноги, влажно шуршала.

Ах, как же она хороша!..

Он вдруг вообразил себе циферблат часов с бешено вращающимися стрелками... потом увидел ее: она старела на глазах... вот стала седой... морщинистой... пошатнулась, опершись на клюку, ахнула и кучкой грязного тряпья опустилась на пол... кости черепа проглянули из-под расползавшейся плоти... а вот и они истлели... повеял ветер — и их не стало... В какомто смысле с внешностью ей не повезло, меланхолично подумал он, закуривая. Кто станет допытываться, есть ли в этой чудной оболочке душа?.. Глупости! Она хорошая... хорошая! Он растрогался, вспомнив ее удивленное, обиженное лицо, подрагивающие губы... А, ладно! Сегодня же вечером ее разыщет... да просто придет домой... замолит грехи... принесет копну цветов... осушит слезы поцелуями... и никогда больше, никогда, никогда!..

На мгновение лист, летевший с верхушки клена, приник своим невесомым влажным тельцем ко лбу... прижался, как будто прощаясь, и упал на землю.

Узкое, кривое, со свистом падающее лезвие «с», мучительное, полупроглоченное «м», похожее на стон, на мычание муки и боли; и, словно окрик, последняя точка, поставленная в долгом споре несправедливо, но твердо — цыть, мол, — «ерть!». Сыпучая мера, вертушка... сиротская вера... мерная круговерть... Бесконечная, праздничная круговерть... Попробовал продолжить, чтобы сложилась хотя бы целая строка, но скоро оставил эти попытки, рассеявшись на созерцании падающих листьев; но «круговерть» и «праздник» остались жить безнадзорно в каком-то темном углу и неслышно возились там, кувыркаясь и толкая друг друга.

Он пролез в дырку в разломанной ограде парка и пошел по лужистой, раскисшей дорожке между старыми березами. Листва влажно шелестела, а когда ее беспокоил ветер, начинала тяжело дышать, волноваться, и крупные капли вперемешку с листьями сыпали в лужи, покрывая их неправильным узором кругов и перекрестий.

Он не чувствовал ни боли, ни желаний.

Дорожка вывела к закисшему пруду с гнилыми мостками. Он сел на пень и долго рассматривал серую воду, кое-где помятую ветром, ряску, акварельные отражения хмурого дня.

Отломив кусок прелой коры, принялся отщипывать кусочки и бросать их в воду — замечал, куда упал предыдущий, чтобы попасть туда следующим.

Вода была похожа на плохое зеркало... могилу дождя... заплаканный глаз земли. Последнее вяло покрутил на языке, ища рифму, скоро забыл и вытер пальцы о мокрую траву.

Пахло тиной, водой, прелью, винным настоем осыпавшихся листьев. Он повел носом, ища новые и новые запахи, с наслаждением вздохнул, поразмышлял, кем все же лучше быть — человеком или животным; было очевидно, что животным, поскольку жизнь складывается не из мыслей, а из ощущений. Или птицей... Вообразил себя галкой, примерил мокрые верхушки деревьев, широкий влажный воздух, вихри дня и страшный, поделенный на удары сердца сон на шатающейся во тьме березе; вспомнил вдруг, как она прижималась к нему во сне, как лежала голова на плече, вздохнул, сплюнул, поднялся, посмотрел в небо и побрел назад.

Как всегда, что-то давило на мозг, что-то заставляло снова и снова прокручивать мысли о самом себе, ища хоть что-нибудь значительное, важное, за что можно было бы зацепиться и раз и навсегда воспрянуть духом. Он заметил свое отражение в луже, когда выбирал,

куда ступить; отражение было зыбким, туманным, не-
ровным; это была его тень, а не он сам. Сейчас ему
было жаль, очень жаль, что не смог сдержать свою
внутреннюю, никому другому не понятную лихорадку.

— О, идиот, идиот! — пробормотал он, морщась.
Остановился у березы и потрогал мокрую кору. Она
могла бы быть березой, он мог бы быть березой, береза
могла бы быть кем-то другим. «Быбыть, быбыть, —
сказал он, похлопав ладонью по коре. — Вот тебе
и быбыть». Что он мог сказать в свое оправдание? Что
он мог сказать березе? Что он мог сказать ей? «Я про-
сто-напросто соглядатай, — сказал он вполголоса. —
Соглядатай. Я наблюдаю. Моя жизнь — смотреть.
Жизнь соглядатая». Она спросила, прошептала в самое
ухо: «Если ты только соглядатай, почему от тебя зло?
Ты не соглядатай». — «Хорошо, — согласился он. —
Пусть я не соглядатай, пусть от меня зло. Хорошо.
Прости меня. Я не знаю, кто я. Я не венец творения, не
совершенство. Знаешь, что такое венец творения? Это
буквы, это слова на бумаге! Ради них я готов на все.
Я должен писать слова на бумаге. Я должен. Иначе
во мне нет смысла. Я ничтожество, дрянь, каждый мой
поступок можно расчленить на составляющие корысти
и страха. Но когда я пишу слова — единственно верные
слова — я чувствую себя Богом: ведь в моих руках венец творения... это я создал! Это у меня получилось!..
Понимаешь?» — «А я при чем? Пиши слова. Я тебе не нужна». — «Нужна! Ты нужна мне... Смотри,
есть семь сердечных чувств: зависть, ненависть, страх,
тоска, веселье, ревность и любовь. Большая часть из
них или дурны, или обращены на самого себя. Только
любовь хороша и обращена на другого. Ты нужна мне,
потому что я хочу иметь в сердце любовь».

— Вот же дребедень... — пробормотал он, морщась.

Дребедень, дребедень... хорошо быть книжным героем... героем из книжки, из хорошей книжки с приключениями... с победой в последней главе, где все хорошо кончается... всегда можно узнать будущее, пролистнув несколько страничек... зачем он ее так обидел?

На мгновение ему стало невыносимо жарко: неужели напрасно?

Он поскользнулся, выругался и быстрым шагом пошел к выходу. Березы кланялись ему вслед.

Не за что зацепиться, вот что плохо... За что зацепиться в жизни? Жалкие, не избавляющие от смерти таланты: быть богатым, все уметь, всего добиться... это смешно, это скучно... Ах, встать бы на ноги, твердо встать, чтобы не шатало ветром... но за что, за что зацепиться? Все уже разложено на элементы, все прозрачно: доброта — форма корысти, любовь — способ самосохранения... все проверено, расчислено... ничто не умаляет ни смерти, ни одиночества. Осталось только одно таинственное, непознанное, загадочное, ради чего стоит жить... волноваться, искать. Но и оно уходит, уходит, показывается реже... ненадолго... ах! Он в ужасе замотал головой, зажмурился, похолодел, представив себе, что больше никогда, никогда... ни трепета, на восторга... ни гордости потом, когда отхлынет... ни сладкого расслабления гордой души... ни покоя... никогда!

Остановился, дрожащими пальцами нашарил сигарету, закурил, задохнулся горьким дымом... еще раз... еще. Легкий дурман тронул голову.

Он задрал голову и посмотрел в небо. Серая пелена трескалась, рвалась, снова смыкалась. Кое-где проглядывала клочковатая робкая голубизна — жидкая, акварельная, застиранная. Облака скользили, слоились. Небо было живым и подвижным. Небо было. Он часто забывал о том, что оно есть; но стоило задрать голову, и оно бросалось в глаза — высокое, радужное. Иногда он боялся: посмотришь — а неба нет, вместо неба — мертвая пустота. Но оно было, было.

Душа распрямилась, возликовала.

Конечно... да... это понятно... Слова тоже оттуда... он пишет их на бумаге... Но можно слышать другие... их не напишешь на бумаге... они не для письма... Можно слышать просто музыку... торжественный гул лазоревых труб... ангельские аккорды... Приходить под голубой купол и негромко петь, расплавляя душу восторгом и покорностью... чтобы сказать потом Ему: да, Ты прав, я подл, я ничтожен, я проклят... но мы стояли в церкви и тихо пели, и Ты должен меня простить — ведь ничего лучшего я не совершал!.. Ты должен меня простить, потому что нельзя наказывать детей слишком строго!..

Он вытер глаза кулаком. Небо светлело, тучи вспыхивали на кромках. С востока потянул ветер, деревья зашумели, вздыхая и жалуясь.

И вдруг услышал: «Та-та-та-та... та-та-та... та-та-та!..» — Мурачев успел только споткнуться и почувствовать, как побежали по спине горячие мурашки, а над ним уже звучало окончание: «...Та-та-та-та... та-та-та... та-та!..»

— Та-та-та-та... та-та-та... та-та-та... — несмело повторил он, жадно ощупывая губами слог за слогом. — Та-та-та-та... та-та-та... та-та!..

Это были не просто «та-та-та», а разноцветные зернышки закукленного пока еще смысла.

— Та-та-та-та... та-та-та... та-та-та!.. — бормотал он, шагая как попало. — Та-та-та-та... та-та-та... та-та!..

Он шагал и шагал, не замечая ничего вокруг себя, без конца повторяя то, что было ему так щедро подарено, и не удивляясь, а только радуясь тому, что на простеньком узоре следующих друг за другом «та-та» стали вдруг появляться ненадолго, вспыхивая, словно капли масла на угольях, отдельные слова. Та-та-та-та трубой жестяной... Та-та-та-та безвременность дней... Та-та-та-та-та дудка из жести... Он успевал слабо удивляться — почему из жести? почему, наконец, дудка? — но собственные его мысли были только бесцветным фоном, на котором нескончаемое «та-та» продолжало вышивать свои узоры. Весь мир пришел в движение — завязывались новые узлы, и то, что прежде было разрозненным, объединялось. Та-та-та бесполезной трубой... Я был маленьким, время пряталось от меня, оно не показывалось в полный рост... И гордился я дудкой из жести... та-та-та-та трубой жестяной... настоящей... примитивной... неумелой... самодельной?.. самодельной трубой жестяной!.. А время пряталось... почему пряталось? где пряталось? пряталось за стеной... бормотало за стеной... ворковало за стеной... на скамье... в траве, как птица или кузнечик... кузнечики не воркуют... ворковало в траве за стеной... Та-та-та-та... та-та-та... та-та-та... из жести... из шерсти... из персти... из лести... из мести... на месте... топталось на месте!.. Время та-та топталось на месте... ворковало в траве... за стеной... и гордился я дудкой из жести... самодельной трубой жестяной!..

— Та-та-та-та... та-та-та... та-та-та!.. — бормотал он, шагая по лужам. — Та-та-та-та... та-та-та... та-та!..

8

Ноги несли его радостно и свободно.

Он шел, не глядя куда, повторяя то, чего всего лишь пятнадцать минут назад в мире не было, и часто вдыхал полной грудью, а порой озирался, но не потерянно, а так, как озираются завоеватели, оглядывая покоренные земли.

Душа ликовала. Пережив судорогу перенапряжения, теперь она сладко отходила, млела, расслабляясь... Он снова и снова проборматывал пришедшие строки, всякий раз хмелея от горделивого сознания, что они и на самом деле неплохи; поначалу недоставало одной строфы, но потом и она явилась — правда, не сама собой, а с помощью холодного ума, с приложением версификаторских способностей, потому и была слабее: прислушавшись к ней повнимательнее, можно было понять, что это заплатка на парче, а не сама парча; но он знал, что потом, когда сядет спокойно за стол с карандашом и бумагой, ему удастся подштопать ее так, чтобы истинное происхождение этих строк было бы ведомо только ему, а никто другой о нем и не догадывался... Но пока-то ладно, пока он к ней, к ней!..

— О, поэт Мурачев! — вздрогнул он от гнусавого окрика Тураева. — Сколько лет! Сколько зим! Парам-па-ра-ра, лик ужасен! Слышь? Куда спешим?.. Что ищет он в краю далеком?..

Хлопнув его по плечу, дылда Тураев захохотал в свойственной ему манере: запрокинулся, откинул челюсть, будто она у него была на веревочках, и загыкал — гы, гы, гы!..

— О, привет, — обрадовался Мурачев, протягивая руку. — Тураев! Друг воздушных муз! Не наложил ли

ты в картуз?.. Откуда ты? И далеко ли? А это, между
прочим, кто стоит в сиреневом пальто?

— А это, между прочим, Кристина! — сладко сообщил Тураев и махнул рукой. Центр описанного им
полукруга пришелся на невысокую, но плотную девушку в клетчатом плаще. — У нее стихи — поэма!
Слышь? Песня! Вот ты послушаешь — уписаешься!..
А это Сережа Мурачев, — он другой раз махнул рукой. — Талантище! У-у-у, его сам Парапетов будет
печатать!.. Пошли с нами, мы к нему на семинар идем!

— Не слушайте его, Кристина! Не будет меня Парапетов печатать! — сказал Мурачев, хохоча. Он был
польщен и чувствовал приятное смущение. Кристина,
казалось ему, безотрывно смотрит на него. Поэтому
сам он безотрывно смотрел на Тураева.

— Будет, будет, как же не будет! — возразил Тураев. — Кого же печатать, как не тебя! Да хочешь,
слышь, прямо сейчас пойдем да спросим! — И снова
запрокинулся и загыгыкал. — Ты давай-ка, прочти нам
что-нибудь!

— Нет уж, — возразил Мурачев, переводя, наконец, взгляд на девушку: она, оказывается, смотрела вовсе не на него, а на Тураева. — Вы знаете, Кристина,
как Парапетов ко мне относится? Это мрак! Говорят,
он мне завидует!.. Например, читаю я ему свои новые
стихи... там есть такие слова: что ж такое, ни пальцы к перу... ни к бумаге перо поутру... потянуться
не хочет... Что, плохо разве? А? Нет, вы скажите —
плохо?

— Нормально вроде... — хрипло сказала Кристина.

— Вот видите! А он мне говорит: это что за непальцы? Это что за призывы такие: непальцы, к перу!

А непалки, говорит, что ли, к топору?! Может, говорит, вам свою виршу назвать просто «Вперед, непальцы!»? А?! Каково?.. Так что уж лучше вы нам, Кристина, что-нибудь прочтите! — сказал он и продолжил, оборотясь к Тураеву: — Пусть Кристина что-нибудь прочтет!

— А правда, Кристинка! — подхватил Тураев. — Давай! Как там у тебя? «Тонкий жеребенок о больших копытах...» Слышь?

— Да ну вас! — неожиданно низким голосом ответила Кристина и заулыбалась, отчего на пухленьких ее щеках образовались две ямочки. — И ну к черту этого вашего Парапетова! Меня-то он точно печатать не будет.

— А что, семинар-то у него хороший, — сказал Тураев. — Слышь, в прошлый раз Саша Корсаченко — знаешь его? бородатый такой... — обнародовал виршу о том, как он клиническую смерть переживал и что при этом видел... Так себе стишата, между прочим... Нет, ну ты представляешь! Парапетов выслушал так чинно... а у Корсаченко там и свет, и голоса — все, как положено... и говорит: это, говорит, интересно, рифмы свежие, все такое... Но вот по части фактического содержания — тут вы, Саша, подкачали: когда, говорит, я сам клиническую смерть переживал, у меня-де свет был такой-то и такой-то, а голоса такие-то и такие-то, а не как у вас описано! Слышь? Ну, начинается обсуждение, вскакивает Калганов и кричит: не согласен! все правильно! когда я переживал клиническую смерть, у меня все то же самое было! верно Сашка описал!.. Потом Сорокин, слышь! Знаешь, как он-то — бу-бу-бу, бу-бу-бу... Есть, говорит, отдельные фактические неточности, тут Семен Валентинович прав, а в целом, бубнит, так и есть — как с натуры! Я, говорит, тоже наблюдал во время клинической смерти! Тут ко мне — слышь! — наклоняется Шурик Громов и шепчет: Сева, тут все, что ли, клиническую смерть переживали? Откуда, мол, такое знание материала? А я ему в ответ: конечно, говорю, Гром! А ты-то как думал?! Мы б иначе здесь не сидели!

Мурачев захохотал, хлопая себя по коленкам. Ему стало хорошо — он почувствовал вдруг, что давно ждал вот такой встречи.

— По двадцать капель! — воскликнул Тураев и стал гыкать, тыча их обоих — и Кристину, и Мурачева — по очереди кулаком. — Самое время!

— Нет, не могу! — с сожалением ответил Мурачев, сглатывая слюну. — Не могу, честно! Да и потом... — он махнул рукой, смеясь. — Я уж вчера, да и позавчера... кошмар! Не могу! Девушка ждет, Тураев! Обещал!

— Э, девушка! — отмахнулся тот.

— Не скажи! — запротестовал Мурачев. — Любимая девушка!

— Всякая девушка может быть любимой, — рассудительно заметил Тураев. — Вот тебе, например, девушка! Чем не девушка? Отличная девушка! (Кристина смущенно улыбнулась Мурачеву, и он подумал: что ж ты все время на Тураева-то смотришь?!) Да мы недолго! По двадцать капель, а потом посмотрим! Можем выпить, например, немного португальского вина! — он цокнул языком. — По-простому — портвейна! Портвейн — он тем хорош, во-первых...

— Да ладно! — нетерпеливо перебил его Мурачев. — Портвейн — он всем хорош. А где? — спросил он, поглядывая на Кристину; Кристина принялась за-

думчиво ковырять носком ботинка асфальт и окончательно стала похожа на школьницу.

— А где хочешь! Можно ко мне двинуть! — за-
горланил Тураев и тут же двинул, решительно увлекая
их за собой; Мурачев шагал вяло, оглядывался с сожалением, твердил про себя, что на полчасика, не больше,
косил глазом на идущую бок о бок Кристину — носик
у нее был вздернутый, задорный. Он жалел, что согласился, — это дело не на полчасика, это часа на два, на
три, а Ленка будет думать, что ему на нее плевать, —
и снова поглядывал на Кристину и, не отдавая себе
в этом отчета, норовил коснуться ее рукой.

— Топать не будете? — спрашивал между тем Тураев. — У меня же соседи, матери их трясца! Едят меня поедом! Тут смешно было, слышь! Привел я к себе
Лешку Градова с одной девушкой. То есть я-то девушку
к себе вел, а по пути Градов увязался... Ну, ты ж его
знаешь! Он же дурной! Чуть выпил — и на француз-
ский перешел! Девица эта тоже понимает по-ихнему,
и тоже ей лестно иностранные слова вспомнить, а я
сижу с ними немтырем, только подливаю! В общем,
досидели часов до трех! Градов нажрался, бормочет
что-то, потом вроде протрезвел немного — это, говорит, ерунда, что по-французски, я, говорит, еще и по-
немецки могу — даже лучше! А мне уже ничего не
нужно: ни французского, ни немецкого, ни Градова,
ни девицы этой бессмысленной — только бы выпро-
водить их поскорее. Ну, я им объясняю: соседи спят,
в коридоре только на цыпочках, не топать ни в коем
разе, идти прямо, потом налево, там дверь на лестни-
цу. Другие двери — это, говорю, к соседям! Ну, все
объяснил, слышь! Выпускаю их из комнаты, тут же —
бух! бух! бух! Это двухметровый Градов шагает! Чисто

как статуя командора! Добухал до первой попавшейся двери, уперся — а там бабушка одна живет, добрейшая тетка, и главное — во время войны была в немецком плену четыре года, язык там выучила, по сию пору об этом вспоминает и говорит, что ей сны часто снятся из лагерного быта — ну, знаешь, как там: лай собак, проволока, немецкие команды... — упирается он в эту дверь — и дерг за ручку! Я — вне себя от злости — громким шепотом, — знаешь, в романах принято писать: свистящим: не туда! куда ты, говорю, скотина! А из комнаты, из темноты, слабый голос бабушкин: вас ист дас?! Ты понимаешь, ей, бедняге, должно быть, как раз в тот момент очередной сон-то и снился! И тут этот придурок вдруг почему-то щелкает изо всей силы каблуками и туда, в бабушкину темноту, слышь, во тьму, наполненную призраками трагического прошлого, рявкает вдруг, идиот: яволь!!! Ты представляешь, что с ней было?!

Мурачев захохотал, бессильно закрывая лицо ладонями и утирая слезы.

— Ужасно! — сказала Кристина. — Это же бесчеловечно! А еще поэт!..

— Поэты — не люди, — сказал Мурачев. — В них мало человеческого. Вы и сами должны знать — вы же пишете стихи!..

— Стихи не пишутся — случаются, — жеманно продекламировала Кристина, уставившись на него большими и выпуклыми карими глазами.

— Вот и я тоже, — сказал Тураев, напряженно гыкая, — вот и я тоже не пишу стихи — я их случаю!

— Ну, ну! — сказал Мурачев. — Ты мне лучше скажи: твои погреба не следует пополнить?

Тураев отмахнулся.

— Потом, потом! Тут за углом магазин — выйдем на пять минут... Направо здесь! В подворотню!

Невольно ускоряя шаг, они вошли в подъезд и единым махом взлетели на третий этаж.

— Сейчас, сейчас! — торопливо говорил Тураев, ковыряя ключом в неподатливом замке.

Мурачев слышал, как Кристина переминается и дышит ему в затылок.

— Опа! — воскликнул Тураев, когда дверь поддалась. И заспешил: — Присаживайтесь! Минуточку!

А уже через несколько секунд, выставив бутылки, наполнив стаканы, разломив плитку шоколада (Кристина и Мурачев сосредоточенно следили за его отточенными движениями), он поднял стакан и сказал:

— Ну, поехали!

И они поехали.

9

Мурачев брел по улице, низко опустив голову. Пространство сужалось перед ним, и приходилось напирать плечом, чтобы оно пропустило дальше. Улица была незнакомой. Время от времени он озирался, и ему начинало казаться, что он когда-то уже видел эти дома и деревья, но тут же мозг наполнялся тяжелой мутью, и голова безвольно клонилась, и он оставлял попытки вспомнить, когда это было.

За его спиной кто-то невидимый без конца пиликал на расстроенной скрипке — с притопом, с шарканьем — неотступно следуя за ним, подчас едва ли не касаясь грифом плеча и ловко прячась за что-нибудь, когда он оборачивался, чтобы хоть посмотреть на этого безумного музыканта. Звук был едкий, надоедливый.

Ему становилось чуть легче, когда губы были заняты каким-нибудь делом, и поэтому он безостановочно бормотал себе под нос какую-нибудь фразу, а когда она надоедала, начинал хрипло напевать бессмысленное «па-ра-па-па».

Голова была набита мятыми обрывками того, что происходило с ним в эти два или три дня. Два? Или все же три? Он напрягся, пытаясь сообразить, сколько же было утр и ночей с тех пор, как он встретил Тураева, но тут же асфальт начал зеленеть и дыбиться под ногами. Мурачев помотал головой и остановился, схватившись за штакетину. Тураев поначалу все пел какой-то дурацкий куплет на мотив чего-то цыганского: «Сознанье давит мне на мозг... его давление не шутка... пора, пора надраться в лоск... на время сбросив гнет рассудка!..» Он побрел дальше, повторяя, повторяя, опять и опять повторяя тураевский куплет. Чего он совсем не помнил — это куда делась Кристина. Кристина оказалась ничего себе поэтессой... Куда-то она делась наутро... Или утром еще была? Он зажмурился и попытался увязать одно с другим. Стоп, вот та полуодетая дамочка на балконе — это Кристина? Нет, это не Кристина, это женщина с бараньими ребрами... А деньги? Где брали деньги? У него денег не было — это точно. Где же брали деньги? На такси ездили, кажется... И дом, дом с палисадником, в котором оставили неживого бородача, — это ведь не в городе дом... А где же?..

Он открыл глаза, чтобы идти дальше. Асфальт под ногами снова был ярко-зеленый, с отвратительными бирюзовыми пятнами.

— Ну ладно, ладно... — пробормотал он. — Все равно уже не вспомнить.

Пошатываясь, сделал несколько шагов.

— Подай калеке! Слышь? Тебе говорю!

Мурачев поднял голову и обнаружил себя возле кладбищенских ворот. Шишечки на ограде поблескивали. Одна из них вдруг скривилась в рожу и злорадно ухмыльнулась ему.

— Оглох, земеля?!

Обращался к нему кудлатый человек, сутуло сидевший на тряпье, брошенном в лужу.

— Что? — переспросил Мурачев, морщась: дух от сидящего шел тяжелый.

— Что-что! — брюзгливо повторил нищий. — Денег дай, говорю! Или пожрать чего дай!.. Покурить дай! Не видишь — помираю!..

Хотел что-то добавить, но клочковатая его борода затряслась, будто перед припадком, и он только плюнул Мурачеву под ноги и безнадежно отвернулся, злобно бормоча себе под нос.

— Ты чего! — пробормотал Мурачев, обеими руками держась за голову. — Ты помирать наладился — так помирай. А не плюйся! Ишь, расплевался! Я тебе подавать должен за то, что ты тут плюешь направо-налево! Да пошел ты!..

— Сам пошел, хорек! — захрипел тот, вылупив мутные несфокусированные глаза: казалось, он смотрит не в лицо, а сквозь лицо в затылок. — Фу-ты, ну-ты! Пошел, пошел! Подавись! Пожалеешь еще! Дал бы денег — лучше было б! А вот наскачет белый конь — помянешь меня! У, придурок! Будешь, как я, сидеть, — вспомнишь! У-у-у, харя! Дай рубля, говорю! Пять тыщ дай, кому сказал!..

Голова его неожиданно вздернулась, словно его ткнули шилом в подбородок. Он смотрел в прояснившееся небо и бормотал:

— Скачет, скачет белый конь! Ой, скачи, скачи, батюшка ты наш! Ой, скачи!..

— Давай, давай, — сказал Мурачев, осторожно пятясь. — Псих припадочный, — добавил он вполголоса.

Безвольно постоял возле церкви. Скрипач все пиликал, пиликал. Ему казалось, что еще совсем недавно знал, куда идти. Он сморщился и повернул голову. Ветер пробежался по ветвям, и он вспомнил — вспомнил губы, глаза, волосы, вспомнил ее сонное дыхание. Как же так! Он повернул направо и торопливо пошел по тенистой улице мимо железной ограды молокозавода. Скрипач не отставал.

Сердце угрожающе стучало, но все же кровь быстрей побежала по жилам, и в голове просветлело. Мурачев оглянулся — и опять скрипач успел куда-то спрятаться: только кончик смычка ерзал за кустами.

Он должен был сделать это вчера — нет, позавчера... или третьего дня? Ничего, он придет в себя и скажет ей: не прав, виноват, люблю. Он шагал, мыча трехсложную мелодию побудки, и снова и снова повторял про себя: «Не прав, виноват, люблю».

Клумба перед входом была освещена робкими лучами солнца, проглядывающего сквозь дырявую пелену облаков.

Он поднялся на крыльцо, кое-как увернулся от норовившей его пристукнуть двери и подошел к столику дежурной.

— Скажите, — с усилием выговорил он, морщась и поднося ладонь ко лбу: еще этот скрипач! ведь не слышно!.. Беспомощно оглянулся и спросил: — Скажите, а Лена Максимова уже пришла?

Странно посмотрела на него дежурная — это была сухощавая женщина в очках — и ответила ровно:

— Ее не будет.

— Да нет же! — возразил Мурачев, безжизненно улыбаясь. — У нее сегодня дежурство! Как же не будет!..

— Не будет, — повторила дежурная. Сняла трубку звякнувшего телефона и сказала: — Поликлиника слушает.

Он постоял возле нее, тупо глядя на стену. Стена была в дырочку — много-много дырочек. Вот появилась еще одна, и оттуда на мгновение высунулась сверкающая головка червя.

— Поликлиника, поликлиника!.. Вы б лучше червей поморили! — грубо сказал он. — Сидите тут!..

— Что? — переспросила дежурная, не отрываясь от телефона.

— Да ничего! — грубо ответил он. — Червей бы, говорю, поморили!..

Лучше бы ему не смотреть на эту стену: замутило, повело, в глазах потемнело. Пошатнувшись, он сделал два кисельных шага, сел на стул возле регистратуры и ссутулился, подперев голову руками.

Перед закрытыми глазами мельтешили фиолетовые спиральки. На мгновение он испугался за свою жизнь, но и этот страх безразлично потонул в нагоняющих друг друга волнах тошноты. Он цепенел, погружаясь в дремоту. Ему надо было идти к Ленке. Тошнота набегала, и в дреме он уже видел себя шагающим по тротуару. Он шел к ее дому. «Па-ра-па-па, — вертелся на губах осколок марша. — Па-ра-па-па». Сердце сжималось. Она же сказала — дежурство! Из-за чего весь сыр-бор разгорелся? Он же отлично помнил, как она сказала!

Из-за этого все и получилось... Так что же выходит... она его на самом деле обманула?! Да нет же, нет, это было еще в тот день... в субботу... а сегодня ведь не суббота?.. Все перепуталось... Сейчас он ее увидит, и тогда...

— Вам плохо, что ли? — сказал кто-то в самое ухо. — Вы слышите?

Он с усилием поднял голову, помотал ею, не разлепляя глаз, и снова свесил.

Человек отошел от него, пожав плечами, поправил шляпу перед зеркалом и направился к дверям.

«Па-ра-па-па», — слышал он собственный голос и видел себя входящим во двор большого дома. У ее подъезда возле двух табуреток, выставленных на тротуар, стояли какие-то тетки, и все они были одеты в темное.

Он долго смотрел на них и вот, наконец, понял, что показалось ему странным: между подошвами их туфель и тротуаром он отчетливо видел небольшой просвет.

Локоть соскользнул с колена, и видение прервалось на тот краткий промежуток времени, пока он мучительно восстанавливал равновесие стула и собственного тела.

«Простите, простите...» — вот уже говорил он, протискиваясь к дверям. «И ведь какая молодая-то! — негромко толковали они друг другу, кивая головами в черных платках. Тела их немного покачивались — словно воздушные шары. — Это же подумать только! Мать-то, мать убивается!.. Вот так живешь-живешь, колотишься-колотишься, а она-то рядом ходит... Ведь жить бы да жить!.. Матери-то каково, матери-то!..»

«Извините же! — сказал Мурачев. Ему приходилось расталкивать их — тетки податливо отшатывались, не прекращая говорить. — Да позвольте!»

Оказавшись у самых дверей, он шагнул было в подъезд, но вынужден был отступить: из подъезда, крепко поддерживаемая с двух сторон, выходила женщина в черном платье и черном платке: она не плакала, но равномерно закидывалась назад и затем выпрямлялась с ойканьем, переходящим в хриплый стон.

Он взглянул им под ноги: эти тоже не касались земли, и просвет был шире — в ладонь.

«О-о-ойо-о-охо-о!»

Его затрясло.

Мурачев попятился, со страхом глядя в ее изуродованное несчастьем лицо.

Это была та женщина, с которой он встретил однажды Ленку.

«Простите! — выговорил он онемевшим картавым языком. — Простите!.. Вы... я...»

Его не замечали — то ли голос его был беззвучен, то ли ограждала непроницаемая стена.

«А-а-а-а!.. — закричал он, сгибаясь от боли. — Лена-а-а-а!..»

— Ну! Ну! — Кто-то настойчиво теребил его за плечо. — Ну! Ты что! Да очнись, тебе же говорю!..

Он с усилием разлепил веки и увидел чьи-то грязные сапоги, перетаптывающиеся перед самой физиономией.

Мурачев с усилием выпрямился. Стул скрипнул. К регистратуре успела выстроиться небольшая очередь. Свет слоился, тек и был похож на туман.

— Что? — выговорил он, безуспешно пытаясь сфокусировать взгляд.

— Что с тобой? Слышишь? Ты меня не помнишь? Да посмотри же сюда!.. — слышал он чей-то встревоженный голос. — Ты меня не помнишь?! Да Маша же я, Маша! Ну, со склада-то! А я иду от зубного, смотрю — сидит!.. Вставай! Ты чего здесь?! Ну вставай, вставай!.. Да на тебе лица нет! Пойдем!

Она тянула его за руку.

— Нет, — сказал он, пытаясь высвободиться.

— Что еще такое — нет?! — сказала она. — Так и будешь здесь сидеть? Да ты что! Ты выпивал, что ли? Тебе же поправиться надо! Ты же синий весь! Вставай, вставай!..

Он попытался увидеть хоть что-нибудь. Вместо чего-нибудь определенного перед глазами маячила жирная медуза.

— Ну?! — угрожающе прохрипела она, придвигаясь.

— Хорошо... ладно... — в испуге пробормотал Мурачев, чувствуя биение ужаса в голове. — Иду, иду... Иду!..

Он нетвердо встал, изумленно оглянулся и сделал шаг.

Послесловие

Повесть «Жестяная дудка», представляющая собой результат довольно неловкой попытки прозаика проникнуть в душу поэта, была впервые опубликована более десяти лет назад. В ту пору автор счел необходимым скрыть имя прототипа, резонно полагая, что совпадение жизненных и литературных фактов не должно касаться, как минимум, паспортных данных реального человека.

Сергей Мурачев — а именно так звали поэта, выведенного в первой редакции повести под фамилией Лялин, — посмеивался, пролистывая свежий журнал, ехидно указывал на неточности, касавшиеся стиля его жизни и творчества, и затем резюмировал: «Как будто в кривое зеркало смотришь!..»

Было бы преувеличением сказать, что автор близко знал своего героя. Однако на протяжении многих лет мы встречались в литературных студиях, на творческих вечерах да и просто в литературных компаниях. Нас роднило и то, что один вырос в киргизском Оше, другой — в таджикском Душанбе. Должно быть, Азия пишет в наших душах одними и теми же чернилами.

Что касается особенностей музы Сергея, то многих поражало, как он, будучи человеком сухого и бескомпромиссного ума, способный просчитать неожиданно серьезные последствия самых незначительных событий, представитель сугубо технической культуры, математик, специалист в области цифровой фильтрации сигналов, мог сочетать рассудочность ученого с горячим, пульсирующим вдохновением поэта.

В отличие от подавляющего большинства пишущих, Сергей принимал кое-какие советы и поправки, и обычно следующее чтение уже несло на себе след новой работы. Однако, как известно, продолжением достоинств являются недостатки: к своему дару Сергей вообще относился довольно легкомысленно, если не наплевательски. Однажды посетовал, что утратил большую часть ранних стихотворений: щедро дарил автографы друзьям, женщинам, попутчикам, не заботясь о том, чтобы оставить себе копию. «А память на стихи у меня всегда была плохая...» — заключил он.

Несколько стихотворений Сергея Мурачева, публикуемые ниже, были любезно предоставлены его вдовой.

А. В.

Сергей Мурачев
(1962—1999)

ИЗ ШЕСТОЙ ТЕТРАДИ

«Где вы, духи...»

Где вы, духи горных речек? —
Вас не видел я, но вот
Звуки вашей резкой речи
Слышались в бурленьи вод.

И бесстыдную игру я
Наблюдал в тени ветвей:
Жадно льнут нагие струи
К плоти жаждущих камней.

А в прозрачных водопадах,
Как за стеклами светлиц,
Все мне чудились то взгляды,
То движения светлых лиц...

«Так умеют лишь...»

Так умеют лишь пауки да звери —
Каменеют и без нужды не воют.
Вот и я, как пес, у закрытой двери
Вдохновенно жду — может быть, откроют.
В узкой щели свет — как игла и угли,
Он зрачки мои долгой мукой узит.
А подчас еще что-то глухо ухнет —

Будто шар об шар в биллиардной лузе.
А еще подчас — плачет половица,
А еще подчас — чей-то смех и голос...
Я бы мог завыть, злобой распалиться —
Но не станет щель шире ни на волос.
И сижу я так — век сижу и доле,
И слежу я так за теней игрою,
И не чувствую ни беды, ни боли, —
Только жду и жду, когда дверь откроют.

«Ни вниманья чужого,
ни дружбы...»

Ни вниманья чужого, ни дружбы
Мне сегодня, пожалуй, не нужно.
То, что в юности кажется благом,
Вылезает впоследствии боком,
Пролегая незримым оврагом
Меж тобой и невидимым Богом.

Чем безжалостней наша пустыня,
Чем безжизненней наша свобода,
Тем слышнее созвучья простые
Ослепительных струн небосвода.
А чтоб чувствовать толику счастья,
Твоего мне довольно участья.

«Я на водах был...»

Я на водах был. Над вода́ми горы
Воздымались ввысь, привлекая взоры.
У истока вод пожилые пери
Богатырь-нарзан пили сил по мере.

ИЗ ШЕСТОЙ ТЕТРАДИ

Налившись мощой, их зады и груди
Вопияли о недоступном блуде
И о том, что им сатанинской песней
Не залиться уж перед мраком пенсий...
Я хлестал нарзан — ведь красот Кавказа
Не отдашь за так, за глоток «Кавказа»,
А стрезва сюжет об утехах плоти
Вызывал в душе что-то страха вроде.
Я бродил один, повторяя втайне,
Что любовь — не акт и не обладанье.
И брусчатка звезд надо мной блестела
Как дорога в рай, где не нужно тело.

«Вот корова: она...»

Вот корова: она пребывает в надежном плену
Ненадежных своих, розоватых своих
                                                    представлений,
И роняет с губы перламутровой ниткой слюну
На траву и на чаши тяжелых мосластых коленей.

И, бесстрастно жуя, все глядит на неровный лужок,
На речушку за ним, на лежащий за речкой
                                                    поселок, —
И в зрачках отражается этот съедобный цветок
С лепестками полей и тычинками реденьких елок.

А потом засыпает... и вдруг в ее благостном сне
Появляется некто — сутулый, с глазами, как бляхи,
Тонкогубый, сухой, подступающий медленно к ней,
Пряча что-то в рукав заскорузлой от крови
                                                    рубахи!..

405

И, проснувшись в тоске, беспокойно и жалко мыча,
Размышляет она, и в сплетении линий и пятен
Перед ней проступают пространства неясных начал
И неясные контуры тяжеловесных понятий.

«Качаясь между будущим
и прошлым...»

Качаясь между будущим и прошлым
На валкой душегубке бытия,
Не выпасть бы, ступив неосторожно
За низкие и зыбкие края.
Река в тумане кажется безбрежна.
Куда мою лодчонку занесло?
Ни берега не вижу я, ни стрежня —
И выпущу плеснувшее весло...
Неси меня, непонятое чудо,
Искрись во тьме, волшебная вода,
Текущая неведомо откуда —
Откуда-то, — неведомо куда.

«Замерев
над пенной акварелью...»

Замерев над пенной акварелью,
Сделав руку тоньше и длинней,
Рыболов — охотник за форелью —
Целый век охотится за ней.

Он глядит в густую воду, ибо
Из воды — вся в пене, как в дыму —
На него веками смотрит Рыба —
Та, что предназначена ему.

Шум сует не долетит до слуха,
И, горя в серебряном огне,
Рыбе предназначенная муха
Дьявольски трепещет на волне.

«И вот, когда я падал
на постель...»

И вот, когда я падал на постель,
То через пять, от силы — через десять
Сон брал как сноп и нес меня отсель
В какую-то неведомую местность,
Лежавшую настолько вдалеке,
Что к времени, когда я возвращался,
Узор маршрута снова превращался
В узор морщин на заспанной щеке.

«В окончаньи вопроса...»

В окончаньи вопроса висит рыболовный
                                    крючок —
Вопросительный знак, хищно загнутый черный
                                    значок.
Мы на истину вяжем простецкую ловчую снасть,
Но нельзя человеку в ловцы удалые попасть —
Разум в нем неумен, и душа-то бездушная в нем:
Тот руками разводит, а эта сжигает огнем.

К дивану

Люблю скупой язык полдневных сонных стран,
В которых, пахнущих зирою и шафраном,

Совет министров называется — диван,
И свиток виршей называется диваном.

Но есть еще диван, о коем и пою!
Он много ближе мне, поскольку то и дело
Я, вспомнив сущность безмятежную свою,
Дарю ему свое беспамятное тело.

И он — мурлыкая, пружинами звеня,
Полуприжав к себе и полуобнимая,—
До утра ясного баюкает меня,
Сны мирной радости прилежно навевая.

«Я ничего не вспоминаю...»

Я ничего не вспоминаю.
Я все, что было, позабыл.
Я счастлив был? — уже не знаю.
Быть может, я несчастлив был?

Я знаю: память — форма тленья:
Распад живого существа
На бессистемные мгновенья,
Звоночки, запахи, слова.

Взгляд

Я вышел в ночь — и ночь взяла
Меня в ладони тьмы глубокой
И к вышине тысячеокой
Движеньем плавным вознесла.
И наклонилась, глядя в горсть,
Как в детстве сам смотрел, бывало,

Подняв с дороги ржавый гвоздь,
Железку, камень, — что попало.
И долго-долго взгляд не мерк,
Как будто ясный свод небесный
Решал, какой же я — полезный
Иль бесполезный человек?

Поезда

На полке, на жесткой искусственной коже,
Где качка и мятая книга в руке,
На полке вагонной, в суставчатой дрожи
Летевшей куда-то сквозь тьму налегке, —
Таких дальних странствий мне снились
                                   пределы,
В такие пространства та полка летела,
Что я просыпался в нездешней тоске.

И видел в ночном фиолетовом свете,
Лишь усугубляющем тьму за окном,
Как мирно сопели снабженцы и дети,
И слышался изредка храп или стон...
Но ложечки нервно бренчат о стаканы!
Но там, за окном, пролетают барханы —
А может, Голконда, и Тир, и Сидон?..

Я так и не знаю, с какого вокзала,
По четным ли числам, зачем и куда
Судьба, будто лучник, бесцельно бросала
Те громострeмительные поезда.
И только знобит — вспоминается юность.
И жаль, что к перрону они не вернулись —
А канули в черной ночи навсегда.

Сергей МУРАЧЕВ

Подражание Катуллу

Когда умру, меня не стоит брить.
Оставьте предрассудки суеверным,
А все мое останется со мной
И чохом ляжет в ненасытный грунт —
Щетина, ногти, зубы... Даже пломбы.

Не нужно ни кощунств, ни лишних слез.
Столы сдвигайте — кухонный и круглый,
Капусту ставьте, лук и огурцы,
Которыми закусывал я водку...
Да, кстати, водка! Больше, больше водки!
Напейтесь в дым, в лоскутья, вдрабадан!
Горланьте песни, плачьте и деритесь!..
Быть может, гнет лукавого ума
И горечь неприятных озарений
Размыты будут яростным вином
Хотя б на час...

        А самые счастливцы,
Очнувшись утром, вовсе не упомнят,
Кто был таков и — был ли вообще.

Сайгак

Беги, горбоносый, по черной степи!
Лети по такыру, заклятья хрипи,
Стегая копытами землю!
Спеши, расширяя предсмертно зрачки,
Последнего воздуха злые толчки
Сухими ноздрями приемля!

«О Степь! Я ребенок беспомощный твой!
Накрой меня черной своею полой,
Песчинкою брось на бархане!
Рассыпь меня солью в горячем песке!
Спаси! Коль не можешь дать крыльев сайге,
Дай крови мне, дай мне дыханья!..»

Такие слова я кричал, торопясь
Рассеять волшбою смертельную связь
С летевшей за мною машиной,
Что в черной степи догоняла меня,
Вперяя мне в спину два белых огня
Рукою дрожащей и длинной...

Переправа

Гомонят, хмельные, допивают водку.
Я спущусь на берег, поджидая лодку.
По-над плесом утки тянут на закат,
Жаркий уголь солнца пламенно-покат.
Почерпну шеломом золотого Стикса:
У воды-то быть-то — да и не напиться?
Солнышко заходит за слепой лесок.
Вот и показался валкий обласок.
Долго ли, недолго — все как будто миг.
В утлой душегубке подгребет старик.
Острой рыбной вони шибанет струя.
Кое-как усядусь, балансируя.
Он сожмет привычно рукоять в горсти —
До скончанья века так бы вот грести!..
Над зерцалом речки пар — как молоко.
Тронет воду — выждет...

— Дед, нам далеко?
Гаснет луч заката, потемнела высь.
Невпопад бормочет:
— Ладно, не боись.

Стихотворение с ошибкой

Я бы шелковою стал блузкой
Или юбочкой из фланели,
Пусть недлинною — лишь бы узкой,
Чтоб влезала ты еле-еле.

Я б касался тебя и гладил,
Прижимался б к тебе навеки —
И готов я того же ради
Стать горчичником из аптеки...

Окуни меня ненадолго —
Я приникну к твоим ключицам
На пятнадцать минут восторга, —
И плевать, что потом случится!..

Ты отлепишь меня, вздыхая,
Сложишь вчетверо — и в помойку...
До свидания, дорогая!
Выздоравливай потихоньку!..

На смерть А. Т.

Ты вспыхнул на работе — на посту,
Не бросив плот истлелого дивана,
С которого ты мыслил в пустоту,
Летя во тьме без рельсов и стоп-крана.

ИЗ ШЕСТОЙ ТЕТРАДИ

Хватая кисть, ты к раю был готов.
Но каждый холст вопил, изнемогая,
Что ты — исчадье собственных мозгов,
Где только ад — от края и до края.

Ты утверждал, что знаешь свой калибр,
И был готов сменить без оговорок
Бессчетное количество поллитр
На ровно вдвое меньшее — литровок.

Ах, если б лет на пятьдесят назад,
Когда нам столько обещала юность.
Никто ж не знал, что водка — это яд,
А как оно в итоге обернулось!..

Где ты теперь — вопрос не прояснен.
Сигналов нет. Дорога незнакома.
Но если рай — ты будешь удивлен.
А если ад — ты будешь в нем как дома.

СОДЕРЖАНИЕ

Литературно-художественное издание

СУДНЫЕ ДНИ. ПРОЗА АНДРЕЯ ВОЛОСА

Волос Андрей

НЕУДАЧНАЯ ОХОТА

Ответственный редактор *В. Ахметьева*
Младший редактор *М. Мамонтова*
Художественный редактор *С. Курбатов*
Технический редактор *О. Лёвкин*
Компьютерная верстка *А. Щербакова*
Корректор *М. Козлова*

ООО «Издательство «Э»
123308, Москва, ул. Зорге, д. 1. Тел. 8 (495) 411-68-86.
Өндіруші: «Э» АҚБ Баспасы, 123308, Мәскеу, Ресей, Зорге көшесі, 1 үй.
Тел. 8 (495) 411-68-86.
Тауар белгісі: «Э»
Қазақстан Республикасында дистрибьютор және өнім бойынша арыз-талаптарды қабылдаушының
өкілі «РДЦ-Алматы» ЖШС, Алматы қ., Домбровский көш., 3«а», литер Б, офис 1.
Тел.: 8 (727) 251-59-89/90/91/92, факс: 8 (727) 251 58 12 вн. 107.
Өнімнің жарамдылық мерзімі шектелмеген.
Сертификация туралы ақпарат сайтта Өндіруші «Э»

Сведения о подтверждении соответствия издания согласно законодательству РФ
о техническом регулировании можно получить на сайте Издательства «Э»

Өндірген мемлекет: Ресей
Сертификация қарастырылмаған

Подписано в печать 30.06.2017.
Формат 84×108 1/32. Гарнитура «Академия».
Печать офсетная. Усл. печ. л. 21,84.
Тираж 1000 экз. Заказ А-1628.

Отпечатано в полном соответствии с качеством
предоставленного электронного оригинал-макета
в типографии филиала АО «ТАТМЕДИА»
«ПИК «Идел-Пресс».
420066, г. Казань, ул. Декабристов, 2.
E-mail: idelpress@mail.ru

Оптовая торговля книгами Издательства «Э»:
142700, Московская обл., Ленинский р-н, г. Видное,
Белокаменное ш., д. 1, многоканальный тел.: 411-50-74.

**По вопросам приобретения книг Издательства «Э» зарубежными оптовыми
покупателями обращаться в отдел зарубежных продаж**
International Sales: International wholesale customers should contact
Foreign Sales Department for their orders.

**По вопросам заказа книг корпоративным клиентам,
в том числе в специальном оформлении,** *обращаться по тел.:*
+7 (495) 411-68-59, доб. 2261.

**Оптовая торговля бумажно-беловыми
и канцелярскими товарами для школы и офиса:**
142702, Московская обл., Ленинский р-н, г. Видное-2,
Белокаменное ш., д. 1, а/я 5. Тел./факс: +7 (495) 745-28-87 (многоканальный).

Полный ассортимент книг издательства для оптовых покупателей:
Москва. Адрес: 142701, Московская область, Ленинский р-н,
г. Видное, Белокаменное шоссе, д. 1. Телефон: +7 (495) 411-50-74.
Нижний Новгород. Филиал в Нижнем Новгороде. Адрес: 603094,
г. Нижний Новгород, улица Карпинского, дом 29, бизнес-парк «Грин Плаза».
Телефон: +7 (831) 216-15-91 (92, 93, 94).
Санкт-Петербург. ООО «СЗКО». Адрес: 192029, г. Санкт-Петербург, пр. Обуховской Обороны,
д. 84, лит. «Е». Телефон: +7 (812) 365-46-03 / 04. **E-mail:** server@szko.ru
Екатеринбург. Филиал в г. Екатеринбурге. Адрес: 620024,
г. Екатеринбург, ул. Новинская, д. 2щ. Телефон: +7 (343) 272-72-01 (02/03/04/05/06/08).
Самара. Филиал в г. Самаре. Адрес: 443052, г. Самара, пр-т Кирова, д. 75/1, лит. «Е».
Телефон: +7 (846) 269-66-70 (71…73). **E-mail:** RDC-samara@mail.ru
Ростов-на-Дону. Филиал в г. Ростове-на-Дону. Адрес: 344023,
г. Ростов-на-Дону, ул. Страны Советов, 44 А. Телефон: +7(863) 303-62-10.
Центр оптово-розничных продаж Cash&Carry в г. Ростове-на-Дону. Адрес: 344023,
г. Ростов-на-Дону, ул. Страны Советов, д.44 В. Телефон: (863) 303-62-10. Режим работы: с 9-00 до 19-00.
Новосибирск. Филиал в г. Новосибирске. Адрес: 630015,
г. Новосибирск, Комбинатский пер., д. 3. Телефон: +7(383) 289-91-42.
Хабаровск. Филиал РДЦ Новосибирск в Хабаровске. Адрес: 680000, г. Хабаровск,
пер.Дзержинского, д.24, литера Б, офис 1. Телефон: +7(4212) 910-120.
Тюмень. Филиал в г. Тюмени. Центр оптово-розничных продаж Cash&Carry в г. Тюмени.
Адрес: 625022, г. Тюмень, ул. Алебашевская, 9А (ТЦ Перестройка+).
Телефон: +7 (3452) 21-53-96/ 97/ 98.
Краснодар. Обособленное подразделение в г. Краснодаре
Центр оптово-розничных продаж Cash&Carry в г. Краснодаре
Адрес: 350018, г. Краснодар, ул. Сормовская, д. 7, лит. «Г». Телефон: (861) 234-43-01(02).
Республика Беларусь. Центр оптово-розничных продаж Cash&Carry в г.Минске.
Адрес: 220014, Республика Беларусь, г. Минск, проспект Жукова, 44, пом. 1-17, ТЦ «Outleto».
Телефон: +375 17 251-40-23; +375 44 581-81-92. Режим работы: с 10-00 до 22-00.
Казахстан. РДЦ Алматы. Адрес: 050039, г. Алматы, ул.Домбровского, 3 «А».
Телефон: +7 (727) 251-58-12, 251-59-90 (91,92,99).
Украина. ООО «Форс Украина». Адрес: 04073, г.Киев, Московский пр-т, д.9.
Телефон: +38 (044) 290-99-44. **E-mail:** sales@forsukraine.com

**Полный ассортимент продукции Издательства «Э»
можно приобрести в магазинах «Новый книжный» и «Читай-город».**
Телефон единой справочной: 8 (800) 444-8-444. Звонок по России бесплатный.

В Санкт-Петербурге: в магазине «Парк Культуры и Чтения БУКВОЕД», Невский пр-т, д.46.
Тел.: +7(812)601-0-601, www.bookvoed.ru

Розничная продажа книг с доставкой по всему миру. Тел.: +7 (495) 745-89-14.

ISBN 978-5-699-99072-6

16+

BOOK24.RU

BOOK24.RU